C0-AWT-263

LETTRE SUR L'ÂME
LETTRE SUR LE CANON
DE LA MESSE

SOURCES CHRÉTIENNES

N° 632

ISAAC DE L'ÉTOILE

LETTRE SUR L'ÂME LETTRE SUR LE CANON DE LA MESSE

TEXTE, INTRODUCTION ET NOTES

Elias DIETZ, o.c.s.o.

Abbaye de Gethsemani (Kentucky)

Caterina TARLAZZI

Université Ca' Foscari de Venise

TRADUCTION

Laurence MELLERIN

HiSoMA, CNRS, Lyon

AVEC LA COLLABORATION DE **Robert FAVREAU**

Professeur honoraire d'histoire médiévale à l'Université de Poitiers

Ouvrage publié avec le soutien du Centre National du Livre

LES ÉDITIONS DU CERF, 24 RUE DES TANNERIES, PARIS 13e

2022

La publication de cet ouvrage a été préparée
par l'équipe des Sources Chrétiennes
(CNRS, UMR 5189-HiSoMA)
https://sourceschretiennes.org

La révision en a été assurée par Laurence MELLERIN.

Imprimé en France

https://www.editionsducerf.fr/
ISBN : 978-2-204-15116-0
ISSN : 0750-1978

AVANT-PROPOS

Le texte critique et les apparats de la *Lettre sur l'âme* sont repris de l'article de Caterina TARLAZZI, « L'*Epistola de anima* di Isacco di Stella : Studio della tradizione ed edizione del testo », paru dans *Medioevo* 36, 2011, p. 167-278 ; ceux de la *Lettre sur le canon de la messe* sont repris de l'article d'Elias DIETZ, « Isaac of Stella's *Epistola de canone missae* : A Critical Text and Translation », paru dans la revue *Cîteaux-Commentarii Cistercienses* 64, 2013, p. 265-308, avec l'aimable autorisation des éditeurs respectifs de ces revues, que nous remercions vivement. Texte et apparats ont toutefois été légèrement modifiés, le cas échéant corrigés et complétés, et rendus conformes aux usages de la collection *Sources Chrétiennes*, en particulier en ce qui concerne l'orthographe et la rédaction de l'apparat critique – les modifications apportées sont indiquées dans l'introduction (*infra*, p. 123-125).

L'introduction a été écrite par Elias DIETZ, à l'exception de la section consacrée à la *Lettre sur l'âme* qui est due à Caterina TARLAZZI (*infra*, p. 35-79) ; Elias DIETZ a également réalisé les cartes. Les notes de la *Lettre sur l'âme* sont de Caterina TARLAZZI ; celles de la *Lettre sur le canon de la messe* d'Elias DIETZ, sauf lorsqu'elles sont précédées d'un astérisque – elles sont alors dues à Robert FAVREAU, à partir de sa publication dans A. JOLY, C. GARDA, R. FAVREAU (éd.), *Isaac de l'Étoile. Un abbé cistercien du XIIe siècle*, Poitiers 2009, p. 52-65.

La traduction française a été faite, sur la base d'un travail de Robert FAVREAU, par le séminaire de latin médiéval dirigé par Laurence MELLERIN, qui se réunit deux fois par mois à Lyon. Ont participé activement à cette traduction Marie-Claude BOIS, Geneviève BUSSAC, Marie COUTON, Michel FOURNIER, Dominique MELLET, ainsi que des étudiants en master de patristique à la Faculté de théologie de l'Université Catholique de Lyon. Pour la *Lettre sur l'âme*, Caterina TARLAZZI en a assuré la révision. Qu'ils soient tous chaleureusement remerciés de leur précieuse contribution.

Sources Chrétiennes

INTRODUCTION

I. L'INTÉRÊT DE CES NOUVELLES ÉDITIONS

La publication de ces deux lettres vient compléter le corpus des œuvres authentiques d'Isaac de l'Étoile, dont les sermons ont déjà fait l'objet de trois volumes dans la collection *Sources Chrétiennes*[1]. Ce volume réunit deux éditions récentes des lettres publiées séparément dans des revues spécialisées[2] et donne pour la première fois une traduction intégrale des textes en français. Par contraste avec les sermons qui, du vivant de leur auteur jusqu'à l'époque

1. ISAAC DE L'ÉTOILE, *Sermons* 1-17, texte et introduction critiques A. HOSTE ; introduction, traduction et notes G. SALET, *SC* 130, 1967 ; *Sermons* 18-39, texte et introduction critiques A. HOSTE ; introduction, traduction et notes G. SALET, avec la collaboration de G. RACITI, *SC* 207, 1974 ; *Sermons* 40-55, texte critique A. HOSTE – G. RACITI, traduction et notes G. SALET – G. RACITI, *SC* 339, 1987.

2. C. TARLAZZI (éd.), « L'*Epistola de anima* di Isacco di Stella : studio della tradizione ed edizione del testo », *Medioevo* 36, 2011, p. 167-278 ; E. DIETZ (éd.), « Isaac of Stella's *Epistola de canone missae* : A Critical Text and Translation », *Cîteaux* 64, 2013, p. 265-308.

moderne, ne connurent qu'une très modeste diffusion, les deux lettres-traités, *Sur l'âme* et *Sur le canon de la messe*, eurent du succès parmi les contemporains d'Isaac et tout au long du Moyen Âge. Les cinquante-cinq sermons et quelques fragments nous sont parvenus dans seulement huit manuscrits, dont aucun ne contient la série entière[1], alors qu'il subsiste neuf manuscrits de la *Lettre sur l'âme* et vingt-et-un de la *Lettre sur le canon de la messe.* Par contraste avec les sermons également, ces deux écrits exercèrent une certaine influence, directe ou indirecte, sur des figures importantes du Moyen Âge comme Innocent III et Thomas d'Aquin. Aussi gardent-ils leur importance, et cela à plusieurs titres.

Tout d'abord, les lettres-traités d'Isaac occupent une place particulière au sein de la littérature cistercienne du XIIe siècle. Sa *Lettre sur le canon de la messe* est l'unique témoin cistercien d'une *expositio missae*[2], genre tout à fait particulier qui fleurit à partir de la fin du XIe siècle et tout au long du XIIe. Même si Isaac se situe à l'intérieur d'une tradition et s'inspire d'auteurs connus, ce petit traité se distingue, comme nous le verrons[3], par une certaine originalité. Quant à sa *Lettre sur l'âme*, elle vient s'ajouter à une série de traités *de anima* écrits par d'éminentes figures cisterciennes comme Guillaume de Saint-Thierry, Aelred de Rievaulx et Hélinand

1. Voir *SC* 130, Introduction, p. 69-77.

2. La démarche d'Isaac est assez différente de celle des autres cisterciens. Ni le *De sacramento altaris* de GUILLAUME DE SAINT-THIERRY, écrit théologique et polémique (éd. S. CEGLAR, P. VERDEYEN, *CCCM* 88, 2003, p. 1-91), ni celui de BAUDOUIN DE FORD, principalement un commentaire des passages scripturaires ayant trait à l'eucharistie (éd. J. MORSON, É. DE SOLMS, J. LECLERCQ, *SC* 93 et 94, 1963), n'appartiennent au genre du commentaire de la messe.

3. Voir Introduction (*infra*, p. 79s.).

de Froidmont [1]. Le regroupement de ces traités, cependant, est artificiel car ils sont assez disparates et ne reflètent pas une véritable « école cistercienne », contrairement à ce que l'on a parfois affirmé [2]. À l'intérieur de ce groupe, le texte d'Isaac est remarquable par sa présentation systématique, les nombreuses sources anciennes et contemporaines qu'il emploie et son affinité avec certains écrits victorins, surtout ceux de Hugues de Saint-Victor. On compte souvent parmi ces traités *de anima* la compilation anonyme *De spiritu et anima*, opuscule parfois attribué à Augustin et très connu au Moyen Âge, mais il n'est pas certain qu'il soit d'origine cistercienne [3]. Comme cette compilation contient de longs extraits de la lettre d'Isaac, cette dernière exerça une influence plus grande qu'on ne pourrait le croire à en juger uniquement par le nombre de ses manuscrits conservés.

Ces deux lettres-traités sont également susceptibles d'apporter des éclairages sur l'ensemble de l'œuvre d'Isaac. La *Lettre sur l'âme* reprend de nombreux passages des sermons, parfois mot à mot, ce qui pourrait éventuellement

1. GUILLAUME DE SAINT-THIERRY, *De la nature du corps et de l'âme*, éd., trad., comm. M. LEMOINE, Paris 1988, dont le texte latin est repris dans *CCCM* 88, p. 93-146 ; AELRED DE RIEVAULX, *Dialogus de anima*, *CCCM* 1, p. 683-754 ; HÉLINAND DE FROIDMONT, *De cognitione sui*, *PL* 212, 721-736. B. McGinn ajoute à cette liste NICOLAS DE CLAIRVAUX, *Ep.* 63 et 65 (dans la correspondance de Pierre de Celle), *PL* 202, 491-495 et 498-505 et ARNAULD DE BONNEVAL, *De paradiso animae*, *PL* 189, 1515-1570 ; voir MCGINN, *Treatises*, p. 81, n. 316.

2. Pour l'historique de cette question et un regard critique sur l'idée d'une école cistercienne, voir le chapitre « Una 'costellazione cistercense' » dans TARLAZZI, *Quantitas animae*, p. 53-96.

3. *PL* 40, 779-832. Sur ce texte, voir Introduction (*infra*, p. 61-66). Plusieurs opuscules anonymes *De conscientia*, issus des milieux cisterciens aux XIIe et XIIIe siècles, ont beaucoup de points communs avec ce traité. Pour une liste de ces textes, voir MCGINN, *Treatises*, p. 64, n. 259.

éclairer leur datation[1]. La *Lettre sur le canon de la messe*, écrite vers la fin de la vie d'Isaac, représente une synthèse de son enseignement. Même si Isaac n'y fait pas d'emprunts directs aux sermons, il y emploie des schémas tripartites qui y reviennent souvent. Par conséquent, cette lettre est une clé de lecture pour de nombreux sermons.

Enfin, l'édition critique de ces textes éclaire diverses questions textuelles. Il y a, par exemple, des écarts notables entre le texte de la *Lettre sur l'âme* dans les manuscrits et le texte reçu de l'édition Tissier-Migne. Par ailleurs, comme l'édition *princeps* de Tissier est l'unique témoin pour certains sermons (29, 34 et 54), les renseignements sur ses habitudes d'éditeur fournis par l'étude de la *Lettre sur l'âme* rendent possible une relecture de ces textes avec la circonspection requise. Quant à la *Lettre sur le canon de la messe*, son apparat critique permet de tracer l'histoire assez complexe de l'opuscule et montre que les manuscrits choisis pour les éditions antérieures ne figurent pas parmi les meilleurs.

1. Voir Introduction (*infra*, p. 57-60).

II. LES ÉTUDES RÉCENTES SUR ISAAC DE L'ÉTOILE

L'édition des *Sermons* d'Isaac avec traduction française, parue dans la collection Sources Chrétiennes entre 1967 et 1987, a suscité un renouveau d'intérêt pour la vie et l'œuvre de l'abbé de l'Étoile. Les dernières années ont été particulièrement riches en contributions, avec une bonne quarantaine d'articles ou de livres publiés depuis l'an 2000. Il est utile d'en donner ici une vue d'ensemble. Tout d'abord, plusieurs traductions des sermons ont vu le jour en anglais, espagnol, italien et allemand. Faute d'éditions critiques, les lettres n'ont été traduites jusqu'à présent que de manière provisoire ou partielle en anglais, français, allemand, espagnol, polonais et italien [1]. Plusieurs chercheurs se sont engagés dans les débats sur la biographie d'Isaac, dont il sera question plus loin, notamment G. Raciti, B. McGinn, C. Garda, E. Dietz et W. Buchmüller. D'autres ont approfondi l'étude de la manière d'écrire d'Isaac, de son style et de son langage, surtout M. A. Chirico [2] et D. Pezzini [3]. Les sources d'Isaac et son assimilation des traditions antérieures, notamment le néoplatonisme, ont fait l'objet

1. Voir la Bibliographie (*infra*, p. 131-133).

2. M. A. CHIRICO, « Il linguaggio monastico nei *Sermones* di Isacco della Stella », *Studia Monastica* 48, 2007, p. 105-148 ; « Il trattato teologico-filosofico di un abate scrittore : il *De anima* di Isacco della Stella (1100-1169) », *Nuovi annali della Scuola Speciale per Archivisti e Bibliotecari* 28, 2014, p. 37-50.

3. D. PEZZINI, « *Eloquentia et elegantia* : On Isaac of Stella's literary style illustrated through a comparative analysis of modern translations », *Studia Monastica* 55, 2013, p. 65-156.

d'études par B. McGinn [1], A. Fidora [2], C. Tarlazzi [3] et C. Trottmann [4]. D'autres, comme D. Pezzini [5], E. Dietz [6]

1. B. McGinn, « Pseudo-Dionysius and the Early Cistercians », dans B. Pennington (éd.), *One Yet Two. Monastic Tradition East and West,* Kalamazoo (MI) 1976, p. 200-241.

2. A. Fidora, « Die Ursachenlehre des Isaak von Stella im Anschluss an Platons *Timaios* », dans T. Leinkauf (éd.), *Platons* Timaios *als Grundtext der Kosmologie in Spätantike, Mittelalter und Renaissance*, Leuven 2005, p. 265-279.

3. « *Sensus imaginatio ratio intellectus intelligentia* : une liste 'boétienne' des facultés de l'âme au XIIe siècle », à paraître.

4. C. Trottmann, « Philosophes cisterciens du XIIe siècle », dans P. Bermon (éd.), *Lumières médiévales : saint Bernard, Averroès, saint Thomas d'Aquin, Duns Scot*, Conférences de la Faculté de Notre-Dame, 2008-2009, Paris 2010, p. 21-54; *Bernard de Clairvaux*, p. 341-441 ; « Isaak von Stella » , dans L. Cesalli – R. Imbach – A. de Libera – T. Ricklin (éd.), *Grundriss der Geschichte der Philosophie. Die Philosophie des Mittelalters*, vol. 3/1. 12. Jahrhundert, Bâle 2021, p. 185-194.

5. D. Pezzini, « Percorsi di conversione nei *Sermoni* di Isacco della Stella », *Vita Consecrata* 42, 2006, p. 368-376 et 485-496 ; « Parcours de conversion chez Isaac de l'Étoile », *CCist* 70, 2008, p. 94-116 ; « *Mysterium* and *Moralitas* : A Reading of Isaac of Stella's *Sermons* 11 and 12 on the Healing of a Leper », *CSQ* 44, 2009, p. 411-429 ; « La soumission à Dieu et aux frères, comme chemin vers la paix. Un petit 'traité' d'Isaac de l'Étoile », *BASAÉ* 33, 2012, p. 16-20 ; « La Vierge Marie, maison où la Sagesse se repose. Une lecture des sermons d'Isaac de l'Étoile », *CollCist* 74, 2012, p. 31-60 ; « Le cœur de la vie spirituelle d'après Isaac de l'Étoile », *BASAÉ* 34, 2012, p. 5-15 ; « Les quatre piliers de la vie communautaire d'après Isaac de l'Étoile (*Sermon* 50, 14) », *CollCist* 74, 2012, p. 385-409 ; « L'uomo, creatura conflittuale : un percorso di antropologia teologica in tre sermoni (27-29) di Isacco della Stella su Lc 18, 31-43 », *Benedictina* 59, 2012, p. 297-332 ; « Un chemin de prière et de vie à l'école d'Isaac de l'Étoile (*Sermon* 5) », *BASAÉ* 35, 2013, p. 11-23 ; « Isaac of Stella on How to Compose the Duality of Human Nature into Unity », *CSQ* 48, 2013, p. 183-212 ; « 'Retenir Dieu' pour s'unifier, en lui, dans la paix. À l'école d'Isaac de l'Étoile », *CCist* 75, 2013, p. 271-287.

6. Dietz, « Conversion » ; « Guillaume de Saint-Thierry et Isaac de l'Étoile. Convergences et divergences », dans L. Mellerin (éd.),

et P. E. Gómez[1], se sont penchés sur les thèmes majeurs de la spiritualité d'Isaac, et A. Joly[2] a consacré une thèse de doctorat à son ecclésiologie.

Deux monographies méritent une mention particulière. La première, par B. McGinn, *The Golden Chain (La chaîne d'or),* parue en 1972, marque une étape importante dans les études sur Isaac[3]. Il s'agit d'une enquête en profondeur sur son anthropologie théologique, à partir des *Sermons* et surtout de la *Lettre sur l'âme*. Selon McGinn, la pensée d'Isaac prend place parmi les grands efforts théologiques du XIIe siècle et présente beaucoup de points communs avec les réflexions des écoles de Chartres et de Saint-Victor. Dans la ligne de l'approche symbolique de ces écoles, Isaac se montre plus optimiste que ses contemporains cisterciens en ce qui concerne le patrimoine platonicien et néo-platonicien, dans lequel il puise abondamment. Toujours selon McGinn, l'alliance d'une vie monastique sérieuse avec des efforts théologiques considérables, si réussie dans le cas de l'abbé de l'Étoile, représente une possibilité qui n'a pas eu de suite dans l'évolution de l'ordre cistercien. Cet ouvrage fait date aussi pour sa révision de la biographie d'Isaac et pour sa bibliographie exhaustive.

Guillaume de Saint-Thierry, de Liège au Mont-Dieu (Actes du colloque international de Reims, 4-7 juin 2018), Cîteaux 69, 2018, p. 163-177.

1. P. E. Gómez, « 'El vuelo del pájaro'. Isaac de la Estrella, una metafísica orientada hacia la mística », *Cistercium* 240, 2005, p. 843-860 ; « *De officio Missae : id est tabernaculum Dei in hominibus.* Eucaristía-Misterio y mística en Isaac de la Estrella », Actas del I Congreso Teológico de Tucumán, *Eucaristía, del Mysterio de Cristo al Hombre Divinizado*, Buenos Aires 2016, p. 47-68.

2. Joly, *Catena aurea*.

3. McGinn, *The Golden Chain*.

La seconde monographie majeure sur Isaac est la thèse d'habilitation de W. Buchmüller, publiée en 2016 sous le titre *Isaak von Étoile: monastische Theologie im Dialog mit dem Neo-Platonismus des 12. Jahrhunderts* [1]. Il s'agit d'une étude exhaustive qui prend en compte toutes les questions débattues à ce jour sur la vie, l'œuvre, la doctrine et l'influence d'Isaac. En continuité avec la recherche de McGinn sur les sources d'Isaac, Buchmüller situe l'abbé cistercien au croisement entre le monde monastique et le platonisme latin du XIIe siècle. Cette approche a l'avantage de placer Isaac non seulement dans le contexte de la théologie et de la spiritualité cisterciennes, mais aussi en relation avec d'autres milieux comme les écoles de Saint-Victor et de Chartres et même, selon Buchmüller, avec le milieu intellectuel de Poitiers, le diocèse où se trouve l'abbaye de l'Étoile. Parmi les nombreux thèmes abordés dans cet ouvrage, les plus pertinents pour l'étude des *Lettres* sont les suivants : la possible attribution à Isaac du traité anonyme *De spiritu et anima* et l'histoire de la réception de ce dernier ; la chronologie de son œuvre ; son accès au corpus des écrits pseudo-dionysiens ; son anthropologie, surtout en ce qui concerne l'idée de l'âme comme *similitudo omnium* et sa théorie sur la répartition des diverses facultés de l'âme.

De toutes les questions étudiées ces dernières décennies, c'est la biographie de l'abbé de l'Étoile qui a suscité le plus de débats. Diverses hypothèses ont été avancées, pour ensuite être mises en question. Il reste une certaine confusion dans ce domaine, parce que bien des articles dans des ouvrages de référence présentent différentes hypothèses et probabilités comme autant de certitudes. Cependant, grâce à quelques petites découvertes, il est maintenant possible de mettre un peu d'ordre dans les

1. BUCHMÜLLER, *Monastische Theologie.*

éléments biographiques que nous possédons. Aussi une mise à jour sur la vie d'Isaac s'impose-t-elle dans ce volume.

III. MISE À JOUR SUR LA BIOGRAPHIE D'ISAAC

Contrairement à l'affirmation tant citée de L. Bouyer selon laquelle Isaac serait « le grand mystère de Cîteaux[1] », nous sommes mieux informés sur lui que sur d'autres figures cisterciennes de la même époque. À s'en tenir aux données sûres, on peut ainsi tracer les grandes lignes de la vie de l'abbé de l'Étoile. Né en Angleterre autour de 1100, il passe une grande partie de sa jeunesse en France pour y faire des études approfondies. En 1147, il devient abbé de Notre-Dame de l'Étoile en Poitou, ancien monastère de moines noirs réformateurs incorporé à l'ordre de Cîteaux depuis 1145. À un moment donné au cours des années 1150, Isaac passe un temps relativement bref sur l'île de Ré pour y participer à la fondation du monastère de Notre-Dame des Châteliers. Son enseignement, surtout dans ses *Sermons*, témoigne de la synthèse exceptionnelle qu'il réussit à créer entre sa grande culture et le sérieux de sa vie monastique. Ses lettres-traités montrent qu'il entretenait des rapports d'amitié en dehors de sa communauté et que sa pensée était appréciée de ses contemporains. Comme l'attestent quelques chartes, on a parfois recours à Isaac pour jouer le rôle d'arbitre dans sa région. Dans les années 1160, la communauté de l'Étoile et son abbé souffrent de calomnies et même de violences de la part d'un seigneur voisin, tensions liées semble-t-il au fait

1. L. BOUYER, *La spiritualité de Cîteaux*, Paris 1955, p. 195.

qu'Isaac, en tant qu'Anglais, n'est pas toujours le bienvenu en Poitou. Dès 1169, date communément admise de sa mort, il y a un nouvel abbé à l'Étoile, où le souvenir d'Isaac est entouré d'une certaine vénération.

Ce bref récapitulatif des faits correspond *grosso modo* aux vues des premiers historiens qui ont recueilli les données biographiques disponibles, notamment F. Bliemetzrieder (1904) et J. Debray-Mulatier (1959) [1]. Désireux de compléter ce récit par trop sommaire, G. Raciti entreprend une étude minutieuse des écrits d'Isaac pour en tirer davantage de détails biographiques (1961-1962) [2]. À partir de cette enquête, il formule l'hypothèse qu'Isaac fut exilé sur l'île de Ré à la fin des années 1160 à cause de ses positions théologiques et de son rôle comme défenseur de Thomas Becket. Par conséquent, toujours selon Raciti, Isaac, figure désormais marginalisée, aurait passé les dernières années de sa vie comme abbé de Notre-Dame des Châteliers sur l'île de Ré dans les années 1170. Cette relecture dramatique des données a été reprise dans de nombreux ouvrages de référence et exerce encore une grande influence [3]. Même si G. Salet (1969), éditeur des *Sermons* d'Isaac, met en question certaines de ces conjectures, il entérine les grandes lignes de cette théorie [4]. Dix ans plus tard, au moment de faire un état de la question très détaillé, B. McGinn émet cependant

1. Bliemetzrieder, « Isaac von Stella » ; Debray-Mulatier, « Biographie ».
2. Raciti, « Isaac et son siècle (1) et (2) ».
3. Voir surtout, Raciti, art. « Isaac ».
4. *SC* 130, p. 1-25.

quelques doutes sur certains aspects de la théorie de Raciti, tout en conservant sa chronologie générale [1].

En 1981, Raciti lui-même publie quelques fragments de *Sermons* d'Isaac qu'il venait de découvrir [2]. À la lumière d'un fragment dans lequel Isaac parle de son retour d'un « exil » relativement bref, Raciti modifie quelque peu son point de vue, sans pour autant renoncer à l'hypothèse d'un exil forcé et d'un départ définitif de l'Étoile. Grâce à la découverte de quelques chartes inédites, C. Garda, dans un article de 1986, met en cause plusieurs aspects de cette théorie [3]. Certaines de ces pièces d'archives font comprendre qu'Isaac est encore abbé de l'Étoile au moment de sa mort. D'autres documents viennent corroborer une datation du séjour d'Isaac sur l'île de Ré dans les années 1150. Pour sa part, Raciti (1987) préfère maintenir une datation plus tardive pour rendre compte de l'exil forcé d'Isaac dans le contexte de l'affaire Thomas Becket [4]. Enfin, en 1999, F. Gastaldelli soutient de manière convaincante qu'il faut écarter l'hypothèse d'un exil forcé dans cette conjoncture [5].

Bien que ce débat ait un itinéraire circulaire, il n'est pas pour autant inutile. Chaque relecture des données disponibles permet de mieux cerner tel ou tel aspect et de faire le

1. McGinn, *The Golden Chain*, p. 7-23. Voir aussi B. McGinn, « Isaac of Stella in Context », dans D. Deme (intr. et éd.), *The Selected Works of Isaac of Stella. A Cistercian Voice from the Twelfth Century*, Aldershot – Burlington 2007, p. 167-176. Dans ce dernier texte, McGinn ne fait que résumer ses positions antérieures sans rendre compte des études plus récentes.

2. G. Raciti, « Pages nouvelles des sermons d'Isaac de l'Étoile dans un manuscrit d'Oxford », *CollCist* 43, 1981, p. 35-55.

3. Garda, « Du nouveau sur Isaac ».

4. *SC* 339, p. 316-319.

5. Gastaldelli, « Tradizione », p. 341-345.

tri entre les interprétations avancées. La valeur des sermons comme source de renseignements biographiques est une question de fond. Dans l'élaboration de ses hypothèses, Raciti avait tendance à prendre littéralement certaines allusions par lesquelles Isaac, auteur très fin, illustrait son propos. Mais ce procédé est très discutable. Par exemple, dans le *Sermon* 48, lorsqu'Isaac parle des ordres militaires et des écoles, il s'agit non pas de renseigner ses auditeurs ou ses lecteurs sur ces réalités historiques, mais bien d'appuyer son discours à propos d'un certain genre de *curiositas* qui incite les moines à toujours chercher des nouveautés. Pour citer un autre cas, lorsqu'Isaac évoque les environs insulaires au début du *Sermon* 27 et à la fin du *Sermon* 29, il crée ainsi une inclusion pour encadrer ce petit groupe de sermons sur l'ascétisme. Ces passages reflètent, bien sûr, une expérience réelle de vie insulaire, mais rien ne permet de conclure que ces sermons, présentés avec tant d'art, soient un procès-verbal de sa prédication sur l'île de Ré. On pourrait multiplier les exemples [1]. Il convient donc de faire le point sur chacun des éléments biographiques en question, en respectant la nature des diverses sources documentaires dont nous disposons.

La formation d'Isaac

Les origines anglaises d'Isaac sont bien attestées, puisqu'il se dit lui-même anglais [2]. Cependant il n'existe pas d'informations précises sur sa jeunesse ou sur ses études. La première date sûre est le début de son abbatiat en 1147. Sa grande culture philosophique, théologique et littéraire est

1. Dietz, « Exile », p. 153-156.
2. *Can.* 23bis (*infra*, p. 252, l. 9-10).

manifeste dans tout ce qu'il écrit. Dans le *Sermon* 48 qu'on vient d'évoquer, il parle avec candeur de son expérience dans les écoles, sans toutefois nommer de lieux ou de personnes. Parmi les hypothèses avancées, celle de McGinn est la plus raisonnable : on peut présumer qu'Isaac fit ses études en France à partir de la fin des années 1120 et pendant les années 1130, probablement à Paris et peut-être à Chartres [1]. Buchmüller propose aussi comme milieu de formation pour Isaac la ville de Poitiers, où le grand théologien Gilbert de la Porrée fut évêque de 1142 à 1155 [2]. L'affirmation souvent répétée qu'Isaac fut *magister* n'a aucune base documentaire, à part l'emploi de cette appellation dans les titres de trois manuscrits de la *Lettre sur le canon de la messe* [3]. Or, comme le montrera l'édition critique de cet opuscule, ces témoins tardifs ne sont pas dignes de foi.

Il est intéressant de se demander où Isaac a commencé sa vie monastique. Étant donné que le monastère de l'Étoile ne devient cistercien qu'en 1145 [4], soit Isaac a fait profession comme moine noir pour ensuite devenir moine blanc, soit il a fait sa formation ailleurs et intègre l'Étoile pendant la période de l'incorporation de cette maison. De fait, il était d'usage d'envoyer quelques moines cisterciens pour préparer une communauté à s'incorporer à l'ordre [5]. Dans ce dernier cas, Isaac serait venu de Pontigny, la maison-mère de l'Étoile.

1. McGinn, *The Golden Chain*, p. 8-10.

2. Buchmüller, *Monastische Theologie*, p. 124-128.

3. Voir la section sur les manuscrits (*infra*, p. 103-105) et la conclusion sur les éléments biographiques (p. 117-118).

4. Bulle d'Eugène III : Garda, « Du nouveau sur Isaac », p. 11, pièce 2.

5. Pour une série d'exemples, voir Williams, *The Cistercians in the Early Middle Ages*, p. 21-25.

Rien ne permet de trancher [1]. De toute manière, il est clair que les premières années de l'abbatiat d'Isaac correspondent à une phase de transition pour la communauté de l'Étoile, dont l'identité cistercienne était encore à consolider.

La fondation sur l'île de Ré dans les années 1150

La participation d'Isaac à la fondation de Notre-Dame des Châteliers sur l'île de Ré est bien documentée et ne fait pas de doute [2]. Les trois documents encore existants en tracent trois étapes. La première est la donation du terrain par le seigneur du lieu, Èble de Mauléon [3]. Il fait ce don en réponse à la demande d'Isaac, abbé de l'Étoile, et de Jean, abbé de Trizay, monastère voisin qui avait été incorporé à l'ordre cistercien à la même époque que l'Étoile et dans la même filiation de

1. Il est tentant de voir dans le style d'Isaac des échos du style d'un certain Hugues de Pontigny, qui nous a laissé une collection de 83 sermons dans un manuscrit conservé en Autriche (Zwettl, Stiftsbibliothek, 119). Il s'agit probablement de Hugues de Mâcon, compagnon de saint Bernard et premier abbé de Pontigny (1113-1136). Bien qu'Isaac soit de loin meilleur écrivain que Hugues, il existe quelques ressemblances de procédés, de thèmes et de vocabulaire. D'ailleurs, dans la tradition manuscrite des sermons d'Isaac, un témoin (Monte Cassino, Archivio e Biblioteca dell'Abbazia, 410 LL) transcrit deux des sermons de Hugues parmi ceux d'Isaac, laissant les deux auteurs anonymes (voir *SC* 130, p. 70). Pour quelques textes choisis, voir C.H. Talbot, « The Sermons of Hugh of Pontigny », *Cîteaux* 7, 1965, p. 5-33.

2. Pour les documents, voir Debray-Mulatier, « Biographie » et Garrigues, *Cartulaire* ; pour une analyse des documents, voir McGinn, *The Golden Chain*, p. 14-18.

3. Pour le texte, voir Debray-Mulatier, « Biographie », p. 195-196.

Pontigny[1]. Nous sommes renseignés sur la deuxième étape par une lettre qu'Èble de Mauléon adresse à l'abbé de Pontigny, dans laquelle il demande à l'abbé (ou éventuellement à son ordre) de faire une nouvelle fondation sur le site qu'il avait donné auparavant à Isaac et à Jean[2]. Apparemment le premier projet n'avait pas abouti. Dans sa lettre, Èble fait remarquer qu'Isaac et Jean sont d'accord avec cette proposition et qu'ils supplient même les autorités de l'accepter. Dans la troisième étape, l'abbé de Pontigny vient sur l'île de Ré pour accepter l'offre d'Èble. On exécute alors une charte en présence du donateur, de l'abbé de Pontigny, d'Isaac et de Jean, selon laquelle la donation est renouvelée et prolongée[3].

Il dépasserait les limites de cette introduction de faire l'inventaire des interprétations divergentes de ces documents données par les historiens[4]. Faute d'une datation sûre de ces textes, toutes sortes d'hypothèses ont été avancées. Il est cependant possible de déterminer des dates limites et ainsi de restreindre le champ des possibilités. Le *terminus a quo* est évidemment le début de l'abbatiat d'Isaac en 1147, car il est nommé abbé dans les trois documents. C'est la fin de l'abbatiat de l'abbé de Pontigny, Guichard (1136-1165), mentionné dans deux de ces documents, qui fournit le *terminus ad quem*. Les copies existantes du deuxième document ne

1. Sur Jean et Trizay, voir M. Desmarchelier, « Quelques notes sur l'abbaye cistercienne de Trizay (Vendée) », *Cîteaux* 25, 1974, p. 33-60 et D.N. Bell, « A 1790 Book-List from the Abbey of Trizay », *Cîteaux* 49, 1998, p. 309-361.

2. Pour le texte, voir Debray-Mulatier, « Biographie », p. 197 et Garrigues, *Cartulaire*, p. 181-182.

3. Pour le texte, voir Debray-Mulatier, « Biographie », p. 197-198.

4. Pour les détails, voir McGinn, *The Golden Chain*, p. 14-23 et Dietz, « Exile », p. 145-149.

donnent que l'initiale de son nom, G. Présumant que ce manque de précision existe aussi dans le troisième document, Raciti déclara que ce G. pourrait aussi bien désigner Guérin (abbé de Pontigny de 1165 à 1174), successeur de Guichard, ce qui élargirait de beaucoup le champ des interprétations possibles [1]. Or la copie la plus ancienne de la charte (Paris, Archives Nationales, S//6757) porte clairement *Dominus Guicardus Abbas Pontinacensis*. Bien qu'il s'agisse d'une copie vidimée tardive [2], on peut penser que les copistes de ce genre de document auraient manqué de la motivation et des connaissances nécessaires pour rétablir une telle abréviation dans leur modèle. Par conséquent, la fourchette de dates est bien 1147-1165. La date traditionnelle de mai 1156 pour la fondation de Notre-Dame des Châteliers semble donc vraisemblable [3]. De plus, cette datation s'accorde avec le déroulement des fondations de Pontigny au XIIe siècle. L'abbatiat de Guichard fut riche en fondations et en incorporations (neuf au total), dont plusieurs dans la région en question (Trizay, Le Pin, L'Étoile, Ré). Par ailleurs, Pontigny n'a pas fondé pendant l'abbatiat de Guérin.

Cette datation permet d'écarter une hypothèse majeure, à savoir qu'Isaac aurait eu besoin d'un refuge pour fuir une persécution, liée soit à la crise qu'occasionnait dans l'ordre l'affaire Thomas Becket (dont le point culminant n'arrive qu'après la fin de l'abbatiat de Guichard en 1165), soit aux positions doctrinales d'Isaac (ce qui aurait entraîné l'inter-

1. RACITI, « Isaac et son siècle (2) », p. 210, n. 273.

2. DEBRAY-MULATIER, « Biographie », p. 195 date cette copie du XVe siècle, mais le timbre et l'écriture semblent plutôt indiquer le XVIIe.

3. Voir MCGINN, *The Golden Chain*, p. 17, n. 80 pour toutes les références.

ruption de son abbatiat). D'ailleurs le déroulement de la fondation sur l'île de Ré, dont les détails indiquent plutôt l'histoire d'un échec personnel, se laisse mal concilier avec la notion d'exil, quitte à supposer un autre séjour sur l'île de Ré plus tard [1]. De toute manière, le fait qu'Isaac soit abbé de l'Étoile avant et après cette affaire montre qu'il n'est pas devenu abbé du monastère de Notre-Dame des Châteliers. Les événements de la fondation se déroulent donc en plein milieu de l'abbatiat d'Isaac, et non pas dans les années 1170.

Il n'en est pas moins vrai que cette fondation est assez singulière, ce qui pose naturellement la question de son motif. À en juger d'après le premier document, Isaac et Jean se sont lancés dans leur projet sans tenir compte de la législation cistercienne en matière de fondations : il n'y avait pas une unique maison fondatrice ; le chapitre général n'avait pas donné son accord ; les deux abbés fondateurs renonçaient à tenir des granges ou du bétail, et ils comptaient recevoir des sources de revenu interdites et admettre de la main d'œuvre laïque. Selon une ligne d'interprétation, il s'agissait de contourner une décision du chapitre général de 1152 [2] qui interdisait de nouvelles fondations dans l'ordre [3], mesure qui dans la pratique ne fut pas bien observée. Évidemment, une figure comme Guichard avait plus de chances de faire accepter une fondation à cette époque que des abbés de monastères isolés comme Isaac et Jean. Une autre ligne d'interprétation cherche la motivation de cette fondation dans les *Sermons*

1. C'est ce que proposent Pezzini, *I Sermoni* 2, Introduction, p. 14 et Buchmüller, *Monastische Theologie*, p. 133-144 et 187-204.

2. Pour ce statut, voir C. Waddell (éd.), *Narrative and Legislative Texts from Early Cîteaux*, *Cîteaux* 1999, p. 310-313.

3. *SC* 130, p. 20-21 et McGinn, *The Golden Chain*, p. 16-17.

d'Isaac, qui donnent en effet beaucoup d'importance aux valeurs de la solitude, de la pauvreté et du silence et qui parlent même d'une fuite avec quelques compagnons pour une vie d'isolement et d'austérité sur une île (notamment le *Sermon* 14, 11-13, qui commente la péricope Mt 8, 23-27 sur la barque au milieu des vents et des vagues [1]). Mais, comme nous le verrons plus bas, Isaac emploie souvent de telles images de manière métaphorique. D'ailleurs, Isaac n'agissait pas seul et nous ne sommes pas informés sur la part de Jean de Trizay dans cette affaire. Les documents encore existants ne permettent pas de tirer de conclusions sur les intentions d'Isaac et de Jean dans la fondation sur l'île de Ré.

L'« EXIL » D'ISAAC

En ce qui concerne la biographie d'Isaac, le sujet le plus ardu à traiter est celui de son « exil », terme qu'il emploie souvent et de différentes manières. Comme l'indique sa saillie en conclusion de la *Lettre sur le canon de la messe* – « Plût au ciel que je ne fusse anglais, ou que, là où je suis exilé, je n'eusse jamais vu d'Anglais [2] ! » –, il se considérait comme un exilé par le fait même de vivre en dehors de son pays natal. Ce sentiment d'expatriation devient pour lui une métaphore de la condition humaine : l'homme, chassé du paradis, « se trouve tout entier exilé [3] » ; la vie humaine est une *peregrinatio*, synonyme d'exil souvent employé [4] ; mais il ne s'agit

1. *SC* 130, p. 18-20.
2. *Can.* 23bis (*infra*, p. 252, l. 9-10).
3. *Serm.* 54, 14 (*SC* 339, p. 260, l. 109).
4. *Serm.* 37, 18 et 55, 6 (*SC* 207, p. 296, l. 144 et *SC* 339, p. 266, l. 39-40).

pas d'un exil sans espoir, puisqu'un retour est possible[1] ; la vie monastique elle-même est conçue comme tentative de retour[2], et les observances sont une participation au labeur d'Adam dans son exil du paradis[3]. Le thème de l'exil devient encore plus évocateur lorsqu'Isaac l'associe à l'image d'un « îlot à l'extrémité des terres[4] ». Mais comme l'a remarqué C. Garda avec justesse, il faut « tenir compte de la composante prodigieusement métaphorique du style d'Isaac » et ne pas chercher dans de tels passages des données historiques[5]. À la limite, même un texte comme *Fragment* 2, 1-2[6] qui parle d'exil, de traits, d'entraves, de compagnons d'exil et de retour, admet une lecture métaphorique[7], même si cette interprétation ne convainc pas tout le monde[8]. Il convient donc de faire le bilan des différentes hypothèses avancées jusqu'ici, qui s'appuient sur certains aspects de la conjoncture historique pour soutenir la possibilité d'un exil réel.

Selon la théorie la plus influente, Isaac aurait été exilé en tant qu'ami et partisan de Thomas Becket, archevêque de Canterbury et chancelier d'Angleterre. Au chapitre général

1. *Serm.* 31, 3 et 44, 7 (*SC* 207, p. 192 et *SC* 339, p. 86).
2. *Serm.* 12, 6 et 14, 13 (*SC* 130, p. 254 et 278).
3. *Serm.* 50, 3 (*SC* 339, p. 182).
4. *Serm.* 14, 11 (*SC* 130, p. 278, l. 108). Sur ce thème, voir V. Séguret, « La signification spirituelle de la vie insulaire dans les *Sermons* d'Isaac de l'*Étoile* », *CollCist* 56, 1994, p. 343-358 ; 57, 1995, p. 75-92.
5. Garda, « Du nouveau sur Isaac », p. 21.
6. *SC* 339, p. 294-295.
7. Dietz, « Exile », p. 158.
8. Voir C. Garda, « Que savons-nous au juste d'Isaac de l'Étoile ? », *BASAÉ* 30, 2010, p. 6-16 ; P.-A. Burton, *Bulletin de Spiritualité monastique, CollCist* 69, 2007, p. 231-232, n° 548 ; Pezzini, *I Sermoni* 2, Introduction, p. 11 et 13-14 ; Buchmüller, *Monastische Theologie*, p. 51-52.

de 1166, l'ordre cistercien avait cédé sous la pression du roi Henri II d'Angleterre et retiré son soutien à Becket, qui, depuis janvier 1165, séjournait à l'abbaye de Pontigny. Isaac serait du nombre des persécutés à la suite de ces événements [1]. Cette théorie se fonde sur la mention d'Isaac comme « ami commun » dans une lettre de Jean Bellesmains, évêque de Poitiers, adressée à Thomas Becket le 22 juin 1164 [2]. Ce fondement s'avère d'autant moins solide que Jean Bellesmains nomme d'autres amis communs dans cette missive et ne parle plus d'Isaac dans le reste de sa correspondance avec Becket. Pour sa part, Becket ne mentionne jamais Isaac. En tout cas, l'archevêque de Canterbury est un homme qui a peu d'intimes, même parmi ses collaborateurs les plus proches [3]. Si les abbés Guichard et Guérin et toute la communauté de Pontigny sortent de l'affaire indemnes, pourquoi Isaac serait-il accusé en particulier ? L'abbé de l'Étoile reste dans l'ombre des grands personnages de cet épisode et, d'après les nombreux indices de son caractère dans ses écrits, il n'est pas de ceux qui cherchent les polémiques et les conflits [4].

L'autre hypothèse majeure pour expliquer un éventuel exil est que la théologie spéculative d'Isaac l'expose à une persécution de la part des autorités. Il s'agit d'une conjecture assez hasardeuse, dont l'unique fondement est une interprétation contestable du *Sermon* 48. Dans ce sermon, il est question du désarroi des moines de l'Étoile face à un

1. Raciti, « Isaac et son siècle (2) », p. 135-145.

2. A. Duggan, *The Correspondence of Thomas Becket, Archbishop of Canterbury, 1162-1170*, New York 2000, t. 1, Lettre 31, p. 98-109 ; *PL* 190, 1022-1025.

3. D. Knowles, *The Historian and Character and Other Essays*, Cambridge 1963, p. 105-106.

4. Dietz, « Exile », p. 150-152 et 159-164.

changement de style dans le discours de leur abbé. Selon la lecture de G. Raciti, Isaac est contraint d'abaisser le haut niveau de sa prédication, parce qu'à cette époque certains personnages puissants dans l'ordre, comme Geoffroy d'Auxerre, attaquent les doctrines suspectes de théologiens comme Gilbert de la Porrée [1]. Cette interprétation a en général été reçue avec circonspection [2]. D'une part Isaac, qui n'entre pas directement dans les controverses et dont les affirmations les plus audacieuses ne sont jamais provocantes, fait preuve dans ce sermon d'une attitude très équilibrée envers les théologiens innovateurs de son temps [3]. D'autre part, il n'y laisse en aucune manière entendre qu'il subirait une pression extérieure. Comme le suggère F. Gastaldelli, au lieu de placer ce sermon dans des controverses théologiques, il vaut mieux le lire dans le contexte mentionné plus haut d'une communauté récemment incorporée à l'ordre cistercien, où l'abbé doit adapter ses propos à un auditoire varié [4]. Les moines s'étaient habitués aux discours éloquents et aux spéculations stimulantes de leur abbé. Les frères convers, en revanche, avaient besoin d'un enseignement plus simple, dans un langage à leur portée. La solution pour Isaac, comme pour beaucoup de ses contemporains, était de simplifier le discours lorsque toute la communauté était présente et d'aller plus en profondeur avec un petit auditoire *(familiarior collatio)* de moines plus habiles [5]. De toute manière, il ne faut pas perdre de vue le point essentiel de ce sermon : une mise

1. Raciti, « Isaac et son siècle (2) », p. 19-34.
2. *SC* 130, p. 11-12 ; McGinn, *The Golden Chain*, p. 21-22.
3. *Serm.* 48, 5-7 (*SC* 339, p. 156-158).
4. Gastaldelli, « *Optimus Praedicator* », p. 192-193.
5. *Serm.* 48, 16 (*SC* 339, p. 166).

en garde contre la *curiositas*, c'est-à-dire la soif démesurée de tout ce qui est nouveau et stimulant.

Reste à traiter la question du persécuteur qui aurait organisé l'exil d'Isaac, rôle attribué à Geoffroy d'Auxerre selon la théorie analysée ici [1]. Comme l'a constaté F. Gastaldelli, les historiens modernes se servent parfois de Geoffroy, figure mineure qui fréquentait les grands de son époque, comme bouc émissaire. On lui impute la condamnation de Joachim de Flore et l'exil d'Isaac de l'Étoile, dans les deux cas sans aucun indice textuel [2]. Isaac n'est pas plus spécialement suspect du point de vue doctrinal qu'il n'est une cible particulière dans le contrecoup de l'affaire Becket. D'ailleurs la motivation principale de Geoffroy, en tant que membre du parti anti-Becket, est d'éviter un conflit avec Henri II d'Angleterre qui pourrait entraîner des conséquences néfastes pour l'Église et pour l'ordre [3]. Pour Geoffroy, comme pour la majorité des abbés au chapitre général de 1166, il ne s'agit pas d'une lutte idéologique. Abbé de Clairvaux à partir de 1162, il donne sa démission en 1165 pour des raisons complexes, dont son implication dans l'opposition à Becket [4]. Ensuite il se retire pour environ cinq ans, période au cours de laquelle il n'est pas bien placé pour poursuivre Isaac, ni qui que ce soit. Par la suite, Geoffroy regagne la confiance et l'estime de son ordre et sert encore comme abbé à Fossanova et à Hautecombe pen-

1. RACITI, « Isaac et son siècle (2) », p. 32.
2. GASTALDELLI, « Tradizione », p. 341-345.
3. GASTALDELLI, « Tradizione », p. 346-347.
4. A.H. BREDERO, « Thomas Becket et la canonisation de saint Bernard » dans R. FOREVILLE (éd.), *Thomas Becket. Actes du colloque international de Sédières, 19-24 août 1973*, Paris 1975, p. 55-62.

dant les années 1170 et 1180. Il finit ses jours à Clairvaux. Ce n'est pas là le profil d'un persécuteur.

En l'état actuel de nos connaissances, il n'est pas possible de placer avec certitude dans la biographie d'Isaac l'épisode bref d'« exil » dont il est question dans le *Fragment* 2, ni d'identifier le mobile d'un éventuel persécuteur [1]. Les hypothèses avancées jusqu'à présent manquent de preuves et ne correspondent pas bien avec les données sûres que nous possédons sur les activités d'Isaac et sur le contexte politique et religieux dans lequel il vivait. Les seules situations de conflit documentées dans la vie d'Isaac sont les différends entre l'abbaye de l'Étoile et des voisins tyranniques. Il s'agit de deux épisodes : le premier en 1152, provoqué par Pierre Helye [2], et le second en 1167, provoqué par Hugues [3], tous deux seigneurs de Chauvigny. Quant à ce dernier, Isaac fait comprendre à la fin de sa *Lettre sur le canon de la messe* que l'attaque de Hugues est motivée par le fait qu'Isaac est anglais. Peut-être s'agit-il d'un prélude local à la révolte des vassaux d'Aquitaine contre Henri II en 1168. En tout cas, ces documents ne parlent pas d'un exil. On fera bien de suivre la recommandation de G. Salet au terme de son tour d'horizon à ce sujet : « jusqu'à découverte de nouveaux

1. La dernière hypothèse en date, mais sans base documentaire, est celle de Buchmüller, qui propose de replacer cet exil dans le contexte de la révolte de 1173-1174 en Aquitaine, au cours de laquelle Isaac aurait été pris en otage. Voir Buchmüller, *Monastische Theologie*, p. 187-206.

2. Voir l'accord de 1152 dans Garda, « Du nouveau sur Isaac », p. 11-12, pièce 4.

3. Incident décrit par Isaac à la fin de la *Lettre sur le canon de la messe* (*Can.* 23bis, *infra*, p. 252, l. 3-9) ; pour le texte de l'accord, voir Garda, « Du nouveau sur Isaac », p. 14-15, pièce 8.

documents, il faudra, sur ces problèmes, se contenter de suggestions et de probabilités énoncées avec modestie [1] ».

La mort d'Isaac et sa réputation posthume

La dernière trace d'Isaac en vie est le document de l'accord de 1167 avec Hugues de Chauvigny auquel on vient de faire allusion. Dès 1169, son successeur, Vaelisius, est abbé de l'Étoile [2]. On ne peut que supposer qu'Isaac est déjà mort à cette date. L'hypothèse a été proposée selon laquelle Isaac aurait été encore en vie en 1174, année de la canonisation de Bernard de Clairvaux, parce qu'il fait référence à *sanctus Bernardus* dans un de ses sermons [3], mais ce raisonnement ne prouve rien. D'une part, à une époque où les procédures de canonisation sont encore floues, on employait couramment la désignation *sanctus* pour des personnes non encore canonisées, comme le montrent de nombreux exemples dans la littérature cistercienne [4]. D'autre part, puisque le témoin manuscrit le plus ancien de ce sermon est du XIIIe siècle, il pourrait s'agir d'une intervention de la part du scribe.

Il existe quelques signes de l'excellente réputation posthume dont a joui Isaac. Tout d'abord, comme nous le verrons

1. *SC* 130, p. 24.
2. *Gallia Christiana*, vol. 2, Paris 1720, col. 1353.
3. *Serm.* 52, 15 (*SC* 339, p. 234, l. 157 et p. 235, n. 2).
4. J. Leclercq cite ce passage du *Sermon* 52, 15 sans le prendre à la lettre, car il date la mort d'Isaac d'autour de 1165 (*Études sur saint Bernard et le texte de ses écrits*, *ASOC* 9, 1953, p. 123) ; sur l'usage de *sanctus Bernardus* par Geoffroy d'Auxerre, voir Gastaldelli, « *Optimus Praedicator* », p. 124-127 ; pour l'usage de *sanctus* chez Aelred de Rievaulx, *Vita sancti Edwardi regis*, voir *PL* 195, 737-790 ; pour l'usage de *sanctus* par Bernard de Clairvaux, *Vie de S. Malachie*, voir la préface à ce texte (éd. P.-Y. Emery, *SC* 367, 1990, p. 174-181 et *SBO* III, p. 307-309 et *passim*).

plus loin[1], l'histoire textuelle de la *Lettre sur le canon de la messe* montre que la période la plus intense de la diffusion de cet opuscule se situe dans les années 1160-1170. Par ailleurs, cette lettre-traité figure dans le *Collectaneum Clarevallense*, recueil de matériaux divers réalisé à Clairvaux vers 1174[2]. Dans cette compilation, qui témoigne par ailleurs d'une préoccupation pour le respect de l'eucharistie et pour l'orthodoxie, le texte d'Isaac vient à la suite d'une série d'extraits des Pères de l'Église. Ce choix et ce placement montrent qu'Isaac est tenu en haute estime à Clairvaux dans les années 1170. Quant à l'Étoile, quelques actes, dont un daté de 1188, parlent de « l'abbé Isaac d'heureuse mémoire[3] ».

IV. LA *LETTRE SUR L'ÂME*

La *Lettre sur l'âme,* qui traite de l'âme et de ses puissances, ou forces *(vires),* est adressée par Isaac au moine de Clairvaux Alcher, probablement en 1162[4]. Dès ses premiers mots[5],

1. Voir *infra*, p. 118-119.
2. LEGENDRE, *Collectaneum* (*CCCM* 208, p. 313-321).
3. GARDA, « Du nouveau sur Isaac », p. 18-20.
4. Sur le genre épistolaire au Moyen Âge, cf. G. CONSTABLE, *Letters and Letter-Collections*, Turnhout 1976 ; L. OTT, *Untersuchungen zur theologischen Briefliteratur der Frühscholastik*, Münster 1937 ; W. YSEBAERT, « Medieval Letters and Letter Collections as Historical Sources: Methodological Questions, Reflections, and Research Perspectives », *Studi Medievali* 50.1, 2009, p. 41-73, republié dans E. BARTOLI – C. HØGEL (éd.), *Medieval Letters. Between Fiction and Document*, Turnhout 2015, p. 33-62.
5. *An.* 1 (*infra*, p. 150, l. 1-7).

on comprend que l'œuvre tire son origine d'une requête d'Alcher, demandant à Isaac un essai sur l'âme qui traiterait non pas de « ce que nous avons appris dans les textes sacrés – ce que [l'âme] a été avant le péché, ce qu'elle est sous le péché, ce qu'elle sera après le péché – », mais plutôt de « sa nature et ses forces, comment elle est dans le corps et comment elle en sort ». On y lit aussi qu'Isaac avait donné une *collatio* sur le sujet, ici sans doute une sorte de conférence monastique, en présence d'Alcher [1]. Pour sa rédaction écrite, Isaac se sert de nombreux passages de ses propres sermons, qu'il insère tacitement dans la lettre [2]. Le texte se structure ainsi autour de plusieurs subdivisions des puissances de l'âme, et notamment autour de la partition à cinq termes entre *sensus*, *imaginatio*, *ratio*, *intellectus*, *intelligentia* – cette partition étant la réélaboration, déjà attestée dans une sentence de Hugues de Saint-Victor, d'une quadripartition de la *Consolation* de Boèce [3].

La *Lettre sur l'âme* est l'un des écrits d'Isaac les plus connus au Moyen Âge, non d'abord par sa tradition directe, qui compte treize ou quatorze manuscrits conservés ou perdus – elle n'atteignit donc pas la plus vaste circulation de la

1. Une *collatio* est aussi à l'origine de la *Lettre sur le canon de la messe* : voir *Can.* 1 (*infra*, p. 220, l. 3) et Introduction (*infra*, p. 81 et *supra*, p. 31). Pour plus de détails sur la *collatio* monastique, voir J. Hamesse, « *Collatio* et *reportatio* : deux vocables spécifiques de la vie intellectuelle au Moyen Âge », dans O. Weijers (éd.), *Actes du colloque Terminologie de la vie intellectuelle au Moyen Âge*, Leyde – La Haye, 20-21 septembre 1985, Turnhout 1988, p. 78-87 ; cf. aussi J. Marenbon, « Introduction », dans Peter Abelard, *Collationes*, éd. et trad. J. Marenbon – G. Orlandi, Oxford 2001, p. XXIV.

2. Voir Introduction (*infra*, p. 57-60).

3. Voir Introduction (*infra*, p. 43-57) et Note complémentaire (*infra*, p. 255-267).

Lettre sur le canon de la messe –, mais surtout par sa tradition indirecte. En effet, de nombreux passages de la lettre furent inclus dans le *De spiritu et anima*[1]. Plus récemment, la *Lettre sur l'âme* a attiré l'attention de chercheurs, spécialistes aussi bien de la littérature cistercienne que de l'histoire de la philosophie. Dans les toutes premières analyses, elle a surtout été rapprochée d'autres traités souvent décrits comme des « *De anima* cisterciens », tels que le *Dialogue sur l'âme* d'Aelred de Rievaulx et le traité *Sur la nature du corps et de l'âme* de Guillaume de Saint-Thierry[2] ; ou bien elle a été étudiée pour établir la contribution d'Isaac à l'anthropologie, dans le contexte d'une histoire générale de la mystique occidentale[3]. Des études plus récentes, cependant, ont exploré aussi d'autres relations, parfois plus pertinentes, notamment avec les œuvres de Hugues et Richard de Saint-Victor, de Guillaume de Conches, et avec la tradition néoplatonicienne et dionysienne du XIIe siècle[4]. D'autres encore ont traité tel ou tel aspect particulier de la *Lettre* : l'identité de l'âme avec ses facultés (P. Künzle[5]) ;

1. Ce texte est mentionné *supra* (p. 13). Voir Introduction (*infra*, p. 41-42 et 61-66).

2. Voir Introduction (*supra*, p. 12-13). Le thème d'une école cistercienne du XIIe siècle est abordé aussi par Trottmann, *Bernard de Clairvaux*, qui la juge philosophique dans la tradition du socratisme chrétien.

3. Cf. B. McGinn, *The Growth of Mysticism*, dans B. McGinn, *The Presence of God: A History of Western Christian Mysicism*, vol. 2, New York 1994, p. 284-296.

4. Cf. McGinn, *The Golden Chain* ; Buchmüller, *Monastische Theologie* et Introduction (*supra*, p. 18). Des remarques éclairantes sur les liens entre le style d'Isaac et les écoles de son temps se trouvent dans C. Giraud, « Isaac de l'Étoile, prédicateur du Verbe, et la philosophie. Des écoles au cloître », *Cîteaux* 63, 2012, p. 193-204.

5. Künzle, *Verhältnis*, p. 64-66. Voir Introduction (*infra*, p. 45-46).

la faculté de l'*intelligentia* (E. von Ivánka [1]) ; la mémoire, dans le contexte plus général des facultés humaines et de la liaison entre corps et esprit (J. Coleman [2]) ; l'*affectus* (D. Boquet [3]) ; l'objet connu par l'*intellectus* (A. Fidora [4]) ; la lecture symbolique du monde corporel (C. Trottmann, 2011) ; la correspondance des cinq sens corporels avec les cinq facultés de l'âme (C. Trottmann, 2012 [5]) ; la faculté de l'*imaginatio* (R. Palmén [6]) ; les métaphores de l'harmonie et du chant pour traiter de l'union de l'âme avec son corps et de l'immortalité de l'âme (A. Hicks, 2017 [7], A. Fidora, 2020 [8]) ; et les différences entre la *Lettre sur l'âme* et le *De spiritu et anima* (C. Mews, 2018 et 2019 [9]).

1. E. von Ivánka, Plato Christianus. *Übernahme und Umgestaltung des Platonismus durch die Väter*, Einsiedeln 1964, p. 307-385 (spécialement p. 357-361).

2. Coleman, *Ancient and Medieval Memories*, p. 215-220.

3. Boquet, *Affect*, p. 127-131, 137-138, 155-157, 160-161, 165-170, 189, 246-248.

4. Fidora, « Erkenntnistheoretische Grundlagen ». Voir *infra*, p. 53-54.

5. C. Trottmann, « Isaac de l'Étoile, lecteur du livre de la nature », *RSPT* 95, 2011, p. 343-362 et « Isaac de l'Étoile : les cinq sens et la conversion du sens », *Cahiers de Civilisation Médiévale* 55, 2012, p. 433-442.

6. Dans le contexte d'une étude dédiée notamment à Richard de Saint-Victor, voir Palmén, *Imagination*, p. 47-49.

7. Hicks, *Composing the World*, p. 140-145.

8. Fidora, « The Soul as Harmony ».

9. Mews, « Debating the Authority » ; « Diffusion » ; « *Affectus* ». D'autres analyses – telles celle de Bertola, « La dottrina psicologica » ; J. Oroz Reta, « L'augustinisme de l'épître *De anima* du père Isaac de l'Étoile », dans *Arts libéraux et philosophie au Moyen Âge. Actes du quatrième Congrès International de Philosophie Médiévale, Université de Montréal, 27 août – 2 septembre 1967*, Montréal – Paris 1969, p. 1125-1128 ; M. A. Chirico, « Il trattato teologico-filosofico di un abate scrittore : il *De anima* di Isacco della Stella (1100-1169) », *Nuovi annali*

La datation

Il est possible de proposer deux datations de la *Lettre sur l'âme*, l'une absolue et l'autre relative.

Le petit paragraphe de salutations qui termine la lettre [1] permet une datation absolue. Isaac mentionne qu'il a composé l'œuvre au milieu de nombreuses difficultés, à cause de l'épidemie et de la famine qui ont frappé sa région au cours de l'année et dont des signes avant-coureurs avaient été repérés l'année précédente. À partir de ces remarques, on a daté la lettre de 1162, année pour laquelle de nombreuses chroniques mentionnent famine et haute mortalité en Gaule ; les signes évoqués par Isaac, de leur côté, pourraient se référer à l'eclipse de lune signalée en 1161 [2].

Une datation relative est aussi rendue possible par l'étude des relations entre la *Lettre sur l'âme* et les *Sermons* d'Isaac, qui permet de situer la lettre après la composition des *Sermons* 3, 4, 23 et 26 [3] ; et puisque ces sermons font partie de deux cycles (respectivement 1-6 et 18-26), on peut avancer

della Scuola Speciale per Archivisti e Bibliotecari 28, 2014, p. 37-50 – se limitent à une présentation assez superficielle du contenu de la lettre. D. Deme, « A Reason to Understand : The Epistemology of Isaac of Stella », *American Benedictine Review* 56, 2005, p. 286-308 est une contribution plus pastorale qu'académique.

1. *An.* 39 (*infra*, p. 218).

2. Pour cette datation, voir Bliemetzrieder, « Isaac von Stella », p. 29-30 et Debray-Mulatier, « Biographie », p. 188, n. 65. Pour plus de renseignements sur les chroniques utilisées par Bliemetzrieder et sur la datation, voir Tarlazzi, « *De anima* », p. 174-175 ; cf. aussi Mews, « Debating the Authority », p. 331, n. 51.

3. Cf. Introduction (*infra*, p. 57-60).

l'hypothèse que les deux cycles en entier sont antérieurs au *De anima*, et donc antérieurs à 1162 [1].

Le destinataire

Le prénom du destinataire de la *Lettre sur l'âme*, Alcher, est mentionné dès son début. Le fait qu'il était moine de Clairvaux *(monachus Claraevallis)* est attesté dans la rubrique incipitaire du manuscrit 469 de la Biblioteca Comunale Teresiana de Mantoue [2]. Comme déjà signalé, la lettre d'Isaac répond à une requête d'Alcher lui-même [3]. Au § 20 [4] de sa lettre, Isaac note qu'Alcher excelle dans la connaissance de la médecine *(physica)*, et lui demande une lettre sur la composition du corps humain. Isaac promet de lui répondre à son tour, si possible, par un écrit centré sur la liaison entre l'âme et le corps, qui décrirait

> la façon dont l'âme reçoit volontiers le corps comme l'instrument de son activité et de son plaisir, dont elle le garde avec sollicitude, le quitte à regret, l'attend pleine de désir

1. Malheureusement, la relation entre ces sermons et le *De anima* n'est pas prise en considération dans l'analyse de BUCHMÜLLER, *Monastische Theologie*, p. 157-227, visant à établir une datation des sermons.

2. Mantoue, Biblioteca Comunale Teresiana, 469, f. 261va : *Epistola abbatis Ysaac de anima ad Alcherum monachum Claraevallis*. Sur cet important manuscrit, cf. aussi TARLAZZI, « Il manoscritto 469 », p. 323-340 et Introduction (*infra*, p. 69 et 73). Sur les moines de l'abbaye de Clairvaux à cette époque, voir L. VEYSSIÈRE, « Le personnel de l'abbaye de Clairvaux au XIIe siècle », *Cîteaux. Commentarii cistercienses* 51, 2000, p. 17-90.

3. Voir Introduction (*supra*, p. 36).

4. *An.* 20 (*infra*, p. 182, l. 13-14) et *An.* 21 (*infra*, p. 184, l. 2).

après l'avoir quitté et exulte, pleine de gratitude, quand elle le retrouve[1].

Tout cela suggère une certaine familiarité et des échanges intellectuels entre Isaac et Alcher[2]. Nous ne savons pas si la lettre demandée par Isaac et la réponse promise de sa part ont jamais été écrites ; cependant, ce passage du § 20 a été utilisé par certains chercheurs pour attribuer soit à Alcher, soit à Isaac le *De spiritu et anima*, en y voyant respectivement la réponse d'Alcher à la requête d'Isaac, ou bien l'écrit promis par Isaac comme réponse ultérieure[3].

Il se peut en outre qu'Alcher soit l'auteur du *Liber Alcheri de anima* signalé juste avant l'*Epistola Isaac de Stella de anima* dans le catalogue des livres de l'abbaye cistercienne

1. *An.* 20 (*infra*, p. 182, l. 17-20).

2. Pour bien évaluer le langage épistolaire indiquant une proximité, voir les recherches de J.P. Haseldine sur le genre épistolaire, les relations et l'amitié au Moyen Âge, et notamment : « Monastic Friendship in Theory and in Action in the Twelfth Century », dans A. Classen, M. Sandidge (éd.), *Friendship in the Middle Ages and Early Modern Age. Explorations of a Fundamental Ethical Discourse*, Berlin – New York 2010, p. 349-393 ; « Affectionate Terms of Address in Twelfth-Century Latin Epistolography. A Comparative Study of the *Letters* of Bernard of Clairvaux, Peter the Venerable, and Peter of Celle », *The Journal of Medieval Latin* 23, 2013, p. 201-254. Voir aussi, pour l'apprentissage horizontal et informel qu'on peut détecter dans les lettres monastiques, M. Long, *Learning as Shared Practice in Monastic Communities, 1070-1180*, Leyde – Boston 2022.

3. Sur le *De spiritu et anima* et son attribution, voir Introduction (*infra*, p. 61-66). Sur la base de ce qu'il estimait être leurs ressemblances avec le *De spiritu et anima*, Pierre Coustant (1654-1721) attribuait aussi à Alcher d'autres textes pseudo-augustiniens, tels que le *Manuale* et le *De diligendo Deo* : voir *PL* 40, 847-848, 901-902, 951-952 ; *PL* 46, 22 ; *PL* 194, 1895-1896. Voir C. Giraud, *Spiritualité et histoire des textes entre Moyen Âge et époque moderne. Genèse et fortune d'un corpus pseudépigraphe de méditations*, Paris 2016, p. 123, 138-140, 168-170 ; Mews, « Debating the Authority », p. 324.

de La Merci-Dieu, rédigé à la fin du XIVe siècle[1]. Pour le moment, cette œuvre n'a pas été retrouvée ou identifiée avec certitude[2]. Le destinataire de la *Lettre sur l'âme* pourrait aussi très bien être identique avec l'Alcher, moine de Clairvaux, auquel Pierre de Celle dédie son traité *De conscientia* dans les mêmes années[3].

1. Le catalogue des livres de La Merci-Dieu se lit dans une copie faite par Claude Estiennot au XVIIe siècle (aujourd'hui Paris, BnF, lat. 12755, p. 678-680), et éditée dans CLOUZOT, « Cartulaire ». On y lit que la bibliothèque disposait des *Sermones abbatis Isaac de Stella*, et un peu plus en bas dans la liste on trouve la mention d'un *Liber Alcheri de anima* et d'une *Epistola abbatis Isaac de Stella de anima*. Le *Liber Alcheri de anima* est signalé aussi dans la liste des manuscrits qu'Estiennot avait lui-même vus à La Merci-Dieu, et qui donc existaient encore au XVIIe siècle. Cette liste est aujourd'hui le ms. Paris, BnF, lat. 12755, p. 402 (et non pas 398, comme indiqué par Clouzot) et on y lit : *Bibliotheca Misericordiae Dei olim ms locuples nonnulla hactenus asservavit inter quae praecipua mihi visa sunt : [...] Liber Alcheri de anima. / Isaac abbatis Stellae opera*. Selon les indications de Clouzot, le *Liber Alcheri de anima* est aussi signalé, juste avant les *Epistolae* [sic] *bonae memoriae Isaac abbatis de Stella de anima*, dans une liste transcrite au sein de la collection de documents de Léonard Fontenau et (selon Clouzot) sans doute due à un religieux de l'abbaye. Voir aussi BONDÉELLE-SOUCHIER, *Bibliothèques cisterciennes*, p. 159-161.

2. Il serait notamment important de comprendre si ce titre correspond ou non au *De spiritu et anima*. Il faut signaler à ce propos que dans l'édition de Bertrand Tissier (*Bibliotheca patrum Cisterciensium*, t. VI, Bonnefontaine 1664, p. 84-103), le *De spiritu et anima* (dans la version du deuxième type : cf. *infra*, p. 61-62) est appelé *de anima liber* et attribué soit à Isaac, soit à Alcher : pour plus de détails, voir TARLAZZI, « Il manoscritto 469 », p. 327-331 ; EAD., « *De anima* », p. 173, n. 18 et p. 209-211 ; MEWS, « Debating the Authority », p. 323-324 et MEWS, « Diffusion », p. 299-300, ainsi que les remarques sur l'édition Tissier des œuvres d'Isaac *infra*, p. 78 et 95.

3. Voir TARLAZZI, « Il manoscritto 469 », p. 324 et, pour l'édition du *De conscientia*, J. LECLERCQ, *La spiritualité de Pierre de Celle (1115-1183)*, Paris 1946, p. 193-230.

Le contenu de la lettre

Le but général de la *Lettre sur l'âme* paraît être de recueillir de façon ordonnée un ensemble de classifications des puissances de l'âme, tout en proposant un parcours anagogique qui, en partant des réalités corporelles, s'élève à Dieu lui-même [1]. Cela correspond bien à la requête d'Alcher demandant un traitement centré non pas sur l'histoire du salut de l'âme, mais sur sa nature et ses facultés, ainsi que sur sa liaison avec le corps [2]. À l'exclusion du paragraphe d'ouverture [3] et des salutations finales [4], le texte du *De anima* peut se diviser en deux parties.

Première partie (§ 2-7). En utilisant une triade augustinienne (corps – âme – Dieu), Isaac présente l'âme comme l'élément central d'une hiérarchie tripartite du réel, où elle occupe une place intermédiaire entre le corps, au niveau inférieur, et Dieu, au niveau supérieur [5]. Il s'agit d'une hiérarchie à la fois gnoséologique et ontologique. D'un point

1. Voir aussi l'analyse du contenu du *De anima* dans McGinn, *The Golden Chain*, p. 136-196 et Trottmann, *Bernard de Clairvaux*, p. 364-372.

2. La requête d'Alcher paraît donc mentionner une opposition entre traitement historique et anhistorique de la question, plutôt qu'entre traitement théologique et philosophique, contrairement à de fréquentes interprétations : voir par exemple Bertola, « La dottrina psicologica », notamment p. 298. McGinn, *The Golden Chain*, p. 137-138, accepte l'interprétation qui oppose théologie et philosophie, mais note ensuite qu'Isaac refuserait implicitement la requête d'Alcher d'un traitement purement philosophique, reconnaissant la nécessité des données scripturaires.

3. *An.* 1 (*infra*, p. 150-152).

4. *An.* 39 (*infra*, p. 218).

5. Voir Augustin, *Io. ev. tr.* 23, 6 (*BAug* 72, p. 366-367, l. 1-4) et Führer, « Isaac », p. 1191-1193, section (b). Pour cette triade chez Augustin, cf. J. Pépin, « La hiérarchie par le degré de mutabilité (Nouveaux schèmes porphyriens chez saint Augustin, I) », *Documenti e studi sulla*

de vue gnoséologique, Isaac affirme que le corps nous est connu *moins* que l'âme, et que l'âme, à son tour, nous est connue *moins* que Dieu [1]. Il justifie cela en utilisant les critères de la hiérarchie ontologique : Dieu est la vérité, l'âme est une image *(imago)* de la vérité, et le corps en est seulement une trace *(vestigium)* [2]. Pour préciser les caractéristiques de l'âme par rapport aux deux autres éléments de la hiérarchie, l'auteur se sert aussi d'une série de couples notionnels : simple et composé *(simplex – compositum)* ; être et avoir *(esse – habere)* ; qualité et quantité *(qualitas – quantitas)* ; aspects naturels et accidentels *(naturalia – accidentalia).*

Une attention particulière est portée à la façon de comprendre l'unité et la multiplicité dans l'âme (§ 4-5). Isaac précise d'abord que Dieu n'a ni qualité ni quantité ; que le corps a les deux ; que l'âme de son côté possède une qualité mais pas de quantité. Il y a en fait différentes forces ou puissances naturelles de l'âme *(vires sive potentiae naturales),* qui cependant n'en sont pas des parties. En suivant un passage du *De divisione* de Boèce, Isaac précise aussi que, à la rigueur, on peut les appeller parties « de force » ou « de puissance » *(partes virtuales seu potentiales),* mais non pas

tradizione filosofica medievale 10, 1999, p. 89-107. Voir aussi HUGUES DE SAINT-VICTOR, *Sacr.* I, 10, 2 (*PL* 176, 329C-D ; éd. R. BERNDT, p. 225).

1. Voir *An.* 2 (*infra*, p. 152), à comparer avec *An.* 31-32 (*infra*, p. 202-206) ; cf. C. VIOLA, « Une erreur doctrinale dans *La philosophie au Moyen Âge* d'Étienne Gilson. La hiérarchie de notre connaissance selon Isaac de l'Étoile », *Bulletin de philosophie médiévale* 33, 1991, p. 215-218.

2. Pour cette terminologie, voir, entre autres I. BOCHET, art. 'imago', dans C. MAYER (dir.), *Augustinus-Lexikon*, vol. 3, Bâle 2006, col. 507-519 et R. JAVELET, *Image et ressemblance au douzième siècle : de Saint Anselme à Alain de Lille*, Paris 1967.

« parties selon la quantité » (*partes secundum quantitatem* [1]). Si c'était le cas – c'est-à-dire si l'âme avait des parties en un sens quantitatif –, chaque partie serait à son tour une âme et on poserait ainsi la thèse, inacceptable selon Isaac, d'une pluralité d'âmes dans chaque individu. À partir de la première moitié du XIIIe siècle, en lisant les *De anima* d'Aristote et d'Avicenne, on discutera la question de l'identité, ou non, de l'âme avec ses puissances [2]. À l'époque d'Isaac, cette

1. Il s'agit de la division du « tout qui consiste en certaines vertus », ou *totum virtuale*, en ses parties. Cf. Boèce, *Div.*, p. 38, l. 25-27 : « On appelle aussi 'tout' *(totum)* ce qui se compose de certaines sortes de forces ; par exemple, une des puissances de l'âme est de connaître *(sapiendi)*, une autre de percevoir *(sentiendi)*, une autre de vivifier *(uegetandi)* ». Voir aussi p. 40, l. 20-27 : « Le tout qui se compose de forces doit aussi être divisé de cette façon : 'une partie de l'âme se trouve dans les plantes, une autre dans les animaux' ; et, [en divisant] à nouveau : 'de ce qui se trouve dans les animaux, une [partie] est rationnelle, l'autre est sensible', parties qui à nouveau se répartissent en d'autres subdivisions. L'âme, cependant, n'est pas le genre *(genus)* de tout ceci mais le tout *(totum)*, car ce sont des parties de l'âme – non, cependant, selon la quantité, mais selon quelque puissance *(potestate)* ou force *(uirtute)*, car la substance de l'âme est composée à partir de ces puissances. » Ces forces (ou parties) *virtuales* sont les *naturalia* de l'âme, et se distinguent donc de ses *accidentalia*, c'est-à-dire ses vertus ; voir *An.* 6 (*infra*, p. 158, l. 1-5), 7 (p. 160-162) et 33 (p. 206, l. 5-9). Au sujet des parties de l'âme, voir aussi K. Corcilius – D. Perler (éd.), *Partitioning the Soul. Debates from Plato to Leibniz*, Berlin 2014.

2. Sur l'entrée des traités *De anima* dans les discussions sur l'âme de l'Occident Latin, voir D.N. Hasse, *Avicenna's* De anima *in the Latin West. The Formation of a Peripatetic Philosophy of the Soul 1160-1300*, Londres 2000, p. 9-79 ; M. Bieniak, *The Soul-Body Problem at Paris,* ca. *1200-1250. Hugh of St-Cher and His Contemporaries*, Leuven 2010 ; T. Pitour, *Wilhelm von Auvergnes Psychologie. Von der Rezeption des aristotelischen Hylemorphismus zur Reformulierung der Imago-Dei-Lehre Augustins*, Paderborn 2011 ; pour une approche plus générale, on consultera aussi D. Perler (éd.), *Faculties. A History*, Oxford 2015. Comme le montre Bieniak, p. 95-118, la discussion de l'identité ou non de l'âme avec ses puissances se trouve, par exemple, chez Philippe le Chancelier, Hugues

question n'est pas encore présente en tant que telle, mais la position soutenue, si l'on en juge à partir de la discussion qui s'ensuivra, est celle de l'identité [1]. En fait, chez Isaac, il s'agit plus exactement d'une version assez simplifiée de l'analogie entre l'âme et la trinité divine, inspirée par le *De Trinitate* d'Augustin [2]. La terminologie trinitaire transparaît notamment dans la formule de la *Lettre sur l'âme* : « les propriétés sont diverses, mais l'essence est une [3] ».

Deuxième partie (§ 8-38). Les subdivisions des forces de l'âme constituent le cœur de la deuxième partie du texte [4]. Tout d'abord (§ 8), Isaac distingue trois aspects dans l'âme : rationalité, concupiscibilité et irascibilité (*rationabilitas,*

---

de Saint-Cher, Jean de la Rochelle, dans la question anonyme *Si anima est suae potentiae*, chez Guillaume d'Auvergne, Guillaume d'Auxerre, *et al.*

1. Voir KÜNZLE, *Verhältnis* et BUCHMÜLLER, *Monastische Theologie*, p. 456-486. Pour d'autres discussions sur les parties potentielles ou virtuelles, qui ne sont pas des parties selon la quantité, dans les textes de cette époque, voir aussi HICKS, *Composing the World*, p. 124-125 et n. 41. La position d'Isaac est à comparer avec celle de HUGUES DE SAINT-VICTOR, *Didasc.* II, 4 (p. 27-29).

2. La littérature sur le sujet est vaste ; voir notamment P. HADOT, « L'image de la Trinité dans l'âme chez Victorinus et chez saint Augustin », dans F.L. CROSS (éd.), *Studia Patristica* VI. Papers presented to the Third International Conference on Patristic Studies, Berlin 1962, p. 409-442 ; G. O'DALY, *Augustine's Philosophy of Mind*, Londres 1987 et, plus récemment, A. DE LIBERA, « Augustin critique d'Averroès. Deux modèles du sujet au Moyen Âge », dans PACHECO – MEIRINHOS, *Intellect et imagination*, vol. I, p. 203-246 et ID., *Archéologie du sujet. I. Naissance du sujet*, Paris 2007, p. 209-295. Isaac cite explicitement le sermon pseudo-augustinien 245 (*PL* 39, 2196-2198) ; à son sujet, voir BUCHMÜLLER, *Monastische Theologie*, p. 459-462.

3. *An.* 5 (*infra*, p. 156, l. 5-6). Cf. aussi *An.* 8 (p. 162, l. 3-5), 12 (p. 170, l. 22-24) et 13 (p. 172, l. 6-8) ; la formule sera reprise en *De spiritu et anima* 4 et 13 (*PL* 40, 782 et 789) ; à travers ce dernier, elle circule chez plusieurs auteurs.

4. Voir le schéma de classification des puissances de l'âme (*infra*, p. 48).

concupiscibilitas et *irascibilitas*[1]). Cette triade d'origine platonicienne, qu'Isaac appelle une « sorte de trinité de l'âme[2] », lui permet aussi une exégèse singulière du verset d'*Isaïe* 7, 15 – *de beurre et de miel il se nourrira, afin qu'il sache rejeter le mal et choisir le bien* (*ut sciat reprobare malum et eligere bonum*, § 9). Selon Isaac, dans le terme biblique *sciat*, on peut reconnaître la rationalité ; dans l'expression *reprobare malum*, que symbolise aussi le beurre de la première partie du verset, l'irascibilité ; dans l'expression *eligere bonum*, symbolisée par le miel, la concupiscibilité. À partir de cette interprétation du verset – qui réorganise la tripartition platonicienne sur deux niveaux, avec la rationalité d'une part, l'irascibilité et la concupiscibilité d'autre part, comme termes liés[3] – on obtient le couple « compréhension » *(sensus)*, qui correspond à la rationalité, et « affect » *(affectus)*, qui correspond à l'irascibilité et la concupiscibilité[4] (§ 10). On arrive ainsi

1. *An.* 5 (*infra*, p. 158, l. 15-18) et 8 (p. 162, l. 5-7). On a gardé une traduction littérale, assez répandue dans la littérature secondaire. Il faut préciser que l'« irascibilité » est comprise par Isaac, conformément à la tradition du Haut Moyen-Âge, comme une répulsion : son objet est le mal, qu'il faut fuir. Vers 1230, on élabore une nouvelle conception, selon laquelle l'objet de l'*irascibilitas* est le bien difficile à atteindre, et la passion qui l'anime l'espérance ; voir R.-A. GAUTHIER, « Le traité *De anima et de potenciis eius* d'un maître ès arts (vers 1225). Introduction et texte critique », *RSPT* 66 (1982), p. 3-55, spécialement p. 23-24.

2. *An.* 5 (*infra*, p. 158, l. 17). Cf. PLATON, *Resp.*, 439d-441c ; 580 d-e (éd. É. CHAMBRY, *CUF*, 1961, t. 6, p. 37-40 et 1957, t. 7, p. 62) ; BELL, « The Tripartite Soul », notamment p. 42-44 ; BOQUET, *Affect*, p. 151-156 et BUCHMÜLLER, *Monastische Theologie*, p. 445-448.

3. Sur la réduction de la tripartion à une dualité rationnel/irrationnel, cf. BELL, « The Tripartite Soul », p. 17 et 43.

4. Cf. *An.* 10 (*infra*, p. 164, l. 5-6). *Sensus* possède deux significations dans le *De anima* : il signifie soit la compréhension en général, qui se divise en *memoria*, *ratio* et *ingenium*, ou en *sensus*, *imaginatio*, *ratio*, *intellectus* et *intelligentia* ; soit la seule faculté de sensation corporelle mentionnée dans

au binôme, central au Moyen Âge, de la connaissance et de l'amour ; car à côté du couple *sensus – affectus*, on trouve aussi dans le texte d'Isaac les couples *scientia – caritas* et *cognitio – dilectio*[1]. En suivant peut-être un critère hiérarchique, Isaac procède à une subdivision de l'*affectus* et ensuite à deux subdivisions du *sensus*.

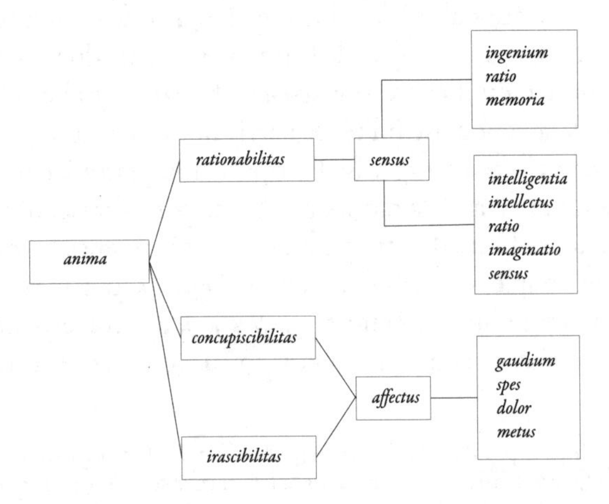

Schéma de classification des puissances de l'âme selon la *Lettre sur l'âme* d'Isaac

Examinons d'abord la subdivision de l'affect (§ 11). Ce terme recouvre deux dynamiques : l'attraction de la concu-

cette partition. On traduira par « compréhension » pour la première acception, et « sens » pour la deuxième. Pour la traduction d'*affectus* comme « affect », nous suivons BOQUET, *Affect*, p. 23-24. Dans le *Sermon* 17, 11 (*SC* 130, p. 318), *affectus* est aussi l'équivalent d'*affectio*, un terme qui n'est cependant pas utilisé dans le *De anima*.

1. Voir D. POIREL, « L'unité de la sagesse chez Hugues de Saint-Victor. Un équilibre précaire », dans C. TROTTMANN, *Vers la contemplation. Études sur la syndérèse et les modalités de la contemplation de l'Antiquité à la Renaissance*, Paris 2007, p. 81-119.

piscibilité et la répulsion de l'irascibilité [1]. Isaac combine le mouvement d'attraction ou de répulsion avec le temps, présent ou futur, de l'objet vers lequel se dirige le mouvement. Ainsi se trouve constituée, à partir de l'affect, une quadripartition entre joie, espoir, douleur et crainte *(gaudium, spes, dolor, metus),* qui indiquent, respectivement, l'attraction pour un objet présent, l'attraction pour un objet futur, la répulsion pour un objet présent, et la répulsion pour un objet futur. Isaac reprend ici une quadripartition d'origine stoïcienne assez répandue au Moyen Âge, mais qu'il tire probablement d'un passage de la *Consolation de Philosophie* de Boèce [2] : Isaac le cite explicitement dans le *Sermon* 17, 12,

1. Sur *affectus* chez Isaac, cf. McGinn, *The Golden Chain*, p. 146-152 et surtout Boquet, *Affect*, p. 156-157, 160-161, 165-170, 246-248 et Mews, « *Affectus* ». Sur la nouvelle approche de la dimension affective et émotionnelle dans la littérature sur l'âme du xiie siècle, voir C. Casagrande – S. Vecchio, « Les théories des passions dans la culture médiévale », dans P. Nagy – D. Boquet (éd.), *Le sujet des émotions au Moyen Âge*, Paris 2008, p. 107-122 ; A. Boureau, *De vagues individus. La condition humaine dans la pensée scolastique*, Paris 2008, p. 19-54 ; P. King, « Emotions in Medieval Thought », dans P. Goldie (éd.), *The Oxford Handbook of Philosophy of Emotion*, Oxford 2009, p. 167-187 ; C. Casagrande – S. Vecchio, *Passioni dell'anima. Teorie e usi degli affetti nella cultura medievale*, Florence 2015 ; D. Boquet – P. Nagy, « Medieval Sciences of Emotions during the Eleventh to Thirteenth Centuries : An Intellectual History », *Osiris* 31, 2016, p. 21-45.

2. *Stoicorum veterum fragmenta*, éd. H. von Arnim, Leipzig 1903-1905, vol. III, p. 381, 385, 444 ; J.-B. Gourinat, *Les stoïciens et l'âme*, Paris 1996, p. 80-102. Cf. Boèce, *Cons.* I, VII, 25-28 (p. 26), mais aussi Cicéron, *Des termes extrêmes des biens et des maux* III, 10, 35 (éd. J. Martha, *CUF*, Paris 1930, p. 26-27) ; *Tusculanes* IV, 6, 11 (éd. G. Fohlen, J. Humbert, *CUF*, Paris 1960, p. 59) ; Lactance, *Institutions divines* 6, 14, 7 (*SC* 509, éd. C. Ingremeau, 2007, p. 258) ; Augustin, *Civ.* XIV, 5 (*BAug* 35, p. 366-368 ; cf. Virgile, *Aen.* VI, 732-733, p. 71) ; Augustin, *Io. Ev. tr.* 46, 8 (*BAug* 73B, p. 112, l. 1-6) ; *Conf.* X, 14, 22 (*BAug* 14, p. 178, l. 1-3) ; Calcidius, *In Tim.* 194 (p. 422-

dans le contexte d'une discussion très similaire à celle-ci [1]. Les quatre passions de l'âme sont aussi liées aux vices et aux vertus, dont elles sont appelées « pour ainsi dire, éléments et matière commune [2] ». À partir du *De moribus* d'Augustin, cité explicitement, les quatre vertus cardinales (tempérance, force, justice et prudence) sont finalement présentées comme autant de déclinaisons de l'*amor* – *affectus* [3].

Après le traitement de l'*affectus*, on trouve les deux subdivisions du *sensus* (§ 12). Selon la première, le *sensus* se divise entre les facultés de mémoire, de raison et d'entendement *(memoria, ratio, ingenium)*. Isaac explique la triade avec des métaphores à la saveur augustinienne : dans la « bouche du cœur », la raison « ne cesse de mâcher ce que les dents de l'entendement saisissent » de l'extérieur, « ou de ruminer ce que lui rendent à nouveau présent les entrailles de la mémoire [4] ». Ainsi, la subdivision est liée au temps de l'objet

424) ; Isidore de Séville, *Diff.* II, 41 (*CCSL* 111A, p. 104-105, l. 1-11) ; et, par exemple, Richard de Saint Victor, *Misit Herodes rex manus* 6 (*PL* 141, 284B-D).

1. Voir Introduction (*infra*, p. 57-58).
2. *An.* 11 (*infra*, p. 166, l. 7-8).
3. *An.* 11 (*infra*, p. 166-168, l. 13-23). Cf. Augustin, *Mor.* I, 15, 25 (*BAug* 1, p. 174, l. 3-6 et 176, l. 6-13) et *An.* 33 (*infra*, p. 206-208, l. 5-20 et p. 53, n. 2). Sur la vertu chez Isaac, voir R. Javelet, « La vertu dans l'œuvre d'Isaac de l'Étoile », *Cîteaux* 11, 1960, p. 252-267 et McGinn, *The Golden Chain*, p. 143-146.
4. *An.* 12 (*infra*, p. 170, l. 9-11). Pour l'expression « bouche du cœur » *(os cordis)*, voir par exemple Augustin, *Trin.* XV, 10, 18 (*BAug* 16, p. 466-468) et *De mendacio* 16, 31-32 (éd. G. Combès, *BAug* 2, 1948², p. 310-316) ; pour « entrailles de la mémoire » *(venter memoriae)*, cf. Augustin, *Conf.* X, 14, 21-22 (*BAug* 14, p. 178, l. 27-29 et 180, l. 11-13) et *Trin.* XII, 14, 23 (*BAug* 16, p. 256, l. 7). Sur la mémoire dans le traité d'Isaac et le *De spiritu et anima*, voir Coleman, *Ancient and Medieval Memories*, p. 215-226.

de la connaissance – passé pour la mémoire, présent pour la raison, et futur pour l'entendement, faculté de la découverte. Isaac utilise aussi cette triade dans le *Sermon* 23, source directe de ce passage de la *Lettre sur l'âme*[1]. Il reprend ainsi une tripartition qu'on lit explicitement chez Guillaume de Conches, notamment dans ses *Glosae super Boetium*, où les trois facultés sont aussi liées aux trois ventricules cérébraux[2].

À partir du § 13, et dans le reste de la *Lettre sur l'âme*[3], on trouve la deuxième subdivision du *sensus*, qui distingue cinq

1. Voir *Serm.* 23, 10-11 (*SC* 207, p. 88-90), et Introduction (*infra*, p. 59).

2. Guillaume de Conches, *Gl. sup. Boet.* I, pr. 1 (p. 19-20) : « Trois caractéristiques font donc le parfait savant : l'entendement, c'est-à-dire la force naturelle de comprendre quelque chose rapidement ; la raison, c'est-à-dire la capacité de distinguer ce qu'on a compris ; et la mémoire du passé. [...] Or ces trois caractéristiques [...] ont leur siège dans la tête. En effet, il y a dans la partie antérieure de la tête une cellule du cerveau, appelée phantastique, dans laquelle se trouve la force de comprendre. Voici comment on l'a prouvé : ayant constaté que quelqu'un, doué d'un bon entendement, avait perdu ce dernier suite à un coup reçu sur cette partie de la tête, tout en gardant la faculté de distinguer et la mémoire, des médecins ont découvert que la force de comprendre se trouve dans cette partie. Au milieu de la tête, il y a une autre cellule dans laquelle se trouve la force de distinguer, ce qui a également été prouvé par un coup reçu. Dans l'occiput, c'est-à-dire dans la partie postérieure de la tête, il y a une autre cellule dans laquelle se trouve la force de mémoriser. [...] c'est donc à bon droit que les médecins disent que le siège de la sagesse se trouve dans la tête » ; et aussi Id., *Gl. sup. Plat.* XV (*CCCM* 203, p. 28) ; *Drag.* VI,18, 4-8 (p. 240-243) ; *Gl. sup. Macr.*, consultées dans BAV, Urb. Lat. 1140, f. 82r-83r. Voir aussi Anonyme, *Ysag. in theol.* I (éd. A. Landgraf, *Écrits théologiques de l'école d'Abélard*, Louvain 1934, p. 70) ; Guillaume de Saint-Thierry, *Nat. corp. et an.* 25-26 (éd. M. Lemoine, p. 96-98) et Constantin l'Africain, *Pantegni* III, 11 ; IV, 9 et 19 (Bâle 1539, p. 55-58, 91, 96). Voir D. Jacquart, C. Burnett, *Constantine the African and 'Alī Ibn al-'Abbās al-Mağūsī. The Pantegni and Related Texts*, Leyde 1994.

3. Voir à ce propos la subdivision du texte dans les manuscrits, et notamment les rubriques du codex de Mantoue décrites en Tarlazzi, « *De anima* », p. 234-236 et *infra*, p. 77.

facultés : sens (*sensus* à nouveau, parfois qualifié de « corporel », pour le différencier du terme dans son acception plus vaste [1]), imagination *(imaginatio)*, raison *(ratio)*, intellect *(intellectus)* et intelligence *(intelligentia)*. Selon toute probabilité, cette partition s'inspire d'une liste de quatre facultés qu'on lit dans la *Consolation* de Boèce, tout en y introduisant des différences sensibles, comme l'ajout de l'intellect – probablement dû à une influence de Hugues de Saint-Victor, à partir d'autres passages de Boèce lui-même [2].

	§ 15	§ 28	§ 31
intelligentia	*summe et pure incorporeum, quod nec corpore ut sit nec loco ut alicubi nec tempore ut aliquando eget*	*pure incorporeum*	*incommutabilis deus*
intellectus	*super omne quod corpus est vel corporis vel ullo modo corporeum, spiritum creatum, qui ad subsistendum non eget corpore, ac per hoc nec loco, sed sine tempore esse minime possit, cum naturae mutabilis sit*	*vere incorporeum*	*commutabilis spiritus*

1. Voir *supra*, p. 47, n. 4.
2. Voir Note complémentaire (*infra*, p. 255-267).

ratio	*corporum dimensiones et similia : primum videlicet incorporeum ad subsistendum tamen indigum corpore ac per hoc loco et tempore*	*fere incorporeum*	*corporum dimensiones et similitudines dissimilium ac dissimilitudines similium*
imaginatio	*corporum similitudines*	*fere corpus*	*corporum similitudines*
sensus	*corpora*	*corpus*	*corpora*

Hiérarchie des objets connus par chacune des cinq puissances de la deuxième partition du *sensus*.

La partition en cinq éléments du *sensus* se fonde sur l'objet connu par chaque faculté, ce qu'Isaac expose dans un sommaire au § 15, puis développe[1] : le sens connaît les corps (§ 16-17) ; l'imagination connaît les ressemblances des corps (§ 18-24) ; la raison connaît un premier incorporel qui a besoin des corps pour exister – par exemple, les dimensions des corps (§ 25-27) ; l'intellect connaît le vraiment incorporel, c'est-à-dire l'âme ou « esprit créé » – qui n'a pas besoin d'un corps, et donc pas besoin non plus d'un lieu, mais qui, étant muable par nature, n'est pas sans temps[2] (§ 28-36) ;

1. Il reprendra ce sommaire à deux reprises : *An.* 28 (*infra*, p. 198, l. 7-14) et 31 (p. 202, l. 4-9). Voir le tableau ci-contre et ci-dessus.

2. Voir aussi la « nature incorporelle dont [l'intellect] perçoit les formes incorporelles », située entre Dieu et le corps, en *An.* 33 (*infra*, p. 206, l. 3-4) ; selon McGinn, *The Golden Chain*, p. 154 et 176-177, cela inclurait les anges aussi. En reprenant la tripartition des sciences spéculatives du *De Trinitate* de Boèce (*naturalis*, *mathematica*, *theologica* ; cf. Boèce, *Trin.* 2, p. 168-169, l. 68-78 ; voir aussi Note complémentaire, *infra*, p. 259-260), Isaac dit aussi que le sens et l'imagination valent dans le domaine des entités naturelles ; la raison dans celui des entités mathématiques ; l'intelligence dans celui des entités théologiques (§ 26). L'intellect n'a pas de discipline propre, mais il connaît d'une part des entités naturelles – quand

l'intelligence connaît Dieu, l'incorporel pur, qui ne change pas et n'a besoin ni de corps, ni de lieu, ni de temps (§ 37-38). Chaque faculté a donc son propre objet de connaissance, distinct des autres.

Isaac décrit ainsi une hiérarchie gnoséologique entre les cinq facultés, qui dépend d'une hiérarchie ontologique entre les cinq objets de connaissance. La hiérarchie ontologique se structure en utilisant l'opposition corporel – incorporel et ensuite, au sein des deux niveaux suprêmes d'incorporel, le couple lieu – temps. Il y a donc un ordre des choses (*ordo rerum* [1]) qui se développe par degrés : Isaac souligne la proximité et la liaison entre chaque niveau et celui qui suit [2]. Du « corps », au niveau le plus bas, on passe à ce qui est « presque corps », de cela au « presque incorporel », de cela au « purement incorporel » et finalement au « vraiment incorporel ». La continuité entre les différents niveaux de la réalité est illustrée par l'utilisation de deux métaphores, probablement inspirées par Guillaume de Conches [3] : la

il connaît les *naturalia* de l'âme, c'est-à-dire ses forces – d'autre part des entités théologiques – quand il connaît les *accidentalia* de l'âme, c'est-à-dire ses vertus, par exemple la justice, dont l'essence est Dieu : cf. *An.* 6 (*infra*, p. 158, l. 1-7) ; 7 (p. 160-162) ; 33 (p. 206-208). Une interprétation différente a été donnée par Alexander Fidora, qui voit dans l'absence de discipline de l'intellect un espace pour la métaphysique. Il considère la connaissance de la justice par l'intellect comme une preuve du fait que l'intellect connaîtrait des principes et concepts généraux et premiers : voir FIDORA, « Erkenntnistheoretische Grundlagen » et BUCHMÜLLER, *Monastische Theologie*, p. 255-262.

1. *An.* 30 (*infra*, p. 200, l. 1).

2. Isaac utilise aussi le terme *status* en *An.* 26 (*infra*, p. 194, l. 1-8), où il distingue entre un état réel ou naturel et un état rationnel ou « doctrinal » ; cf. aussi *An.* 27 (p. 196, l. 17) et 30 (p. 200, l. 3) où la sagesse a tiré toutes choses de l'archétype à leur état *(status).*

3. *An.* 29 (*infra*, p. 200, l. 6-7).

chaîne d'or d'Homère, suspendue entre ciel et terre, et l'échelle rêvée par Jacob, s'élevant de la terre au ciel [1].

Dans un autre passage, inspiré par le *De unione spiritus et corporis* de Hugues de Saint-Victor, Isaac décrit la hiérarchie ontologique en des termes un peu différents, centrés sur la liaison entre corps et esprit [2]. Corps et esprit se rencontrent

1. Pour la chaîne d'or, voir MACROBE, *In Somn. Scip.* I, 14, 15 (p. 80), à partir d'*Iliade* VIII, 19 ; pour l'échelle rêvée par Jacob, voir Gn 28, 12. Les deux métaphores sont déjà liées chez GUILLAUME DE CONCHES, *Gl. sup. Macr.* (*in Somn. Scip.* I, 14, 15) : *Ad hanc enim coniunctionem rerum significandam ait Homerus Iovem dimittere quandam chatenam a celo deorsum usque ad terram continuam pendere. Haec est etiam scala quam sompniavit Iacob* ; « Pour indiquer cette conjonction entre les choses, Homère dit que Jupiter laisse pendre une chaîne continue depuis le ciel, en haut, jusqu'à la terre. Elle est aussi l'échelle dont Jacob a rêvé. » Ces gloses sont encore inédites, mais citées en *CCCM* 203, p. 129, note à la l. 9, et consultables dans BAV, Urb. Lat. 1140, f. 84v-85r ; voir aussi MCGINN, *The Golden Chain*, p. 239-240 et BUCHMÜLLER, *Monastische Theologie*, p. 528 ; GUILLAUME DE CONCHES, *Gl. sup. Plat.*, LXXIV (*CCCM* 203, p. 129) ; plus largement, voir B. OBRIST, I. CAIAZZO (éd.), *Guillaume de Conches. Philosophie et science au XIIe siècle*, Florence 2011. Pour l'échelle de Jacob dans un contexte très semblable, cf. aussi HUGUES DE SAINT VICTOR, *Vn. spir. et corp.* (p. 884, l. 24). La hiérarchie de l'être chez Isaac est à la base de l'étude de MCGINN, *The Golden Chain* ; cf. aussi BOQUET, *Affect*, p. 127-131, 137-138, 143 et BUCHMÜLLER, *Monastische Theologie*, p. 525-536 ; plus généralement, A. LOVEJOY, *The Great Chain of Being. A Study of the History of an Idea*, New York 1936 et E. P. MAHONEY, « Lovejoy and the Hierarchy of Being », *Journal of the History of Ideas* 48, 1987, p. 211-230.

2. Voir *An.* 19 (*infra*, p. 180, l. 1-13) et 21 (p. 184, l. 7-10) ; cf. *An.* 37 (p. 214, l. 2-4), où *anima* et *spiritus* paraissent utilisés de façon synonymique. L'atmosphère de ces passages est très proche du *De unione* de HUGUES DE SAINT VICTOR dans la recherche d'un trait d'union entre corps et esprit : ou retrouve chez Isaac la même citation de Jn 3, 6 qui ouvre l'écrit hugonien ; la même métaphore de l'échelle de Jacob ; la même référence à la *sensualitas* et – pour Isaac – au *phantasticum animae*, qui rappele la *cella phantastica* de HUGUES (*Vn. spir. et corp.*, p. 886, l. 111 et 113). Cf. aussi D. PEZZINI, « Isaac of Stella on How to Compose the Duality

et s'harmonisent *(convenire)* dans ce qui est le plus élevé dans le corps, la « sensibilité de la chair » (*sensualitas carnis*[1]), et ce qui est le plus bas dans l'âme, le « phantastique » (*phantasticum animae*[2]). Aux § 20 et 22, Isaac décrit le corps comme un instrument de musique qui, pour autant qu'il soit bien réglé, contient l'âme ; celle-ci est à son tour comparée à la mélodie musicale et au chant. À la mort du corps, l'âme ne périt pas, tout comme la musique subsiste même quand elle n'est pas chantée ou jouée. Isaac lie ainsi la métaphore de l'harmonie musicale au thème de l'immortalité de l'âme[3].

La hiérarchie ontologique est connue par l'âme à travers ses cinq forces, qui de leur côté sont disposées selon une hiérarchie qu'on peut donc appeler gnoséologique. À plusieurs reprises dans le texte, la hiérarchie gnoséologique est comparée aux cinq éléments du monde naturel : la terre, l'eau, l'air, l'éther ou firmament, et finalement le ciel suprême

---

of Human Nature into Unity », *CSQ* 48, 2013, p. 183-212, qui analyse notamment les *Serm.* 28 et 29.

1. *An.* 19 (*infra*, p. 180, l. 13) ; 21 (p. 184, l. 9) ; 37 (p. 214, l. 3).

2. Voir *infra*, p. 176-177, n. 1.

3. Pour tout ce passage, voir l'excellente analyse de Hicks, *Composing the World*, p.114-150, et notamment p. 140-145 pour Isaac. Cf. aussi les observations de Fidora, « The Soul as Harmony ». Comme l'indique Hicks, la métaphore de l'harmonie chez Isaac est à l'opposé de la « harmony thesis » que l'on trouve exposée comme étant à rejeter chez plusieurs auteurs de la philosophie ancienne. Selon cette « harmony thesis » en effet, l'âme est considérée en tant qu'harmonie du corps : il s'agit donc pour elle non pas d'*avoir* de l'harmonie, mais d'*être* harmonie, ce qui impliquerait la mortalité de l'âme. Or chez Isaac, l'harmonie est au contraire une façon de dire son immortalité. Pour le corps en tant qu'instrument bien calibré, voir aussi Guillaume de Saint-Thierry, *Nat. corp. et an.* II, 66 (p. 149), dépendant de Grégoire de Nysse dans la traduction de Jean Scot, *De imagine* 12 (*CCCM* 167, 2020, p. 97, l. 110-124) et Hicks, *Composing the World*, p. 138-139.

ou empyrée[1]. Grâce aux cinq puissances, l'âme connaît la hiérarchie des êtres et devient semblable à toute chose[2]. Par ses facultés, elle parcourt la hiérarchie ontologique, jusqu'à atteindre le niveau le plus élevé : la connaissance de Dieu par l'intelligence. Le parcours anagogique du *De anima* se termine ainsi avec la connaissance de Dieu, décrite comme une illumination par la grâce[3].

Les relations entre la *Lettre sur l'âme* et les *Sermons* d'Isaac

La *Lettre sur l'âme* entretient avec le reste de la production d'Isaac – ses sermons – trois types de relations : des ressemblances non littérales ; des correspondances littérales qui concernent de brèves formules ; d'autres qui concernent des passages de plus grande ampleur[4].

Dans le premier cas, des idées exprimées dans la *Lettre sur l'âme* se retrouvent dans d'autres passages d'Isaac, mais formulées différemment. Par exemple, la triade *rationa(bi)litas, concupiscibilitas* et *irascibilitas* est aussi utilisée pour commenter Is 7, 15 dans les *Sermons* 25, 5 et 51, 14[5]. La quadripartition de l'*affectus* en joie, espoir, douleur et

1. Cf. *An.* 14 (*infra*, p. 172, l. 1 – p. 174, l. 6) ; 27 (p. 196, l. 8-18) ; 31 (p. 202, l. 9 – p. 204, l. 18).

2. *An.* 31 (*infra*, p. 202, l. 4 : *omnium similitudo* ; l. 10 : *omnibus similis*). Sur l'âme en tant que *similitudo omnium*, voir aussi Buchmüller, *Monastische Theologie*, p. 537-555.

3. *An.* 36-38 (*infra*, p. 210, l. 4 – p. 218, l. 24). Voir aussi Führer, « Isaac », p. 1192-1193, section (d).

4. Pour plus de détails, voir Tarlazzi, « *De anima* », p. 244-254.

5. *An.* 8-9 (*infra*, p. 162, l. 5 – p. 164, l. 10) ; cf. *Serm.* 25, 5 (*SC* 207, p. 118) et 51, 14 (*SC* 339, p. 208). Cf. aussi *Serm.* 8, 4 (*SC* 130, p. 194).

crainte se lit aussi dans le *Sermon* 17, 11-13[1] ; dans la lettre comme dans le sermon, les quatre affects sont appelés « éléments » et « matière commune » des vices et des vertus. Comme le § 14 de la *Lettre sur l'âme*, le *Sermon* 5, 23 compare l'âme au ciel, et ses vertus aux ordres angéliques[2]. Et le *Sermon* 10, 1 utilise aussi l'image du *sensus* et de l'*affectus* comme « pieds » de l'âme[3].

Dans d'autres cas, la ressemblance va jusqu'à la coïncidence littérale de brèves formules. Par exemple, à plusieurs reprises dans ses œuvres, Isaac écrit que Dieu, ou le Père, « est tout ce qui est à lui » (*omnia sua est*[4]) ou bien qu'il « est ce qu'il a » (*quae habet, haec est*[5]). On retrouve aussi à plusieurs reprises l'allitération *simul, semel et semper*[6]. Dans la *Lettre sur l'âme* et dans deux sermons, on lit en des versions presque identiques la phrase suivante, inspirée par Ambroise : « l'affect donne son nom à toute œuvre[7] ». Et on retrouve la phrase : « L'admiration porte à la recherche, et la recherche obtient

1. *An.* 11 (*infra*, p. 166, 1-8) ; cf. *Serm.* 17, 11-13 (*SC* 130, p. 316-320).
2. *An.* 14 (*infra*, p. 174, l. 6-17) ; cf. *Serm.* 5, 23 (*SC* 130, p. 160).
3. *An.* 14 (*infra*, p. 174, l. 10) ; cf. *Serm.* 10, 1 (*SC* 130, p. 220, l. 7).
4. *An.* 3 (*infra*, p. 154, l. 6) et 7 (p. 162, l. 12-13) ; *Serm.* 8, 8 (*SC* 130, p. 198) ; *Serm.* 23, 4 et 7 (*SC* 207, p. 84 et 86).
5. *An.* 3 (*infra*, p. 154, l. 6) ; *Serm.* 21, 2 ; 22, 3 ; 23, 5, 6 et 7 (*SC* 207, p. 50 ; 64 ; 84 et 86).
6. *An.* 12 (*infra*, p. 170, l. 18 et 20). Voir *Serm.* 22, 23 ; 23, 9 ; 24, 8 (*SC* 207, p. 80 ; 88 ; 104) ; cf. aussi *Serm.* 9, 1 (*SC* 130, p. 206) : *simul et semel* ; 29, 2 (*SC* 207, p. 168) : *simul semelque.*
7. *An.* 11 (*infra*, p. 166, l. 8). Cf. *Serm.* 17, 15 (*SC* 130, p. 320) : *affectus enim operi nomen imponit* ; 46, 11 (*SC* 339, p. 124) : *affectus quidem operi nomen imponit.* Cf. AMBROISE, *Off.* I, 30, 147 (*CUF*, p. 166, l. 2-3).

la connaissance » non seulement dans la *Lettre sur l'âme* mais aussi dans le *Sermon* 8 [1].

Il y a enfin quatre sermons (3, 4, 23 et 26) avec lesquels la *Lettre sur l'âme* est en relation encore plus étroite : on trouve dans la lettre des passages de plusieurs lignes qu'on lit aussi – dans une forme presque identique – dans un de ces sermons [2]. Il s'agit notamment des passages suivants :

- *An.* 11 [3] et *Serm.* 3, 1-2 [4] ;
- *An.* 12 [5] et *Serm.* 23, 10-12 [6] ;
- *An.* 14-15 [7] et *Serm.* 4, 6-8 [8] ;
- *An.* 36 [9] et *Serm.* 26, 1 et 6-7 [10].

Cette ressemblance est trop étendue pour pouvoir être expliquée par la seule identité d'auteur, sans recours à des textes écrits : il faut donc supposer une relation entre ces œuvres. Après une analyse détaillée des quatre passages [11], nous avons pu conclure que, selon toute probabilité, c'est la *Lettre sur l'âme* qui dépend des *Sermons*, et non le contraire : les passages sont souvent plus étendus dans les sermons et mieux liés au contexte, tandis que la *Lettre sur l'âme* donne une version souvent abrégée par certains aspects, et moins

1. *An.* 30 (*infra*, p. 200, l. 17-18). Cf. *Serm.* 8, 6 (*SC* 130, p. 196) : *Admiratio enim habet investigationem, investigatio meretur cognitionem.*
2. Ces passages on été marqués dans l'édition par des chevrons.
3. *Infra*, p. 166, l. 9-16.
4. *SC* 130, p. 114.
5. *Infra*, p. 168, l. 5 – p. 170, l. 21.
6. *SC* 207, p. 88-92.
7. *An.* 14 (*infra*, p. 172, l. 1 – p. 174, l. 6) ; 15 (p. 174, l. 1 – p. 176, l. 12).
8. *SC* 130, p. 134.
9. *Infra*, p. 210, l. 4 – p. 212, l. 22.
10. *SC* 207, p. 126 et 128-130.
11. Voir TARLAZZI, « *De anima* », p. 246-254.

bien intégrée à ce qui précède et ce qui suit. Il paraît donc probable que, au moment d'écrire sa lettre à Alcher, Isaac ait puisé dans ses propres sermons pour en insérer certains passages dans la lettre. Il faut aussi signaler que les sermons utilisés par Isaac dans la *Lettre sur l'âme* sont parmi les plus importants de sa production homilétique et appartiennent à des ensembles plus vastes : les *Sermons* 3 et 4 appartiennent à un cycle de cinq ou six sermons (*Serm.* 1-5 ou plutôt, selon l'interprétation récente et convaincante de Jean Troupeau, *Serm.* 1-6) pour la Toussaint [1] ; les *Sermons* 23 et 26 appartiennent au cycle des *Sermons* 18-26 pour la Sexagésime [2]. La *Lettre sur l'âme* serait donc postérieure à ces deux cycles de sermons [3].

1. Voir J. TROUPEAU, « Les sermons pour la fête de la Toussaint d'Isaac de l'Étoile », *BASAÉ* 41, 2016, p. 22-43 et 42, 2017, p. 28-36 ; ID., « Isaac of Stella's Sermons for the Feast of All Saints », *CSQ* 54, 2019, p. 25-56 ; sur ces sermons, cf. aussi P.T. GRAY, « *Blessed is the Monk* : Isaac of Stella on the Beatitudes », *CSQ* 36, 2001, p. 349-365.

2. Sur les sermons *In sexagesima*, voir K. RUH, « Der Predigtzyklus *In sexagesima* des Isaac von Étoile », dans K. FLASCH – B. MOJSISCH – O. PLUTA (éd.), Historia philosophiae medii aevi : *Studien zur Geschichte der Philosophie des Mittelalters. Festschrift für Kurt Flasch zu seinem 60. Geburtstag*, Amsterdam 1991, p. 911-926, et K. RUH, *Geschichte der abendländischen Mystik*, vol. 1, *Die Grundlegung durch die Kirchenväter und die Mönchstheologie des 12. Jahrhunderts*, Munich 1990, p. 343-354 ; A. FIDORA – M.S. MARINHO NOGUEIRA, « *Iuxta rationalem quam diximus nostram theologiam*. Originalidad y alcance metafísico de la teología racional de Isaac de Stella († ca. 1178) », dans M.J. SOTO BRUNA (éd.), *Metafísica y antropología en el siglo XII*, Pampelune 2005, p. 109-126.

3. Cf. *supra*, p. 39-40.

La fortune de la *Lettre sur l'âme* et le *De spiritu et anima*

Plutôt qu'à sa tradition directe [1], la postérité de la *Lettre sur l'âme* est liée, nous l'avons dit, à une tradition indirecte, sa reprise au sein du traité de compilation *De spiritu et anima* [2]. Celui-ci est un écrit sur l'âme qui fusionne, de

1. Par ailleurs, une utilisation sélective de la *Lettre sur l'âme* se retrouve aussi dans sa tradition directe, notamment dans les manuscrits *L* et *E* (cf. *infra*, p. 74-76 et Tarlazzi, « *De anima* », p. 231-234). À la différence du *De spiritu et anima* cependant, dans *L* et *E* les extraits ne sont pas joints à des passages d'autres auteurs; de plus, il s'agit d'une sélection différente de passages.

2. Son édition la plus récente est celle de la *PL* 40, 779-832, *De spiritu et anima liber unus*, où le texte est divisé en 65 chapitres – *inc. Quoniam dictum est mihi; expl. sectetur pacem. Amen.* Une traduction anglaise de cette version se trouve dans McGinn, *Treatises*, p. 179-288; une traduction partielle en espagnol a également paru: J. Martínez Porcell, « Introducción y traducción del *De Spiritu et Anima*, un opúsculo inédito atribuido a Alcher de Clairvaux », *Espíritu* 67, 2018, p. 265-290. L'édition de la *Patrologia Latina* reprend l'édition mauriste des œuvres d'Augustin, où le *De spiritu et anima* avait paru en 1685 en appendice au tome VI: *Sancti Aurelii Augustini Hipponensis episcopi Operum* [...] *tomus sextus, opera et studio monachorum ordinis S. Benedicti e congregatione S. Mauri*, Paris 1685, appendix, p. 35-64; cf. aussi Tarlazzi, « Il manoscritto 469 », p. 327-331. La *Bibliotheca patrum* de Bertrand Tissier comprend elle aussi une édition du texte, avec le titre de *Liber de anima*, parmi les œuvres d'Isaac: cf. *Bibliotheca Patrum Cisterciensium* [...] VI, labore et studio F. Bertrandi Tissier, Bonofonte 1664, p. 84-103, entre l'*Epistola de anima* et l'*Epistola de officio missae*. Le texte, divisé en 46 chapitres, se termine à *cernere finis*, passage qui se trouve au ch. 50 dans la *PL*. Aussi bien la longueur du texte que la division en chapitres sont donc différentes entre la *PL* et la *Bibliotheca Patrum*. À l'intérieur des chapitres aussi, le texte ne paraît pas toujours avoir la même forme: par exemple, la fin du ch. 5 et celle du ch. 44 dans la *PL* comporte des développements qu'on ne lit pas dans la *Bibliotheca Patrum*.

façon parfois assez incohérente [1], des morceaux tirés d'une grande variété de sources : Macrobe, Augustin, Gennade, Boèce, Cassiodore, Isidore de Séville, Bède, Alcuin, Érigène, Anselme de Cantorbéry, Guillaume de Conches, Bernard de Clairvaux, Hugues et Richard de Saint-Victor, Isaac *et al.* [2].

Leo Norpoth, suivi par Constant Mews, a identifié au moins cinq versions différentes du *De spiritu et anima* [3]. Les trois principales diffèrent notamment par l'ajout progressif de chapitres. Dans la première, prologue et texte correspondent aux ch. 1-33 de la *PL* ; dans la deuxième, aux ch. 1-50 ; dans la troisième, aux ch. 1-65. Le troisième type de texte est en réalité très peu attesté dans les manuscrits, qui dans la plupart des cas donnent une version du premier ou du deuxième type [4].

1. Voir l'analyse de BUCHMÜLLER, *Monastische Theologie*, p. 575-580 (et cf. p. 98-124) et celles de MEWS, « Debating the Authority » et « *Affectus* » pour une appréciation du contenu du *De spiritu et anima*. Cf. *Clavis Patristica Pseudepigraphorum Medii Aevi 2A. Opera theologica, exegetica, ascetica, monastica*, éd. J. MACHIELSEN, Turnhout 1994, n° 153, p. 76-78.

2. À ce jour, l'étude la plus détaillée des sources du *De spiritu et anima* reste NORPOTH, *Der pseudo-augustinische Traktat*. Sur cette publication, cf. D. ASCHOFF, « Der pseudo-augustinische Traktat *De spiritu et anima* », *Revue des Études Augustiniennes* 18, 1972, p. 293-294 ; voir aussi T. REGAN, *A Study of the* Liber de Spiritu et Anima *: Its Doctrine, Sources, and Historical Significance*, PhD Thesis, University of Toronto, 1948 (disponible sur archive.org). Pour l'utilisation des *Dicta Albini* et *Dicta Candidi* dans le *De spiritu et anima*, voir M. LEBECH – J. MCEVOY, « *De Dignitate Conditionis Humanae* : Translation, Commentary, and Reception History of the *Dicta Albini* (Ps.-Alcuin) and the *Dicta Candidi* », *Viator* 40, 2009, p. 1-34, notamment p. 18-21 ; pour le *De anima* d'Isaac, voir aussi l'appendix C dans TARLAZZI, *Quantitas animae*, p. 175-196.

3. Cf. NORPOTH, *Der pseudo-augustinische Traktat* et MEWS, « Diffusion ». Voir aussi *supra*, p. 61, n. 2, pour les différences dans la numérotation des chapitres ; ici et ailleurs on suit la numérotation de la *PL*.

4. Cf. MEWS, « Diffusion », pour la recherche la plus récente sur les manuscrits du *De spiritu et anima*, et notamment sa toute première diffusion manuscrite.

Le *De spiritu et anima* est étroitement lié à Isaac et à sa *Lettre*, qui figure parmi ses sources : plusieurs passages se trouvent dans les chapitres 1-2, 4-7, 11-15, et 30, donc entièrement au sein du premier type de texte [1]. De plus, comme on l'a dit, le *De spiritu et anima*, qui circulait au Moyen Âge sous le nom d'Augustin, a été attribué à l'époque moderne soit à Alcher de Clairvaux, soit à Isaac lui-même. On trouve cette double attribution dans un passage assez énigmatique de la *Bibliotheca Patrum* de Bertrand Tissier (1664) où une version du deuxième type du *De spiritu et anima* est qualifiée ainsi : « d'Isaac ou bien, selon le titre qu'il plut [à Isaac] de donner, livre sur l'âme d'Alcher [2] ». Plus récemment, Wolfgang Buchmüller a attribué à Isaac la version du premier type du *De spiritu et anima* ; avec des arguments plus convaincants, Constant Mews attribue cette même version à Alcher et souligne l'inspiration plus traditionnelle du *De spiritu et anima* par rapport à la *Lettre* d'Isaac [3].

Le *De spiritu et anima* est clairement utilisé par Philippe le Chancelier aux alentours des années 1220 [4]. Il jouit par la

1. Voir Tarlazzi, *Quantitas animae*, p. 175-196, à comparer avec Norpoth, *Der pseudo-augustinische Traktat*, p. 250 (il y a quelques différences dans les identifications). Signalons aussi que la comparaison entre les neuf étapes de la connaissance et de l'affect et les neuf noms et ordres angéliques, qu'Isaac suggère sans y insister en *An.* 14 (*infra*, p. 174, l. 16-17), est en revanche bien développée dans le *De spiritu et anima* 5 (*PL* 40, 782-783).

2. *Eiusdem B. Isaac Abbatis de Stella, seu, ut ipsi inscribere placuit, Alcheri, de anima liber.* Voir *supra*, p. 42, n. 2.

3. Voir notamment Buchmüller, *Monastische Theologie*, p. 98-124 ; Mews, « Debating the Authority » et « Diffusion » ; et Introduction (*supra*, p. 40-42).

4. Voir Philippe le Chancelier, *Summa de bono*, éd. N. Wicki, Berne 1969 ; dans son index, Wicki indique plus de trente références au *De spiritu et anima* dans la *Summa de bono*. Dans la plupart des cas,

suite d'une transmission manuscrite exceptionnelle, qui en fait l'une des œuvres médiévales ayant le plus circulé [1]. Cela est probablement lié à la prestigieuse attribution à Augustin d'Hippone, qui accompagna le texte dès le XIIIe siècle – non sans contestations à partir des années 1240, notamment dans le milieu dominicain, par exemple par Vincent de Beauvais, Albert le Grand et Thomas d'Aquin [2]. Dès les années 1220, le traité fut souvent utilisé dans le milieu franciscain par des auteurs tels qu'Alexandre de Halès, Jean de la Rochelle, ou dans la *Summa Halensis*, et paraît avoir constitué une alternative, inspirée par des sources plus traditionnelles, aux *De*

Philippe s'y réfère par ces mots : *[dicit] Augustinus in libro De anima et spiritu*. Cependant, au vol. II, p. 748, on lit : *Item, Ysaac in libro De anima et spiritu secundum Augustinum* ; Philippe cite ensuite un passage qu'on trouve à la fois dans la lettre *De anima* d'Isaac (10-11, *infra*, p. 164, l. 5 – p. 166, l. 16) et dans le *De spiritu et anima* 4 (*PL* 40, 782) – mais le passage de Philippe est plus proche du texte d'Isaac, car il poursuit avec la citation du *De moribus* d'Augustin qu'on trouve en *An.* 11 (*infra*, p. 166, l. 17 – p. 168, l. 23) et qui est absente du *De spiritu et anima* dans l'édition de la *PL*. Cette citation est reprise au vol. II, p. 751, d'abord avec l'attribution originelle au *De moribus* d'Augustin et ensuite avec la mention suivante : *cuius verba penitus eadem ponit Ysaac in libro De anima et spiritu* – cette mention paraît donc désigner le texte d'Isaac. Voir aussi BUCHMÜLLER, *Monastische Theologie*, p. 101-103 et 680-682 (le titre *De spiritu et anima secundum Augustinum* se trouve aussi dans au moins un manuscrit du *De spiritu et anima*). La référence d'Alain de Lille à un *Perisichen Augustini*, parfois considérée comme la première citation du *De spiritu et anima*, ne s'y réfère à notre avis aucunement, mais renvoie à la *sententia* de HUGUES DE SAINT-VICTOR, *Misc.* I, 15 (*PL* 177, 485B) : on la trouve avec le titre de *Periesichen Augustini* et un commentaire dans le style d'Alain dans le ms. Paris, Bibliothèque Mazarine, 657. Voir sur ce point TARLAZZI, « Alan of Lille and the *Periesichen Augustini* », *Bulletin de philosophie médiévale* 51, 2009, p. 45-54, et Note complémentaire (*infra*, p. 265-266).

1. Voir le projet « FAMA. Œuvres latines médiévales à succès (IRHT) », et surtout MEWS, « Diffusion ».

2. Voir MEWS, « Debating the Authority », p. 339-342.

anima d'Aristote et d'Avicenne connus depuis peu dans le monde latin [1]. Son influence, cependant, a été beaucoup plus large [2]. Il est intéressant de noter que les passages provenant d'Isaac figurent souvent parmi ceux que les utilisateurs du *De spiritu et anima* choisissent. Ainsi, par cette médiation, on retrouve la partition à cinq termes en *sensus*, *imaginatio*, *ratio*, *intellectus*, *intelligentia*, avec l'ajout du sixième niveau de la *scintilla synderesis*, dans l'*Itinerarium mentis in Deum* de Bonaventure [3]. Toujours par l'intermédiaire du

1. Voir Mews, « Debating the Authority », p. 337-339. Sur la toute première école franciscaine, voir L. Sileo, « I primi maestri francescani di Parigi e di Oxford », dans G. D'Onofrio (éd.), *Storia della Teologia nel Medioevo*, Casale Monferrato 1996, vol. II, p. 645-698 ; I. Zavattero, « Scienza teologica, dottrina dell'anima, libero arbitrio. Il pensiero francescano all'università di Parigi nella prima metà del xiii secolo », dans C. Pandolfi – R. Pascual (éd.), *Trilogia bonaventuriana*, Rome 2020, p. 303-326 ; les résultats du projet ERC « Authority and Innovation in Early Franciscan Thought (v. 1220-45) » dirigé par Lydia Schumacher, par exemple L. Schumacher, *Early Franciscan Thought : Between Authority and Innovation*, Cambridge 2019.

2. Par exemple, le *De spiritu et anima* a été identifié comme une des sources du *Lo somni* de Bernat Metge (v. 1399) dans F.J. Gómez, « Ficció i heterodòxia en *Lo somni* de Bernat Metge a la llum del *Liber de spiritu et anima* », *Llengua & Literatura* 21, 2010, p. 7-54.

3. Bonaventure, *Itinerarium mentis in Deum* I, 6 (éd. Collegium S. Bonaventurae, dans *Opera Omnia* V, Quaracchi 1891, p. 297) : « À côté des six degrés de l'ascension vers Dieu, il y a six degrés des puissances de l'âme, par lesquels nous montons du plus bas au plus haut, des réalités extérieures aux plus intimes, des réalités temporelles aux éternelles : le sens, l'imagination, la raison, l'intellect, l'intelligence et la pointe de l'esprit ou étincelle de syndérèse *(apex mentis seu synderesis scintilla)*. » Sur l'ajout de la *scintilla synderesis*, voir C. Trottmann, « La syndérèse, sommet de la nature humaine dans l'*Itinerarium mentis in Deum* », *Dionysius* 18, 2000, p. 129-150 ; sur la liste de Bonaventure par rapport à celle d'Isaac, voir aussi B. McGinn, « Ascension and Introversion in the *Itinerarium mentis in Deum* », dans *S. Bonaventura 1274 – 1974. III. Philosophica*, Grottaferrata 1974, p. 535-552.

De spiritu et anima, on trouve des passages du texte d'Isaac dans le *Commentaire aux Sentences*, la *Somme théologique* et les *Questions disputées sur l'âme* de Thomas d'Aquin [1].

La tradition manuscrite de la *Lettre sur l'âme*

La tradition de la *Lettre sur l'âme* comprend des témoins manuscrits et imprimés. Nous avons décrit et étudié en détail la tradition manuscrite, qui compte une petite quinzaine de manuscrits conservés ou perdus, dans notre étude de 2011 [2], dont nous reprenons ici les conclusions de façon synthétique. On considérera d'abord les quatre (peut-être cinq) manuscrits aujourd'hui perdus, ou que l'on n'a pas pu identifier avec l'un des manuscrits conservés.

1. Thomas d'Aquin, *Summa theologiae* I, qu. 77, a. 8, arg. 1 (*STAOO*, t. 5, Rome 1889, p. 248) : « Il est dit en effet dans le livre *De spiritu et anima* que 'l'âme se retire du corps, emportant avec elle sens et imagination, raison, intellect et intelligence, concupiscibilité et irascibilité' » (voir *De spiritu et anima* 15, *PL* 40, 791, tiré de *An.* 22, *infra*, p. 184, l. 6-9) ; la même citation, avec quelques variations, se trouve aussi dans Thomas d'Aquin, *Scriptum super IV librum Sententiarum*, d. 44, qu. 3, a. 3, qu.la 1, arg. 1 (*Commento alle Sentenze di Pietro Lombardo*, Bologne 2002, t. 10, p. 236) ; d. 44, qu. 3, a. 3, qu.la 2, arg. 1 (*ibid.*, p. 238) ; Thomas d'Aquin, *Quaestiones disputatae de anima*, qu. 19, arg. 3 (*STAOO*, t. 24.1, éd. B. C. Bazán, Rome – Paris 1996, p. 162). Un autre exemple de citation par Thomas d'Aquin du texte d'Isaac, tirée de *An.* 6 (*infra*, p. 158, l. 1-4) et 23 (p. 188, l. 16-17), à travers le *De spiritu et anima* (13, *PL* 40, 789) se trouve en qu. 12, arg. 1 (*ibid.*, p. 105) : « Il est dit en effet dans le livre *De spiritu et anima* que 'l'âme a en propre *(sua)* des éléments naturels et qu'elle est tous ces éléments ; car ses puissances et ses forces sont la même chose qu'elle-même. Elle a des éléments accidentels et elle n'est pas ces éléments ; elle est ses forces ; elle n'est pas ses vertus. L'âme n'est pas, en effet, sa prudence, sa tempérance, sa force, sa justice.' »
2. Tarlazzi, « *De anima* », p. 179-236.

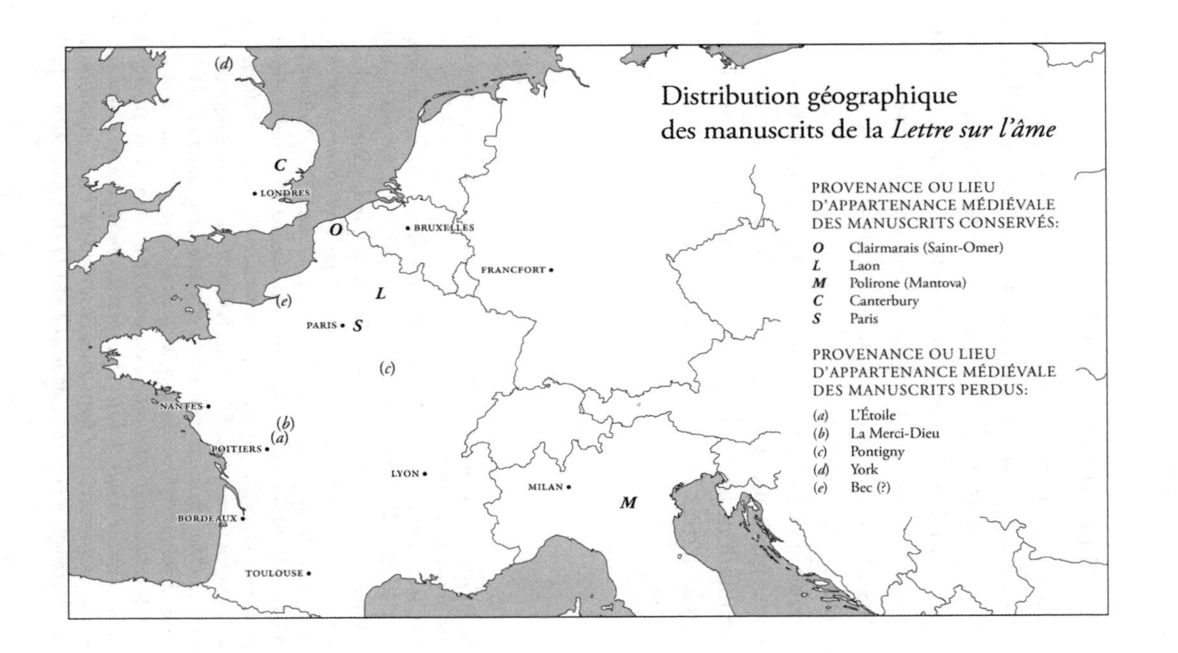
Distribution géographique
des manuscrits de la *Lettre sur l'âme*
PROVENANCE OU LIEU
D'APPARTENANCE MÉDIÉVALE
DES MANUSCRITS CONSERVÉS:
O Clairmarais (Saint-Omer)
L Laon
M Polirone (Mantova)
C Canterbury
S Paris
PROVENANCE OU LIEU
D'APPARTENANCE MÉDIÉVALE
DES MANUSCRITS PERDUS:
(a) L'Étoile
(b) La Merci-Dieu
(c) Pontigny
(d) York
(e) Bec (?)
LONDRES
BRUXELLES
FRANCFORT
PARIS
NANTES
POITIERS
LYON
MILAN
BORDEAUX
TOULOUSE

Manuscrits perdus ou non identifiés

(a) Manuscrit de l'Étoile [1]

Charles de Visch, dans son répertoire d'auteurs cisterciens de 1649 (1656²), rapporte les informations reçues de Placide Petit, procureur au Collège de Saint Bernard à Paris, selon lesquelles la bibliothèque du monastère de l'Étoile conservait un grand manuscrit ainsi décrit : « un gros volume *in folio*, manuscrit, dans lequel étaients contenus plusieurs sermons et divers autres traités – certains excellents – écrits par ce vénérable abbé (= Isaac) [2] ». Or à l'exception des deux lettres, on ne connaît aucune autre œuvre d'Isaac que ses sermons. Il semble donc probable que par *alij tractatus* soient ici désignées les lettres *De canone* et *De anima*.

1. Ce manuscrit est également mentionné à propos de la *Lettre sur le canon de la messe* (*infra*, p. 106).

2. Charles de Visch, *Bibliotheca scriptorum sacri ordinis Cisterciensis*, Douai 1649, p. 178 (ou, dans l'édition de 1656, p. 225) : *Isaac, Abbas 3us Monasterij de Stella, in Diocesi Pictauiensi, ord. Cisterc.* [...] *Certe Reuerendus Dominus Placidus Petit, religiosus Castellionensis & collegij S. Bernardi Parisijs Procurator, litteris ad me datis I. Septembris, anni 1648. Parisijs, scribit se vidisse in bibliotheca monasterij de Stella, Amplum volumen in folio M.S. in quo continebantur varij Sermones, & diversi alij tractatus, & quidem praeclari, a Venerabili hoc Abbate conscripti. Dolendum tamen, quod horum tractatuum titulos etiam non annotauerit D. Placidus. Insuper, Eximius & Reuerendus admodum D. Claudius Chalemot, Abbas Columbae, in serie scriptorum, quam anno 1647. mihi trasmisit, affirmat quoque se vidisse huius Abbatis Isaac praeclaram quandam epistolam, de venerabili Eucharistia, ad Episcopum Pictaviensem. Vixit (secundum eundem Chalemot) anno 1150*; voir aussi Tarlazzi, « *De anima* », p. 207.

(b) Manuscrit de la Merci-Dieu

Dans le catalogue de l'abbaye, daté par Dom Estiennot de la fin du XIVe siècle, on mentionne une *Epistola abbatis Isaac de anima* à la suite d'un *Liber Alcheri de anima* [1].

(c) Manuscrit de Pontigny

Le catalogue médiéval de la bibliothèque, daté d'entre 1160 et 1175, mentionne : *Item Richardi alterius prioris Sancti Victoris liber De patriarchis, uno volumine ; ejusdem Tractatus super illam Ysaiae sententiam : 'Omne caput languidum et cetera' ; in eodem volumine, Sententiae Hugonis abbatis Radingiae de quibusdam Scripturarum quaestionibus, libri sex ; item Epistola Ysaac abbatis Stellensis de anima* [2]. Le manuscrit ne semble plus mentionné dans les catalogues successifs de la bibliothèque. Ce contenu est identique avec celui de la section finale (f. 207-265) du manuscrit de Mantoue, Biblioteca Comunale Teresiana, 469, datant du dernier quart du XVe siècle. Le manuscrit de Mantoue pourrait donc être une copie, directe ou indirecte, du manuscrit de Pontigny, aujourd'hui perdu [3].

(d) Manuscrit de York

Le catalogue de la bibliothèque des Augustins de York, daté de 1372, mentionne un *libellus Ysaac de anima* dans

1. Voir *supra*, p. 42, n. 1.

2. Peyrafort-Huin, *Bibliothèque de Pontigny*, p. 273, nr. A. 141, 796 (planche 8) ; cf. aussi p. 41 et 85.

3. Sur cette liaison, voir Tarlazzi, « Il manoscritto 469 » et « *De anima* », p. 204-207.

un manuscrit contenant plusieurs textes de physique et métaphysique [1].

(e) Manuscrit du Bec (douteux)

Selon les indications de Bernard de Montfaucon, la bibliothèque de l'abbaye du Bec possédait un manuscrit ainsi décrit : *Epistola, et forte sermones Isaac Abbatis de Stella, in 8°. Sermones ejusdem Abbatis Morimundi et c. ut sup. In medio, de computo Gildae Presbyteri.* Il n'est pas certain, cependant, qu'il s'agisse là de l'*Epistola de anima* [2], il peut s'agir de l'*Epistola de canone missae* [3].

Manuscrits conservés

Pour ce qui est des manuscrits conservés, le texte complet de la *Lettre sur l'âme* se lit aujourd'hui dans sept manuscrits

1. K.W. HUMPHREYS (éd.), *The Friars' Libraries*, Londres 1990, p. 67-68 (nr. A8. 279) : *Auctor de causis 2° fo. intelligencie. Item declaraciones Egidii super librum <de> generacione. Item questiones super libros de anima. Item questiones super libros de generacione. Item summa super 8 libros phisicorum. Item notule Egidii super libros de anima cum dubitationibus eiusdem et de generacione. Item summa super 10 libros methaphysice. Item summa abreuiata super libros phisicorum. Item Egidius de pluralitate et gradibus formarum. Item Thomas de esse et essentia. Item Boecius de unitate et uno. Item libellus Ysaac de anima. Item epistole Ypocratis de quatuor humoribus. Item compilatio propositionum libri phisicorum cum exposicione earundem. Item commentum metaphysice abreuiatum. Item tabula super libros de animalibus*; voir aussi la base de données en ligne *Medieval Libraries of Great Britain* (MLGB3).

2. B. DE MONTFAUCON, *Bibliotheca Bibliotecarum MSS. Nova, II*, Paris 1739, p. 1253. Voir aussi G. NORTIER, « Les Bibliothèques médiévales des abbayes bénédictines de Normandie », *Revue Mabillon* 52, 1962, p. 118 [216].

3. Cf. Introduction (*infra*, p. 108).

datés du XIIe au XVe siècle. S'y ajoutent deux manuscrits comportant un texte considérablement abrégé [1].

_O_ Saint-Omer, Bibliothèque de l'Agglomération, 119, f. 60rb-67va

De l'abbaye cistercienne de Clairmarais.

1. Chirico, « Auctoritates », p. 39, affirme que la lettre *De anima* d'Isaac de l'Étoile se trouverait aussi dans les manuscripts Arezzo, Biblioteca Città di Arezzo, 311 ; Chiusi della Verna, Santuario della Verna, 23 ; Sienne, Biblioteca Comunale degli Intronati, G.IX.3 et I.II.11 ; Prato, Biblioteca Roncioniana, Q.II.7 (85) et Paris, BnF, lat. 3143 (dans tous les cas, sans indiquer les folios). Ces affirmations se fondent sur une confusion entre le texte d'Isaac de l'Étoile et la traduction latine du *De contemptu mundi* d'Isaac de Ninive, *inc. Anima quae Deum diligit*, qu'on lit dans le ms. d'Arezzo (f. 306^r-371^v) ; de La Verna (f. 307^v-352^r) ; de Sienne G.IX.3 (f. 1ra-54ra) ; et avec la version en langue vulgaire de ce même texte, qu'on lit dans le ms. de Sienne I.II.11 (f. 1^r-155^r, *inc. L'anima che ama Iddio*) et de Prato (f. 7^r-52^r, *inc. L'anima la quale ama Idio*). Paris, BnF, lat. 3143, numérisé sur la base de données *Gallica*, ne contient pas le texte d'Isaac de l'Étoile non plus. Des descriptions complètes du contenu de tous les manuscrits de la lettre *De anima* figurent dans Tarlazzi, « *De anima* », p. 179-207. À la bibliographie publiée dans cette étude, on peut désormais ajouter, pour le manuscrit Saint-Omer, Bibliothèque de l'Agglomération de Saint-Omer, 119, S. Staats, *Le catalogue médiéval de l'abbaye cistercienne de Clairmarais et les manuscrits conservés*, Paris 2016, p. 110-111 [125]. Pour le manuscrit Rome, Biblioteca Angelica, 70, voir aussi E. Sciarra, « Breve storia del fondo manoscritto della Biblioteca Angelica », *La Bibliofilia* 111, 2009, p. 251-281, notamment p. 254, n. 43 et p. 257. Pour le manuscrit Mantoue, Biblioteca Comunale Teresiana, 469, voir aussi la description détaillée dans C. Corradini, P. Golinelli, G. Zanichelli (éd.), *Catalogo dei manoscritti Polironiani. III. Biblioteca Comunale di Mantova (mss. 226-381) e Codici Polironiani in altre biblioteche*, Bologne 2018, p. 341-344. Le manuscrit de Saint-Omer, 119 est entièrement disponible en ligne dans la Bibliothèque Virtuelle des Manuscrits Médiévaux (IRHT), qui contient aussi une reproduction partielle de Paris, Bibliothèque Sainte-Geneviève, 45.

Tractatus abbatis Ysaac de anima. Dilecto suo Alchero ... nos te diligimus.

Deuxième moitié du XIIe siècle, parchemin, 350 × 245 mm, 124 f.

C Cambridge, University Library, Kk. 1. 20, f. 3va-7va

Signalé dans le catalogue de Christ Church, Cantorbéry (catalogue daté de 1284-1331). Dans la marge supérieure, on lit, par une main plus tardive : *Ysaac de anima.*

Dilecto suo Alchero ... nos te diligimus.

Fin XIIe - début XIIIe siècle, parchemin, 285 × 207 mm, 138 f.

G Paris, Bibliothèque Sainte-Geneviève, 45, f. 148ra-154vb

Provenance inconnue.

Dilecto suo Alchero ... nos te diligimus.

Fin XIIe - début XIIIe siècle, parchemin, 340 × 250 mm, 202 f.

Manuscrit composite : l'*Epistola de anima*, qui se trouve dans la section II (f. 148-202), est suivie par une collection de sermons d'Isaac, dans cette même section.

P Paris, BnF, lat. 1252, f. 5^{v}-13^{v}

Provenance inconnue. Par une main plus tardive : *de anima.*

Dilecto suo Alchero ... dignetur gloriosa trinitas. Amen.

XIIIe siècle, parchemin, 130 × 90 mm, 184 f.

Le *De anima* se lit ici à la suite du *De canone*[1].

A **Rome, Biblioteca Angelica, 70, f. 40rb-42va**

Provenance inconnue. Ce manuscrit appartenait au cardinal Guglielmo Sirleto († 1585).

Liber Ysaac de anima hic incipit. Dilecto suo Alchero ... dignetur gloriosa trinitas. Amen.

XIIIe siècle, parchemin, 283 × 212 mm, 72 f.

S **Paris, Bibliothèque de la Sorbonne, 584, f. 92va-97va**

Provenance inconnue. Il appartenait au Collège des Cholets, Paris. Dans la marge : *incipit Ysaac de anima.*

Dilecto suo frater se[2] *... quia nos te diligimus. Explicit Ysaac de anima.*

Fin XIIIe - début XIVe siècle, parchemin, 325 × 205 mm, 112 f.

M **Mantoue, Biblioteca Comunale Teresiana, 469, f. 261va-265vb**

De l'abbaye bénédictine de Polirone, près de Mantoue. Ce manuscrit est lié au manuscrit perdu de Pontigny[3].

Epistola Abbatis Ysaac de anima ad Alcherum monachum Clareuallis. Dilecto suo Alchero ... quia nos te diligimus.

Dernier quart du XVe siècle, parchemin, 365 × 250 mm, 254 f.

1. Ce manuscrit est siglé *Q* dans l'édition de la *Lettre sur le canon de la messe*. Cf. Introduction (*infra*, p. 101).
2. *Sic*, le nom d'Alcher est omis.
3. Voir Introduction (*supra*, p. 69).

Les deux manuscrits suivants ne conservent qu'un texte abrégé :

L **Laon, BM, 412, f. 41ra-42ra**

De la bibliothèque de la cathédrale de Laon.

Dilecto sibi Alchero ... ad amorem uirtutis. Explicit Ysaac de anima.

XIIIe siècle, parchemin, 275 × 195 mm, 227 f.

E **Erfurt, Universitätsbibliothek, Depositum Erfurt, CA 2° 40, f. 50rb-51va**

Provenance inconnue.

Incipit liber Ysaac. Dilecto sibi Alchero ... ad amorem uirtutis. Explicit liber Ysaac de anima.

XIVe siècle, parchemin, 301 × 196, 51 f.

Voici la liste des passages omis par *L* et *E* :

- § 1, l. 2-14 : vis — fecerunt : et cetera *LE*
- § 6, l. 5 – § 10, l. 1 : sedere — itaque *om. LE*
- § 11, l. 12-16 : alioquin — virtutum *om. LE*
- § 12, l. 11-22 : non — verumtamen *om. LE*
- § 14, l. 12 – § 16, l. 3 : habeatque — est *om. LE*
- § 16, l. 4 – § 17, l. 11 : et — variatio *om. LE*
- § 18, l. 3 – § 23, l. 3 : sensus — esto *om. LE*
- § 23, l. 30 – § 24, l. 14 : cum — progressus *om. LE*
- § 25, l. 14 – § 27, l. 11 : non — liberrimum *om. LE*
- § 28, l. 3 – § 33, l. 3 : vere — disciplinam *om. LE*
- § 33, l. 9-13 : virtutes — theologicam *om. LE*
- § 34, l. 4 – § 35, l. 7 : omnia — displiceat *om. LE*

- § 37, l. 2-6 : sicut — inaequale *om. LE*
- § 38, l. 13 – § 39, l. 10 : itaque — diligimus *om. LE*

Si l'on en juge par les textes qui accompagnent la *Lettre sur l'âme* dans les manuscrits, sa lecture n'a pas toujours été inspirée par le même type d'intérêt. Dans les manuscrits les plus anciens (XIIe-XIIIe siècles) elle figure avec d'autres textes d'Isaac, avec des écrits patristiques, notamment d'Augustin et de Boèce, ou bien avec les œuvres de contemporains d'Isaac, essentiellement de l'école de Saint-Victor[1] ; elle y paraît avoir été perçue surtout comme un texte spirituel. Dans des manuscrits plus tardifs de l'époque universitaire (XIIIe-XIVe siècles), au contraire, la *Lettre sur l'âme* semble avoir été lue comme un texte scientifique sur l'âme et ses puissances. Dans le manuscrit perdu des Augustins de York (d), on la lisait dans un ensemble qui contenait des écrits d'Hippocrate et les commentaires de Gilles de Rome sur les traités aristotéliciens *De generatione* et *De anima* ; on la trouve avec le commentaire de Thémistios sur le *De anima* d'Aristote et des fragments du *De intellectu* d'al-Kindī et al-Fārābī dans le manuscrit d'Erfurt *(E)* ; dans le manuscrit

1. La lettre *De anima* se trouve : avec des *Sermons* d'Isaac dans le manuscrit Paris, Bibliothèque Sainte-Geneviève, 45 *(G)* ; avec la lettre *De canone* dans Paris, BnF, lat. 1252 *(P)* ; dans un recueil d'œuvres d'Augustin, et avec quelques écrits d'Ambroise, Prosper d'Aquitaine et les *Opuscula sacra* de Boèce dans Rome, Biblioteca Angelica, 70 *(A)* ; avec les *Sermons* d'Yves de Chartres et le *Liber exceptionum* de Richard de Saint-Victor dans Saint-Omer, Bibliothèque de l'Agglomération de Saint-Omer, 119 *(O)* ; avec le *Gregorianum* de Garnier de Saint-Victor dans Cambridge, University Library, Kk. 1. 20 *(C)* ; avec un recueil d'œuvres de Hugues et Richard de Saint-Victor et Hugues, abbé de Reading (Hugues d'Amiens) dans le manuscrit tardif de Mantoue, Biblioteca Comunale Teresiana, 469 *(M)* qui dépend probablement du manuscrit perdu de Pontigny (XIIe siècle).

de Laon *(L)* – qui est cependant un manuscrit composite –, elle fait partie d'une vaste collection de philosophie naturelle. Il est significatif que, dans ces deux derniers manuscrits, le texte de la *Lettre sur l'âme* pour cette lecture scientifique se trouve considérablement abrégé, à travers une sélection qui privilégie les paragraphes les plus synthétiques et schématiques qui traitent des puissances de l'âme.

L'analyse du texte des témoins manuscrits [1], et notamment la recherche de fautes significatives et de leçons caractéristiques, a permis de regrouper les manuscrits *G*, *P* et *A* dans une même famille. Ils dépendent tous d'un manuscrit *α* aujourd'hui perdu ; en outre, *P* et *A* émergent comme dépendant d'un manuscrit commun λ, copie – directe ou indirecte – d'*α*. Les manuscrits *C* et *S* appartiennent à une deuxième famille, caractérisée par certaines fautes et leçons particulières, qu'il faut attribuer à un manuscrit β aujourd'hui perdu, dont dépendent à la fois *C* et *S*. Les manuscrits *O* (un manuscrit cistercien de la fin du XIIe siècle) et *M* (un manuscrit tardif qui, comme on l'a vu, dépend selon toute probabilité du manuscrit perdu de Pontigny, du XIIe siècle) présentent un texte d'excellente qualité, avec juste quelques variantes individuelles ; il s'agit donc de deux branches qui se relient directement au manuscrit originel [2]. Les relations entre les sept manuscrits peuvent être présentées dans le stemma qui suit. L'analyse des manuscrits du texte abrégé *L* et *E* indique que *E* dépend – directement ou indirectement – de *L*. À cause de la brièveté du texte

1. Cette analyse a été effectuée dans TARLAZZI, « *De anima* », p. 212-234.

2. Le manuscrit de Pontigny étant perdu, nous avons renoncé à l'insérer dans le stemma. Il pourrait être identique à l'originel Ω, ou à un archétype ω tiré de Ω, ou bien être un intermédiaire entre Ω ou ω et M.

abrégé (moins de la moitié de la lettre *De anima*) il n'est pas possible d'identifier la position de *L* (et donc de *E*) dans le stemma ; cependant son texte est notamment proche de celui de la famille de β.

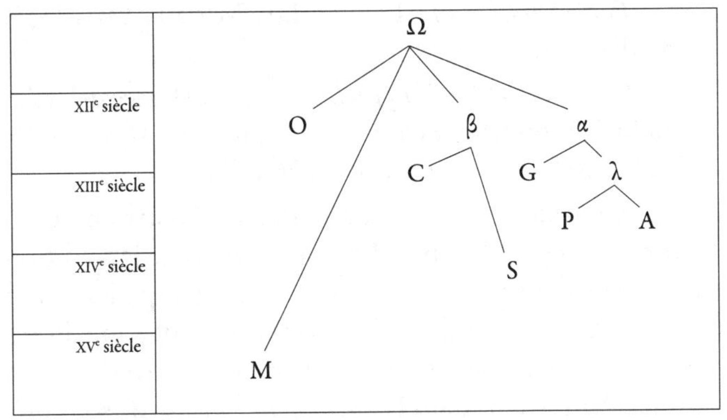

Stemma

Dans tous les manuscrits du texte complet, sauf *O*, le texte est divisé en sections par la capitalisation et la décoration de certaines lettres [1]. Il s'agit d'une division qui met en valeur, l'un après l'autre, les mots *sensus*, *imaginatio*, *ratio*, *intellectus* et *intelligentia*. Dans le manuscrit *M*, cet aspect est encore plus évident, car il présente en plus les rubriques *de sensu*, *de imaginatione*, *de ratione*, *de intellectu* – la rubrique *de intelligentia* manque cependant.

1. Voir le tableau et les indications supplémentaires publiées dans Tarlazzi, « *De anima* », p. 234-236. Il y a une trace de cette division dans le texte abrégé des manuscrits *L* et *E* aussi, car après une longue omission le texte abrégé reprend toujours là où l'on trouve une lettre capitale décorée.

Les éditions imprimées

La *Lettre sur l'âme* se trouve aussi dans trois éditions imprimées [1].

– *Bibliotheca patrum Cisterciensium* [...], VI, labore et studio F. Bertrandi Tissier, Bonofonte 1664, p. 78-83.

– *Patrologia Latina* 194, éd. J.-P. Migne, Paris 1855, 1875B-1890A.

– C. Tarlazzi, « L'*Epistola de anima* di Isacco di Stella : studio della tradizione ed edizione del testo », *Medioevo* 36, 2011, p. 167-278, notamment p. 256-278.

L'*editio princeps* est celle de Bertrand Tissier en 1664. Le texte de cette édition se différencie de toute la tradition manuscrite dans plus de 150 cas, et on n'a pas pu identifier le manuscrit à partir duquel Tissier a conduit son édition ni lier son texte à une branche du stemma [2]. L'édition de Jacques-Paul Migne dans la *Patrologia Latina*, de son côté, reprend l'édition Tissier, avec peu de modifications [3].

1. À cela on aurait dû ajouter l'édition réalisée par Jeannette Mulatier à l'École des Chartes en 1940 (à partir des mss *O*, *G*, *P*, *L* et de l'édition Tissier), mais que nous n'avons malheureusement pas pu trouver, ni à la Bibliothèque de l'École des Chartes ni aux Archives Nationales de Paris. Voir J. Mulatier, « Isaac de Stella et l'*Epistola de anima* », dans École Nationale des Chartes, *Positions des thèses soutenues par les élèves de la promotion de 1940 pour obtenir le diplôme d'archiviste paléographe*, Nogent-le-Rotrou 1940, p. 93-101. Pour plus de détails sur les éditions, voir Tarlazzi, « *De anima* », p. 209-212 et 236-241.

2. Voir Tarlazzi, « *De anima* », p. 236-241 (avec la liste complète des variantes) et *supra*, p. 42, n. 2, sur les possibles relations entre l'édition Tissier et le manuscrit perdu de La Merci-Dieu. La *Bibliotheca Patrum* de Tissier est aussi notre seule source pour certains sermons d'Isaac (29, 39 et 54), dont on ne connaît pas de témoins manuscrits. Cela confirme que Tissier a eu accès à au moins un manuscrit aujourd'hui perdu.

3. Voir Tarlazzi, « *De anima* », p. 236.

Les principes de l'édition

On publie ici le texte de l'édition Tarlazzi de 2011, qui suit le texte attesté dans la plupart des quatre branches de la tradition (*O*, *M*, α, β)[1]. Pour sa position dans le stemma, son origine cistercienne et sa datation, le manuscrit *O* a été choisi comme manuscrit de base et toutes ses variantes ont été notées dans l'apparat critique. Celui-ci indique aussi tous les cas où la tradition manuscrite fournit une leçon de valeur stemmatique identique à celle de la leçon acceptée, et les cas où la leçon acceptée est attestée par deux branches du stemma, ou moins. Pour l'analyse des autres variantes et leur liste, nous renvoyons à la discussion détaillée dans Tarlazzi, « *De anima* », p. 212-241. Contrairement à l'édition de 2011, qui suivait le manuscrit *O* pour la graphie de certains mots et la ponctuation, on a ici normalisé le texte latin en suivant les usages des *Sources Chrétiennes*[2].

V. LA *LETTRE SUR LE CANON DE LA MESSE*

Du vivant d'Isaac et jusqu'à la fin du XIIe siècle, son petit traité sur le canon de la messe fut l'écrit le mieux connu et le plus diffusé de toute son œuvre. Les vingt-et-un manuscrits dans lesquels nous est parvenu ce texte donnent une idée

1. Le ms. *M* a été suivi pour les rubriques, car il transmet cet élément de la façon la plus claire ; voir *supra*, p. 77.
2. Voir Introduction (*infra*, p. 123-125).

de son rayonnement, dont l'importance est aussi attestée par sa présence dans divers catalogues de bibliothèques monastiques du Moyen Âge. Cas singulier de commentaire cistercien dans ce genre particulier, la *Lettre sur le canon de la messe* exerça une certaine influence jusqu'à l'avènement de la grande scolastique au XIIIe siècle.

Faute d'une édition critique, les incertitudes sur le texte même ont empêché une bonne appréciation de cet opuscule à l'époque moderne. Les manuscrits donnent en effet des versions tantôt longues, tantôt abrégées ou tronquées. Les premières éditions, par d'Achéry en 1655 et par Tissier en 1664, qui se fondent chacune sur un manuscrit différent, comportent chacune une conclusion différente de la lettre. De surcroît, en 1932, Franz Bliemetzrieder a signalé l'existence d'une troisième forme du texte avec un long ajout à la fin [1]. Depuis lors, l'hypothèse de travail la plus commune a été que la version de Tissier, reprise par Migne, qui se termine par des remarques d'Isaac sur une incursion violente que venait de subir le monastère de l'Étoile, représentait l'état original du texte. La version avec une conclusion alternative, reportée par d'Achéry, tout comme la version longue, signalée par Bliemetzrieder, ont par conséquent été considérées comme des interventions tardives des scribes. Notre édition critique de la *Lettre sur le canon de la messe*, tout en confirmant les origines douteuses de la version longue, ouvre la voie à une nouvelle solution de cette question des deux conclusions.

1. F. BLIEMETZRIEDER, « Isaac de Stella. Sa spéculation théologique », *RThAM* 4, 1932, p. 132-159.

La date et les circonstances de la *Lettre sur le canon de la messe*

Dans l'ouverture de sa lettre [1], Isaac déclare qu'il écrit en réponse à la demande réitérée de l'évêque de Poitiers, Jean Bellesmains [2]. Au cours d'une rencontre personnelle, ou bien d'une causerie donnée devant un groupe [3], Jean a prié Isaac de décrire ce sur quoi portaient ses pensées pendant la récitation du canon de la messe. Comme la réponse lui a plu, l'évêque a demandé à l'abbé de noter ses réflexions par écrit. Puisque Bellesmains devient évêque de Poitiers en 1162, la lettre est postérieure à cette date. Le *terminus ad quem* le plus sûr est la date de la mort d'Isaac (v. 1169), mais il existe de bonnes raisons de la dater d'avant 1167, moment auquel l'affaire mentionnée à la fin de la lettre est réglée par un accord écrit [4].

Le genre littéraire

Bien que les auteurs de la période patristique aient souvent décrit les rites et en aient souvent expliqué le sens, c'est à partir de l'époque carolingienne qu'on constate une grande prolifération de traités et commentaires sur la liturgie.

1. *Can.* 1 (*infra*, p. 220, l. 1-5).
2. Pour une vue d'ensemble sur la vie et l'œuvre de Jean, voir Waddell, « John Bellesmains ».
3. Le terme qu'Isaac emploie ici est *collatio*, mot qui recouvre toute une gamme de sens possibles entre le discours formel et l'échange informel (voir *supra*, p. 36, n. 1). Ici, il s'agit sans doute d'une *familiarior collatio,* un entretien avec quelques personnes intéressées, au sens du *Sermon* 48, 16 (voir *supra*, p. 31 et n. 3).
4. *Can.* 23bis (*infra*, p. 252). Voir Garda 1986, p. 14-15.

En particulier, l'influence d'Amalaire de Metz († v. 850), qui appliquait aux rites liturgiques les sens traditionnels de l'Écriture sainte (historique, allégorique, tropologique et anagogique), a profondément marqué les liturgistes du Moyen Âge. Le commentaire allégorique et spirituel des différents aspects de la liturgie prend son essor à partir de la fin du XIe siècle et reste populaire tout au long du siècle suivant, comme en témoignent les œuvres d'Yves de Chartres, Rupert de Deutz et Hildebert de Lavardin, pour ne mentionner que les plus connus. Ces commentaires, peu appréciés à l'époque moderne, ont néanmoins joué un rôle capital dans l'importante évolution de la dévotion liturgique au XIIe siècle [1].

Au moment d'entreprendre sa propre *Lettre sur le canon de la messe*, Isaac est conscient d'écrire dans le sillage de cette tradition. On devine l'influence d'Yves de Chartres dans ses références à l'Ancien Testament, et celle de Hildebert de Lavardin et de Petrus Pictor dans son usage d'un vocabulaire spécialisé (par exemple l'emploi de *sacrifex* [2]). En conformité avec son genre particulier, la *Lettre sur le canon* se présente comme la réponse à une demande, s'adresse à un auditoire appartenant au clergé, tant séculier que monastique, et

1. On trouvera une vue d'ensemble des traités liturgiques au Moyen Âge dans R. REYNOLDS, « Treatises on Liturgy », *Dictionary of the Middle Ages* 7, p. 624-633. En ce qui concerne les traités allégoriques, voir D. MOSEY, *Allegorical Liturgical Interpretation in the West from 800 A.D. to 1200 A.D.*, thèse (inédite), University of St. Michael's College, Toronto 1985.

2. *Can.* 5 (*infra*, p. 226, l. 5). Voir SCHAEFER, *Twelfth Century*, p. 294-295. Il est intéressant de noter que HUGUES DE PONTIGNY emploie ce mot deux fois dans ses sermons : Zwettl, Stiftsbibliothek, 119, f. 6^r^, l. 13 et f. 93^v^, l. 22 (voir *infra*, p. 227, n. 2).

propose de faire ressortir le sens des rituels extérieurs [1]. En revanche, à la différence de l'*expositio missae* traditionnelle, Isaac se limite au canon et ne l'interprète pas comme la représentation des événements historiques de la Passion. Ne se contentant pas de compiler les déclarations des autorités traditionnelles, il se livre à des réflexions tout à fait originales. Son apport principal au commentaire liturgique sur la messe est sa manière de faire le lien entre les « actions » du canon et les étapes de la montée de l'âme vers Dieu, c'est-à-dire la divinisation dans la vie ascétique et mystique [2]. On pourrait aussi y deviner l'influence du Pseudo-Denys, qui associe la théologie et l'interprétation des rites sacrés et emploie aussi la distinction des trois voies [3]. En tout cas, la *Lettre sur le canon de la messe* représente une synthèse de la pensée d'Isaac sur ces étapes, qui tient une place importante dans toute son œuvre. Enfin, comme nous l'avons dit, ce petit traité est l'unique exemple de ce genre de commentaire sur la messe écrit par un cistercien [4].

1. G. MACY, « Commentaries on the Mass during the Early Scholastic Period », dans L. LARSON-MILLER (éd.), *Medieval Liturgy : A Book of Essays*, New York 1997, p. 27.

2. SCHAEFER, *Twelfth Century*, p. 307.

3. A. FRACHEBOUD, « Le Pseudo-Denys l'Aréopagite parmi les sources du cistercien Isaac de l'Étoile », *COCR* 10, 1948, p. 33.

4. Voir *supra*, p. 12, n. 2.

Le contenu de la lettre

Bien qu'il s'agisse d'un texte assez bref, organisé autour de simples schémas ternaires, une lecture attentive de la *Lettre sur le canon* révèle un ouvrage subtil, complexe et profond [1]. Ce document est constitué d'une entrée en matière (§ 1-4), d'une première partie (§ 5-12), d'une seconde partie (§ 13-21), d'une récapitulation (§ 22) et d'une conclusion (§ 23). Après la salutation, en guise d'introduction (§ 1-4), Isaac explique son approche, tout en entraînant le lecteur dans son propos. La franchise avec laquelle il reconnaît combien il est difficile de maintenir sa concentration et son intérêt devant une prière invariable et aussi fréquemment répétée que le canon (§ 1) semble une stratégie pour gagner l'attention de ses lecteurs – comme nous le verrons plus loin, le premier éditeur moderne a trouvé ce passage suffisamment choquant pour l'éliminer ! La description qu'Isaac fait de l'alternance entre la désolation de l'incompréhension et le grand plaisir expérimenté devant les nouveaux sens qui émergent des mots est séduisante encore aujourd'hui pour le lecteur moderne. Qui plus est, en décrivant ces états qui alternent comme deux meules par lesquelles on est transformé en farine pour devenir le pain du sacrifice (§ 3), Isaac invite le lecteur à entrer pleinement dans le mouvement de ce qui va suivre. Il reconnaît que la grâce seule peut faire rayonner de nouveaux sens à partir des passages séculaires (§ 2), mais ne prétend pas avoir reçu une inspiration spéciale pour sa propre interprétation du canon (§ 4). Il caractérise son approche comme un mélange de considération (« com-

1. Schaefer, p. 292-307 ; Waddell, « Canon », p. 21-62 ; Joly, *Catena aurea*, p. 15-96.

ment nous tendons vers »), de réceptivité (« selon que la grâce nous en est donnée ») et de louange (« rendant grâce autant que nous le pouvons [1] »).

Au moment d'entrer dans le corps du texte, il déclare : « bien que l'on dise et fasse ici beaucoup de choses et de diverses manières, cependant, quant à nous, nous incluons presque tout dans une triple action [2] ». La lettre est alors divisée en deux parties : une première section (§ 5-12) sert de préparation en décrivant la structure tripartite de la tente selon la révélation à Moïse, « une copie des réalités célestes » comme l'exprime la *Lettre aux Hébreux* (He 8, 5) ; une deuxième section (§ 13-21), fondée sur une série d'extraits choisis du canon, montre comment cette même structure se trouve dans les trois « actions » de cette prière.

La première section (§ 5-12) est centrée sur les dispositions nécessaires pour entrer dans les actions du canon. Il s'agit d'une interprétation allégorique des trois autels et des trois types de sacrifices offerts dans le tabernacle mosaïque (ou le temple plus tard). Sur le premier autel, construit en bronze et placé à l'extérieur, on offre les sacrifices d'animaux. Sur le second, construit en or et disposé à l'intérieur, on offre les sacrifices d'encens. Un paravent sépare ces deux autels. Enfin, c'est sur le troisième autel, appelé propitiatoire, qui se trouve au plus profond de l'édifice, qu'on offre le sacrifice entièrement spirituel : il s'agit du Saint des saints, séparé des autres autels par un voile.

Pour Isaac, ces trois autels et leurs sacrifices respectifs représentent la progression du cœur humain de l'extérieur vers l'intérieur, jusqu'au plus intime, c'est-à-dire

1. *Can.* 4 (*infra*, p. 224, l. 12 et p. 226, l. 14.16-17).
2. *Can.* 5 (*infra*, p. 226, l. 1-3).

une progression en trois stades : de la componction douloureuse, signifiée par la chair enflammée des animaux et par le bronze qui est sombre et résonne, aux délices de la dévotion, signifiés par l'encens et l'éclat de l'or, jusqu'à la contemplation transcendante, signifiée quant à elle par la présence continuelle des chérubins [1]. Autrement dit, Isaac propose une intériorisation du tabernacle, qui n'est « pas tant [disposé] parmi les hommes qu'en eux [2] ». Seul le cœur contrit, qui a été purifié et élevé, peut entrer pleinement dans les actions du canon. Cependant, cette progression ne concerne pas seulement l'individu, puisqu'elle mène aussi à l'union : « Puisque, nombreux, nous sommes unis par un seul [Christ], en un seul, pour un seul, nous avons été faits un seul esprit avec lui [3]. »

Ce n'est que dans la deuxième partie de la lettre (§ 13-21) qu'Isaac cite explicitement le texte du canon. Ici, ce qu'il appelle les trois actions correspond aux états de celui qui les accomplit, chaque état se rapportant à telle partie du canon. Ces trois états – la servitude, la liberté et l'union – suivent le même schéma de progression que la première partie, mais se situent à un plus haut niveau. La pensée d'Isaac devient de plus en plus difficile à suivre (§ 19-21), surtout dans la troisième action où la distinction entre la liturgie terrestre et la liturgie céleste s'estompe. Se rendant compte de cette

1. Ce schéma tripartite (la componction qui corrige, la dévotion qui guide et la contemplation qui élève), variation à partir des trois voies classiques (le commencement, le progrès, la perfection), est le principe organisateur de plusieurs sermons d'Isaac, notamment les sermons 1-5 sur les Béatitudes. Voir DIETZ, « Conversion », p. 229-259 et surtout la table à la p. 255.

2. *Can.* 12 (*infra*, p. 234, l. 1-2).

3. *Can.* 12 (*infra*, p. 236, l. 13-14).

difficulté, semble-t-il, Isaac fait un résumé au § 22, dans lequel il réduit sa pensée à de simples schémas :

> Car la première offrande sépare du monde, la deuxième conjoint au Christ, la troisième unit à Dieu. La première mortifie, la deuxième vivifie, la troisième déifie. Dans la première action, c'est la passion, dans la deuxième la résurrection, dans la troisième la glorification. [...] Ainsi, de même que le charnel devient spirituel, le spirituel céleste et divin, l'esclave devient libre, et règne, fils, avec le père ; l'ennemi devient ami et héritier [1].

Apparemment la lettre originale se termine ici, avec la mention d'une incursion à l'abbaye et un adieu ironique (§ 23bis). Selon l'hypothèse de cette édition, dont il sera question plus loin, Isaac aurait écrit une autre conclusion plus élégante avec l'intention de rejoindre un public plus large (§ 23). Avec un jeu de mots sur le verbe *sequi* (au sens de « suivre », ou bien, de manière plus emphatique, de « poursuivre avec empressement »), Isaac souligne l'importance d'une réception fréquente de l'eucharistie et suggère que le fait de recevoir cette nourriture veut dire qu'on la « suit » dans son mouvement ascendant, vers un niveau spirituel plus élevé. S'inspirant encore des événements du séjour des Israélites au désert (Ex 16, 13 et Ps 77, 27-28), mais cette fois avec une pointe d'humour, il avertit que si on néglige cette nourriture spirituelle, on méritera la pire des nourritures corporelles, c'est-à-dire « des volatiles mal ailés qui ne peuvent pas voler dans les hauteurs [2] ».

1. *Can.* 22 (*infra*, p. 248-250).
2. *Can.* 23 (*infra*, p. 250, l. 6-7).

Le contexte au XIIe siècle

Puisqu'Isaac prétend décrire son état d'esprit au cours de la messe, il importe de prendre en considération comment on vivait la messe dans les monastères cisterciens à son époque. En général, le sentiment de célébrer en commun était fort réduit. Quelques personnes seulement communiaient à la messe conventuelle et normalement la communauté se dispersait au moment de l'offertoire pour vaquer aux messes privées. À en juger d'après certaines rubriques pour la messe conventuelle, il n'était pas nécessaire que tout le monde prête son entière attention à l'action liturgique. Par exemple, assis pendant la lecture de l'épître, le prêtre et le diacre pouvaient lire autre chose, le prêtre dans le missel et le diacre dans l'évangéliaire, apparemment pour préparer la suite de la cérémonie [1]. Quant aux messes privées, où il y avait un minimum d'interaction entre le président et les assistants, on risquait d'y réciter le canon sans y faire attention, problème qu'Isaac aborde au début de sa lettre. D'ailleurs, le fait que les messes privées étaient souvent destinées aux suffrages pour les défunts donnait aussi une allure plutôt individualiste à l'eucharistie. Il est donc clair que cette lettre sur la messe s'adresse aux prêtres qui priaient le canon dans un contexte où les préoccupations étaient davantage centrées sur la pénitence et la réparation que sur la participation attentive à une célébration en communauté.

On comprend alors pourquoi Isaac organise son traité en fonction des trois étapes classiques de la pénitence:

1. M.-G. Dubois, « L'Eucharistie à Cîteaux au milieu du XIIe siècle », *CollCist* 67, 2005, p. 266-286.

contrition, confession orale et réparation [1]. Ce lien étroit entre la pénitence et l'eucharistie est bien attesté dans la littérature et dans l'art du XIIe siècle [2], et Isaac ne manque pas de puiser dans cette riche thématique. Le succès de son texte s'explique par le fait qu'il allie ces deux sujets d'une manière à la fois évocatrice et convaincante pour ses contemporains. Ses propos sont d'autant plus séduisants pour les moines et les clercs préoccupés par les questions de réforme, dont le programme est centré notamment sur ce lien pénitence-eucharistie. Les remarques acerbes dirigées contre les ministres avides de gain [3] semblent une digression au lecteur moderne, mais elles paraissaient probablement tout à fait appropriées aux contemporains d'Isaac.

Les manuscrits de la *Lettre sur le canon de la messe*

Nous devons un premier inventaire des manuscrits de la *Lettre sur le canon de la messe* à Raymond Milcamps, dans un article qui date de 1958 [4]. La même année, Anselme Hoste fait état de quelques inexactitudes et de quelques références fantômes dans la liste de Milcamps et dans celles de ses prédécesseurs [5]. Quelques-unes de ces erreurs ont continué à embrouiller le bilan. Bernard McGinn fait quelques ajouts

1. Sur l'usage que fait Isaac de ces trois étapes dans son œuvre, voir Dietz, « Conversion », p. 252-253.

2. E. Saxon, *The Eucharist in Romanesque France: Iconography and Theology*, Suffolk 2006, surtout ch. 3, « The Penitential-Eucharistic Focus », p. 64-112.

3. *Can.* 6 (*infra*, p. 228, l. 2-3 et p. 229, n. 2).

4. Milcamps, « Bibliographie », p. 180-182.

5. A. Hoste (dans « Kroniek »), *Cîteaux* 9, 1958, p. 302.

à l'inventaire de Milcamps et Chrysogonus Waddell combine toutes les informations disponibles[1]. L'inventaire de l'édition parue dans *Cîteaux* que nous reprenons ici complète et corrige les listes précédentes[2]. Parmi les vingt-et-un manuscrits encore existants, trois comportent un texte inachevé ou interrompu par perte matérielle, un autre ne donne qu'une série d'extraits, et trois autres incluent des ajouts à la fin du texte. Ces manuscrits sont ici présentés selon leur groupement en familles.

Première famille (α)

E **Cambridge, University Library, Add. 3037, f. 77ᵛ-80ᵛ**

Provenance incertaine, mais à en juger d'après les matières, comme y est incluse la *Vie de saint Wulfric d'Haselbury* par Jean de Ford, il s'agit probablement d'un manuscrit cistercien de la fin du XIIᵉ siècle. *Incipit epistola domni Ysaac abbatis stellensis de officio misse, ad dominum Iohannem archiepiscopum lugdunensem. Domino et patri in Christo semper venerabili et digne amando ... fideliter et ferventer reminiscitur. Eplicit [sic] epistola domni Ysaac abbatis de officio misse.* Parchemin, 193 x 227 mm, 168 f.

J **Paris, BnF, NAL 3019, f. 6ᵛ-8ᵛ**

De Clairvaux.

Epistola abbatis stellensis Ysaac de officio misse ad Johannem episcopum pictavensem. [D]omino et patri in Christo semper

1. McGinn, *The Golden Chain*, p. 30 ; Waddell, « Canon », p. 29-30.
2. Dietz, « *De canone* », p. 270-280.

venerabili et digne amando ... ubi exulo anglos nunquam vidissem.

XIIIe siècle, vélin, 320 x 220 mm, 8 f.

F **Troyes, BM, 1236, f. 208r-v**

De Clairvaux.

Decerptio epistole Ysaac abbatis stellensis ad Johannem episcopum pictavensem. Tres sunt in sacro canone ... et regnat cum patre filius, inimicus amicus et heres.

XIIIe siècle, parchemin, 235 x 160 mm, 236 f.

Z **Rouen, BM, 588, f. 75v-77v**

De Valasse, maison-fille de Mortemer dans la filiation de Clairvaux.

Domino et patri in Christo semper venerabili et digne amando ... Sic ergo in prima actione dum in pane et vino totum victum suum.

Texte inachevé, XIIIe siècle, parchemin, 168 x 112 mm, 111 f. [1]

Le texte de ces quatre manuscrits est d'une uniformité remarquable, mais deux d'entre eux sont incomplets : *F*, qui ne comporte qu'une série de citations *(decerptio)* en 17 alinéas [2] et *Z*, dont la copie est interrompue au milieu du § 15.

1. Pour une brève description de Rouen 588, voir Y. Lefèvre, *L'*Elucidarium *et les lucidaires. Contribution, par l'histoire d'un texte, à l'histoire des croyances religieuses en France au Moyen Âge*, Paris 1954, p. 34-35.

2. Voici la liste de ces alinéas : (1) § 5, l. 3-8 ; (2) § 7, l. 1 - § 10, l. 11 ; (3) § 11, l. 1-2 ; (4) § 11, l. 3-4 ; (5) § 11, l. 4-6 ; (6) § 11, l. 6-8 ; (7) § 11, l. 8-10 ; (8) § 11, l. 10-12 ; (9) § 12, l. 1-7 ; (10) § 13, l. 2 - § 16, l. 20 ; (11) § 18, l. 1 - § 19, l. 16 ; (12) § 20, l. 1 - § 22, l. 3 ; (13) § 22, l. 3-4 ; (14) § 22, l. 4-5 ; (15) § 22, l. 9-10 ; (16) § 22, l. 10-11 ; (17) § 22, l. 11-14, 15-17.

Ces deux témoins incomplets donnent un texte très proche de celui de *J*. Le texte de *E* varie un peu plus par rapport à *J* et contient quelques fautes. Voici les leçons particulières de cette famille :

- § 1, l. 7 unde : quare *EJFZ*
- § 10, l. 4 manent *om. EJFZ*
- § 19, l. 6 servitur : servit *EJF*
- § 19, l. 10 tibi *om. EJF*
- § 21, l. 14 christum : spiritum *EJF*
- § 22, l. 14-15 ubi — fides *EJ*

Les deux omissions sont évidemment des fautes, puisqu'elles altèrent le sens. Ainsi, même si les deux témoins complets *E* et *J* paraissent les plus conformes à l'original, ils ne suffisent pas pour établir le texte dans son intégrité.

Le témoin principal dans cette famille est *J*, qui est pratiquement sans faute et donne ce qui semble être la conclusion originale de la lettre. Cet épilogue, qui évoque des événements attestés par un document signalé plus haut [1], comporte de fortes ressemblances avec la conclusion de la *Lettre sur l'âme*, où Isaac s'arrête brusquement pour parler de la peste et de la famine qui viennent de s'abattre sur sa région [2]. Quant à *E*, ou bien cet épilogue faisait défaut dans son modèle ou bien, explication plus vraisemblable, le scribe omet intentionnellement des propos qu'il juge impertinents ou choquants dans un contexte anglais. Les fragments de *F* et le texte inachevé de *Z* ne gardent aucune trace de cet épilogue.

1. Sur l'« exil » d'Isaac, voir *supra*, p. 33, n. 3.
2. *An.* 39 (*infra*, p. 218).

Les titres de *E* et de *J* se ressemblent (*Z* n'en a pas) : tous les deux identifient l'opuscule comme *epistola*, parlent d'Isaac comme abbé de l'Étoile, et indiquent comme sujet *de officio misse*. Parmi les manuscrits, *E* et *J* sont les seuls qui emploient ce titre. Dans *J*, le destinataire est appelé évêque de Poitiers, tant dans le titre qu'à la l. 4 du texte. En revanche, *E* l'appelle archevêque de Lyon dans le titre, tout en retenant Poitiers à la l. 4 du texte. *E* est l'unique manuscrit qui donne cette information précise sur le destinataire. Même si la provenance exacte de *E* est inconnue, nous pouvons affirmer que ces quatre manuscrits de la famille *α* proviennent d'un contexte cistercien. Plus précisément, cet état primitif du texte se trouvait dans les milieux les plus liés à Jean Bellesmains qui, comme nous le verrons, semble avoir joué un rôle important dans la transmission de l'opuscule.

En plus de son antiquité et de la qualité de son texte, le témoin *J* est d'un intérêt particulier car c'est lui que Tissier a pris pour base dans son édition de 1664. Le fait qu'il signale des mots illisibles figurant aux endroits abîmés par une grande tache au fol. 8ᵛ de *J* en est un fort indice.

On n'a pu que récemment acquérir une certitude sur la provenance de *J*. Ce petit manuscrit de seulement huit feuillets figurait parmi les acquisitions de la BnF faites entre 1930 et 1932 [1]. La documentation mentionnait comme possible provenance La Merci-Dieu, maison-fille de Châalis dans la

1. Il fut enregistré pour la première fois dans P. Lauer, « Nouvelles acquisitions latines et françaises du Département des manuscrits de la Bibliothèque nationale pendant les années 1932-1935 », *Bibliothèque de l'École des Chartes*, 1935, p. 217. Milcamps (qui donne le numéro 2479 alors qu'il s'agit de 3019) déclare que ce manuscrit fut trouvé « parmi les papiers d'un érudit » sans donner d'autres précisions (« Bibliographie », p. 181).

filiation de Pontigny et monastère voisin de l'Étoile [1]. Mais, comme le notait le répertoire d'A. Bondéelle-Souchier [2], la base documentaire pour cette attribution était extrêmement faible [3]. À titre d'hypothèse, l'édition critique de la *Lettre sur le canon de la messe* publiée en 2013 proposait Clairvaux comme provenance pour *J*, à partir d'indications trouvées dans les catalogues anciens de ce monastère [4]. Selon le catalogue de 1664 en effet, la bibliothèque de Clairvaux conservait un livre comportant les *Deflorationes ex libris Ambrosii & aliorum doctorum. Hildebertus De officio missae. Epistola Isaac abbatis de Stella de officio missae* [5]. Cette formulation du titre suggère qu'il s'agissait d'une copie appartenant à la famille α – de fait *J* est l'unique manuscrit conservé en France à employer ce titre. L'édition du catalogue de Clairvaux par A. Vernet identifiait le manuscrit désigné par cette inscription à celui existant encore à Troyes (BM 215), mais ni le *De officio missae* de Hildebert ni l'*Epistola* d'Isaac ne s'y trouvent [6]. Certes, le titre donné par le catalogue de 1664 figure presque

1. Cette attribution se fonde très probablement sur une indication dans *Gallia Christiana* (vol. 2, Paris 1720, col. 1532-1533) : *Multa scripsit Isaac noster, que MSS extant in bibliotheca Misericordiae-Dei.*

2. Bondéelle-Souchier, *Bibliothèques cisterciennes*, p. 160.

3. Il s'agissait d'un catalogue de la bibliothèque de la Merci-Dieu du XIVe siècle, ou plus exactement des notes prises par Dom Estiennot au XVIIe siècle à partir de ce document désormais perdu, qui se trouvent dans Paris, BnF, lat. 12775 et ont été été éditées dans Clouzot, *Cartulaire*. Voir *supra*, p. 42, n. 1.

4. Dietz, « *De canone* », p. 272-273.

5. Vernet, *La bibliothèque de Clairvaux*, p. 671, item 405 (= L 51, i.e., p. 188, item n. 966 [= Troyes, BM 215]).

6. Troyes, BM 215 et Troyes, BM 437 font partie du grand *Florilegium Duacense*. Voir T. Falmagne, « Les Cisterciens et les nouvelles formes d'organisation des florilèges aux XIIe et XIIIe siècles », *ALMAdC* 55, 1997, p. 109-110.

mot à mot à la fin du manuscrit de Troyes (f. 131^{v}), mais sur une feuille par ailleurs blanche dont on ignore si elle faisait partie du manuscrit original. Autrement dit, le lien entre la mention dans le catalogue de Clairvaux et le manuscrit Troyes 215 était trop ténu pour que la question puisse être tranchée.

Mais grâce aux recherches de T. Falmagne sur les fragments de manuscrits de la Bibliothèque d'Agglomération du Grand Troyes, l'on peut maintenant identifier de façon certaine le manuscrit BnF, NAL 3019 *(J)* comme fragment détaché de Troyes, BM 215 [1]. Ce cahier figurait parmi les fragments de manuscrits détournés de la Bibliothèque Municipale de Troyes par Auguste Harmand au milieu du XIXe siècle. Au cours de l'enquête officielle qui allait valoir au bibliothécaire troyen quatre ans de prison, les experts notèrent parmi les fragments détournés un « Poème de Hildebert du Mans sur la Messe » et une « *Epistola abbatis Stellensis Isaac* sur le même sujet [2] ». Pour des raisons encore difficiles à comprendre, seule une partie des livres et fragments détournés par Harmand furent réintégrés à la bibliothèque de Troyes [3] ; notre fragment fut quant à lui vendu en décembre 1873 et récupéré plus tard par la BnF.

Tissier paraît avoir eu accès au grand volume de Clairvaux (Troyes, BM 215), encore intact à l'époque. Ce détail est important, étant donné l'absence quasi totale des

1. T. Falmagne, « Documenter la philologie romane par des manuscrits : le choix de fragments utiles par le bibliothécaire troyen Auguste Harmand au milieu du XIXe siècle », dans M.-G. Grossel – J.-C. Herbin, *Uns clers ait dit que chanson en ferait : mélanges de langue, d'histoire et de littérature offerts à Jean-Charles Herbin*, Valenciennes 2019, p. 253-284, en particulier p. 272-275.

2. *Ibid.*, p. 272.

3. *Ibid.*, p. 272.

renseignements dont nous disposons sur les manuscrits que Tissier a pu consulter pour son édition des œuvres d'Isaac.

Deuxième famille (β)

V **Paris, BnF, NAL 1791, f. 129r-132v**

De Vauluissant, maison-fille de Preuilly.

Incipit epistola Ysaac abbatis stellensis ad Iohannem pictavensem episcopum, de canone misse. Domino et patri in Christo semper venerabili et digne amando ... quod a vobis avertat et nobis ad quem conversi sumus, Ihesus Christus, qui cum ... secula seculorum. Amen. Explicit epistola abbatis Ysaac de canone misse.

1170-1180[1], parchemin, 300 x 215 mm, 196 f.[2].

X **Paris, BnF, 16838, f. 2r-3r**

De Châalis, maison incorporée par Pontigny en 1137.

[E] cce quod diu multumque postulando ... id est sufragiis apostolorum ac martyrum, accedit visibilis sacerdos.

Texte inachevé ; XIIe siècle, parchemin, 370 x 250 mm, 158 f.

Une première copie du texte commence au f. 2r dans la colonne gauche à la mi-page et s'arrête brusquement au bas de la colonne droite de la même feuille *(... quod dicitur altare incensi, ubi thi-)*. Une seconde copie commence en haut de

1. Sur cette datation proposée par P. Stirnemann, voir D. Poirel, « La patience, l'Un et la Trinité. Un traité inédit de l'école de Jean de Salisbury », *ALMAdC* 62, 2004, p. 66.

2. On trouvera une description plus ample de ce manuscrit ainsi qu'une bibliographie dans F. Bougard – P. Petitmengin, *La bibliothèque de l'abbaye cistercienne de Vauluisant*, Paris 2012, p. 207-209.

la colonne de gauche du f. 2^{v} et s'arrête brusquement de nouveau au début de la colonne de gauche du f. 3^{r} *(... accedit visibilis sacerdos)*. À part un *ex libris* au f. 3^{v}, le reste du folio est blanc. Ces textes fragmentaires omettent tous les deux la salutation d'ouverture.

_G_ Cambridge, University Library, Gg IV 16, f. 98^{v}-101^{r}

Provenance inconnue.

Epistola Ysaac abbatis stellensis ad Iohannem pictavensem episcopum de eodem [i.e. de canone]. Domino et patri in Christo semper venerabili et digne amando ... quod a vobis avertat et nobis ad quem conversi sumus, Ihesus Christus. Qui cum ... secula seculorum. Amen.

XIIe/XIIIe siècle, vélin, 266 x 216 mm, 121 f.

_O_ Oxford, Corpus Christi College, 48, f. 144^{r}-145^{r}

Provenance inconnue.

Domino et patri in Christo semper venerabili et digne amando ... Oblationem servitutis, panem et vinum recte nominat.

Texte inachevé ; XIIIe siècle, parchemin, 235 x 160 mm, 145 f.

_W_ Cité du Vatican, BAV, Reg. Lat. 106, f. 169^{v}-171^{v}

L'unique provenance connue est celle de Marcoussis, prieuré célestin fondé en 1406.

Meditatio donni Ysaac abbatis Stelle de sacro canone misse. Domino et patri in Christo semper venerabili et digne amando ... Quod a vobis et nobis avertat ad quem conversi sumus, Ihesus Christus, Dominus noster, qui cum ... secula seculorum. Amen.

Vers 1220, parchemin, 450 x 307 mm, 172 f.[1].

_R_ Paris, BnF, 812, f. 358^{v}-362^{r}

Provenance inconnue.

Domino patri ac venerabili pictavorum episcopo ... quod vobis avertat et a nobis ad quem conversi sumus, Ihesus Christus, qui cum ... secula seculorum. Amen. Explicit tractatus Ysaac abbatis Stelle, de altari Moysi et Christi.

XIIIe siècle, parchemin, 315 x 240 mm, 362 f.

La différence la plus frappante entre cette famille et la famille α se trouve à la fin de la lettre. À la place de la conclusion de *J* se trouvent une brève exhortation et une doxologie qui rappellent la manière dont Isaac termine habituellement ses sermons[2]. Cette conclusion de type sermon se trouve dans tous les manuscrits complets de β et des familles ultérieures.

Tous ces témoins (exceptés les fragments *X* et *O*) conservent à la l. 4 du texte la mention d'Isaac comme abbé de l'Étoile. Les manuscrit *V* et *G* appellent cet opuscule *epistola* et comportent des titres complets comme celui de la famille α, mais ils donnent comme sujet *de canone misse*.

Parmi les manuscrits de ce groupe, *V* ressemble le plus à la famille α, alors que *G* et *W* sont davantage corrompus. Le témoin le plus faible de ce groupe est *R*, qui introduit des erreurs communes et qui porte des déformations plus importantes, par exemple *conspargentes* pour *commiscentes* au § 3, l. 12. Le témoin *X*, au début duquel plusieurs lignes

1. Pour une description plus détaillée, voir PETRI CANTORIS PARISIENSIS, *Verbum adbreviatum : textus conflatus*, éd. M. BOUTRY, *CCCM* 196, 2004, p. XLIII-XLV.

2. *Can.* 23 (*infra*, p. 252, l. 9-11).

font défaut et qui ne donne que la moitié du texte, ressemble à *V* dans la plupart de ses leçons. L'autre manuscrit incomplet de cette famille, *O*, s'arrête au milieu du texte (début du § 14) et, à part de petites omissions et d'autres erreurs, ressemble à *G*. Aucun témoin de ce groupe, à l'exception de *O*, ne provient d'un autre. Très probablement copiés au stade le plus intense de la transmission du texte, tous ces manuscrits semblent avoir partagé des modèles étroitement liés.

Vu l'importance de *V* comme témoin majeur de la famille β, il importe de noter l'origine de ce manuscrit. Il s'agit soit d'une copie, soit du jumeau d'un volume en provenance de Pontigny[1], dont seulement une partie existe encore. Le monastère de l'Étoile fut incorporé comme maison-fille de Pontigny en 1145. Par conséquent, de tous les manuscrits existants de provenance connue, *V* est le plus étroitement lié à l'Étoile. Qui plus est, si la datation de 1170-1180 pour *V* est correcte, il s'agit de l'un des témoins les plus anciens parmi ceux qui existent encore.

Troisième famille (γ)

C Troyes, BM, 946, f. 156r-158v

Origine et provenance : Clairvaux.

Epistola abbatis Isaac missa ad Iohannem episcopum pictavensem, de missa. Domino et patri in Christo semper venerabili et digne amando ... quod a vobis avertat et nobis ad quem conversi sumus, Ihesus Christus, qui cum ... secula seculorum. Amen.

1. Actuellement Berlin, Staatsbibliothek, theol. lat. f. 576 ; voir *infra*, « Manuscrits perdus », p. 106-107.

Vers 1174, parchemin, 250 x 195 mm, 181 f.[1].

B **Paris, BnF, lat. 11579, f. 52v-53v**

De Corbie.

Domino et patri in Christo semper venerabili et digne amando ... quod a nobis avertat et vobis, ad quem conversi sumus, Ihesus Christus, qui cum ... secula seculorum. Amen.

XIIe siècle, parchemin, 445 x 310 mm, 169 f.[2].

L'item qui suit cette copie de la *Lettre sur le canon de la messe* est le *De caeremoniis* de Robert Paululus (f. 53v-73v, intitulé *De ecclesiasticis officiis* dans le manuscrit), écrit autour de 1175-1180. Cet opuscule comporte de longs extraits repris mot pour mot de la lettre d'Isaac, mais le texte utilisé pour ces citations est tout autre que celui reporté plus tôt dans ce même manuscrit ; le modèle employé par Paululus a dû venir de la famille β.

P **Paris, BnF, lat. 1828, f. 168r-169v**

Provenance inconnue.

Ysaac abbas, Iohanni pictavensi episcopo. Domino et patri in Christo semper venerabili et digne amando ... quod a nobis avertat et vobis, ad quem conversi sumus, Ihesus Christus, qui cum ... secula seculorum. Amen.

XIIe siècle, parchemin, 360 x 260 mm, 169 f.

1. Sur la datation de ce manuscrit et pour une description plus détaillée, voir LEGENDRE, *Collectaneum*, Introduction, p. XV-XLIII.

2. Le texte de Paululus se trouve en *PL* 177, 381-456 ; on trouvera les passages en question au livre 2, ch. 25-34. Le premier à remarquer l'usage que fait Paululus de l'*Epistola* d'Isaac fut FRANZ, *Die Messe*, p. 441-442.

Q **Paris, BnF, lat. 1252, f. 1v-5v** [1]

Provenance inconnue.

Abbas Ysaac, de sacramento altaris. Domino et patri in Christo semper venerabili et digne amando … quod a nobis avertat et vobis, ad quem conversi sumus, Ihesus Christus, qui cum … secula seculorum. Amen.

XIIIe siècle, parchemin, 130 x 90 mm, 184 f. [2].

Il s'agit de l'unique cas dans la tradition manuscrite où la lettre d'Isaac est accompagnée d'une autre de ses œuvres, en l'occurrence l'*Epistola de anima* (f. 5v-13v) [3].

S **Arras, BM, 727 (jadis 620), f. 15v-19r**

De Saint-Vaast.

Ysaac abbas, Iohanni pictavensi episcopo. Domino et patri in Christo semper venerabili et digne amando … quod a nobis avertat et vobis, ad quem conversi sumus, Ihesus Christus, qui cum … secula seculorum. Amen.

XIIIe siècle, vélin, 245 x 150 mm, 163 f.

D **Douai 391, BM, 391, f. 1r-3r du premier volume**

De l'abbaye de Marchiennes.

Domino et patri in Christo semper venerabili et digne amando … quod a nobis avertat et vobis, ad quem conversi sumus, Ihesus Christus, qui cum … secula seculorum. Amen.

1. Ce manuscrit est siglé *P* dans l'édition de la *Lettre sur l'âme* (cf. *supra*, p. 72).

2. Sur la question complexe de la provenance de Paris, BnF 1252, voir A. HOSTE, Introduction, *Isaac de l'Étoile. Sermons*, *SC* 130, Paris 1967, p. 73-74.

3. Voir Introduction (*supra*, p. 75, n. 1). Pour une description plus ample de ce manuscrit, voir TARLAZZI, « *De anima* », p. 186-193.

XIVe siècle, 190 x 120 mm, 161 (premier volume) et 77 f. (deuxième volume).

À l'instar de β, cette famille comporte la conclusion du type sermon avec doxologie. On constate, cependant, une perte de précision en ce qui concerne l'auteur et l'origine de son écrit. Les manuscrits qui portent un titre *(P, Q, C)* nomment Isaac et le désignent comme abbé, mais il n'y a plus de mention de l'Étoile ni dans les titres ni à la l. 4. À l'exception de *C*, le terme *epistola* n'est pas employé dans ces titres. Voici les variantes principales introduites par les témoins de cette famille :

- § 8, l. 12-13 ut — excelsis : ut vox eius in excelsis audiatur
- § 10, l. 8-9 sive[1] — mala : sive mala sive bona (sauf *B D*)
- § 22, l. 15-16 et spiritualis *om.* (sauf *B D*)
- § 23, l. 8-9 quod — nobis : quod a nobis avertat et vobis

Ces manuscrits donnent notamment diverses leçons erronées du membre de phrase *in intimo et supremo* (§ 7, l. 6-7). À noter en particulier, l'étrange leçon *interino et supremo* de *S* et *D*, qui sera reprise par *K* et *Y* de la famille δ.

Le texte de *P*, *Q* et *S* est quasi uniforme, *P* et *S* portant des titres identiques, mais parfois *P* et *Q* s'accordent contre *S*. *Q* introduit plus de fautes que *P* et *S*. Quant à *C*, qui est proche de *P*, *Q* et *S*, il s'accorde parfois avec *C* contre *P* et *Q*. Le copiste de *C* modifie le texte librement et introduit de nombreuses inversions, orthographes particulières et leçons fantaisistes, notamment *carnifex* au lieu de *sacrifex* [1]. En une sorte de sous-groupe de cette famille, *B* et *D* portent parfois des leçons correctes là où les autres donnent des variantes, mais tous les deux introduisent diverses erreurs.

Quatrième famille (δ)

T **Tours, BM, 137, f. 121r-123v**

De Marmoutier.

Intentio magistri Ysaac in canone misse. Domino et patri in Christo semper venerabili et digne amando ... vivere cum Deo vivere de Deo est. Valeat serenitas tua, pater carissime.

XIIe siècle, vélin, 358 x 260 mm, 200 f.

H **Cambrai, BM, 259, f. 13v-15v**

Provenance inconnue.

Intentio magistri Ysaac in canone misse. Domino et patri in Christo semper venerabili et digne amando... vivere cum Deo vivere de Deo est. Valeat serenitas tua, pater karissime. Explicit intentio magistri Ysaac in canone misse.

XIIIe siècle, parchemin, 208 x 152 mm, 314 f.

1. *Can.* 5 (*infra*, p. 226, l. 5). C'est un fait établi à partir de l'histoire manuscrite des œuvres de saint Bernard et de la *Vita Prima sancti Bernardi* que les copistes du *scriptorium* de Clairvaux à cette même époque prenaient des libertés avec les textes qu'ils y copiaient ou compilaient. Voir J. LECLERCQ, Introduction, *Sermones I*, *SBO* IV, Rome 1966, p. 143 ; et ID., « Genèse d'un chef d'œuvre », dans *Recueil d'études sur saint Bernard et ses écrits* V, Rome 1992, p. 15-16.

_N_ Naples, Biblioteca Nazionale Vittorio Emanuele III, ms. Vind. Lat. 36 (jadis Vienne, Staatsbibliothek, ms. lat. 1068), f. 59v-61r

De Santa Giustina à Padoue.

Isaac magister: intentio in canone misse, i.e. epistolaris dissertatio. Domino et patri in Christo semper venerabili et digne amando ... vivere cum Deo vivere de Deo est. Valeat serenitas tua, pater karissime.

XIVe siècle, parchemin, 222 x 160 mm, 93 f.

_K_ Bruxelles, KBR 224 (II. 957), f. 19r-22v

De Cambron, monastère incorporé par Clairvaux en 1148.

Incipit libellus Ysaac abbatis in canone. Domino et patri in Christo semper venerabili et digne amando ... quod a nobis avertat et vobis, ad quem conversi sumus, Ihesus Christus, qui cum ... secula seculorum. Amen.

XIIIe siècle, parchemin, 215 x 135 mm, 255 f.

_Y_ Paris, BnF, lat. 2474, f. 22v-23r

De Saint-Martin de Tournai.

[D]omino et patri in Christo semper venerabili et digne amando... Post quod quasi interino et supremo positum est propiciatorium, quod non solum sanctum, sed.

Texte inachevé (interrompu au § 7) ; XIIIe siècle, parchemin, 250 x 170 mm, 92 f.

À l'instar de γ, cette famille ne fait pas mention de l'Étoile. Seul *K* nomme Isaac comme abbé. Parmi les variantes caractéristiques de cette famille se trouvent les substitutions, les omissions et les ajouts suivants :

– § 3, l. 5 horror : timor

– § 8, l. 9	aeneum : es
– § 10, l. 2	quibusdam : quibuscumque
– § 10, l. 4	obumbrantibus : et soli pontifici semel in anno *add.*
– § 12, l. 13	uni *om.*
– § 12, l. 16-17	cum — recti *om.*
– § 16, l. 4	simul *om.*
– § 18, l. 7	nobis *om.*
– § 22, l. 16	fit *om.*
– § 23, l. 6	dei : fieri *add.*

En sous-groupe de cette famille, *T*, *H* et *N* donnent comme titre *intentio* et qualifient Isaac de *magister*, termes qui n'apparaissent nulle part ailleurs parmi les manuscrits connus. La caractéristique la plus frappante du sous-groupe *THN* est la fin de la lettre. Bien que le texte porte la même conclusion de type sermon avec doxologie que les familles β et γ, *THN* ajoute en annexe une série de résumés de la lettre.

Le manuscrit le plus ancien de ce groupe est *T*. Ce dernier est le modèle de *H*, copie fidèle à part quelques simples erreurs de copiste. La seule particularité de *H* est l'insertion de références bibliques (par exemple, *Genesis xiiij post medium* à la fin du § 20). Les erreurs de *H* sont absentes de *N*, qui ne contient pas non plus les références bibliques. Par conséquent *N*, comme *H*, est une copie fidèle de *T* sans variantes majeures.

K, qui ne comporte pas les textes en annexe comme le sous-groupe *THN*, partage néanmoins les variantes caractéristiques de ces derniers, tout en ajoutant de nombreuses leçons particulières et des inversions. Parfois les leçons de *K* s'accordent avec celles de *D*, de la famille γ. À cause de sa brièveté, le fragment *Y* est impossible à placer avec certitude. Il partage avec *THN* certaines variantes capitales comme *timor* pour *horror* au § 3, l. 5 et *es (aes)* pour *aeneum* au § 8, l. 9. *Y* ressemble plus à *K* qu'à *THN*, mais dans un seul cas porte une leçon plus proche de *THN* que de *K* (*veritas* pour *vero* au § 3, l. 1).

Apparemment cette famille provient d'un texte plutôt corrompu de l'*Epistola* qui circulait déjà à la fin du XIIe siècle (par exemple *K* ou *Y*). Ou bien le modèle de *T* était encore plus corrompu, ou bien c'est le copiste de *T* qui a introduit des erreurs supplémentaires et ajouté les résumés en annexe. C'est un fait significatif que ces matériaux ajoutés, quoi qu'il en soit de leur origine, n'apparaissent que dans la forme la plus corrompue du texte de la *Lettre sur le canon de la messe*.

Les manuscrits perdus [1]

Comme on l'a vu à propos de la *Lettre sur l'âme*, Charles de Visch mentionne un grand manuscrit qui contenait très probablement les deux lettres d'Isaac [2].

Le catalogue du XIIe siècle de la bibliothèque de Pontigny signale un manuscrit dans lequel figure le titre *Epistola abbatis Ysaac de canone* [3]. Une partie de ce volume existe encore à Berlin, Staatsbibliothek, theol. lat. f. 576. Le contenu de

1. Il convient peut-être d'y ajouter le manuscrit décrit *supra*, p. 42, n. 1, qui mentionne la présence des *opera* d'Isaac sans autre précision.

2. Voir le texte cité *supra*, p. 68, n. 2. Dans cette même entrée sur Isaac, de Visch rapporte les renseignements de Dom Claudius Chalemot, abbé du monastère de la Colombe, qui aurait vu parmi les œuvres d'Isaac *quandam epistolam, de venerabili Eucharistia, ad Episcopum Pictaviensem*, sans pour autant donner des précisions de lieu.

3. Peyrafort-Huin, *Bibliothèque de Pontigny*, p. 258, item [71-1]. Il s'agit d'un recueil de textes de Grégoire le Grand, Alcuin, Augustin,

la partie manquante de ce florilège, où se trouvait la lettre d'Isaac, est quasi identique au contenu du manuscrit *V*, qui est soit le jumeau, soit une copie du manuscrit de Pontigny [1].

Clairvaux, signalé plus haut comme la provenance de *F*, de *C* et de *J*, possédait, selon le catalogue de 1521, un volume qui comportait parmi ses matières l'*Epistola abbatis Isaac ad Joannem episcopum pictavensem de officio misse* [2]. Ce dernier titre représente ou bien une nouvelle copie de la lettre, ou bien une référence confuse reprise de catalogues antérieurs.

Selon son catalogue du XIVe siècle, Christ Church à Canterbury possédait un ouvrage intitulé *Libellus abbatis Ysaac de concordancia canonis altaris et sacramenti veteris legis* [3].

L'abbaye de Meaux en Yorkshire (Angleterre), maison-fille de Fountains, possédait un volume contenant un écrit intitulé *Isaac de sacramento altaris* [4], titre identique à celui de *Q* de la famille γ.

Smaragde, Richard de Saint-Victor et Richard de Wedinghausen, ainsi que de deux versions latines de liturgies byzantines.

1. *Ibid.*, p. 501-502.

2. VERNET, *La bibliothèque de Clairvaux*, p. 474, item n° 766, S c V. En voici les matières mentionnées, outre le titre cité : *Introitus ad sacram Scripturam* 1 ; *Deflorationes ex sentenciis Prosperi* ; *Proverbia ad instructionem seu Regule sancte vivendi.*

3. D.N. BELL, *An Index of Cistercian Authors and Works in Medieval Library Catalogues in Great Britain*, *Cistercian Studies* 123, Kalamazoo 1994, p. 73.

4. D.N. BELL (éd.), *The Libraries of the Cistercians, Gilbertines and Premonstratensians*, *Corpus of British Medieval Library Catalogues*, Londres 1992, p. 75, n° 297c ; ID., « The Books of Meaux Abbey », *ACist* 40, 1984, p. 68, n° 180c.

Le monastère brigittin de Syon en Middlesex (Angleterre), possédait un ouvrage intitulé *Ysaak abbas stellensis ad Iohannem pictauensem epistolam de sacrificio in missa*[1].

Dans une liste de livres donnés à la chartreuse de Witham en Somerset (Angleterre), au XVe siècle, figure un *Librum patris Ysaac. 2° fo : iusticie.* Comme ce dernier mot se rencontre dans le texte à un endroit qui pourrait bien correspondre au début du second folio, il s'agit très probablement d'une copie de la *Lettre sur le canon de la messe*[2].

Comme on l'a vu *supra*[3], l'abbaye du Bec, d'après Montfaucon, avait un volume qui comportait ces textes : *epistola et forte sermones Isaac abb. de Stella.*

Oxford, Bodleian Library, Auct. F.6.1., f. 126v-130v, d'origine franciscaine (manuscrit du XVe siècle, en papier, 130 x 102 mm., 326 f.) a disparu il y a longtemps et il n'en existe pas de reproduction.

LES ÉDITIONS

La *Lettre sur le canon de la messe* a fait l'objet de six éditions.

– L. D'ACHÉRY, *Spicilegium*, Paris 1655, t. I, p. 345-352 *(Ach)* ;

– B. TISSIER, *Bibliotheca Patrum Cisterciensium*, Bonnefontaine 1664, t. VI, p. 104-107 *(Tis)* ;

– J.-P. MIGNE, *PL* 194, Paris 1855, col. 1889-1896 ;

1. *Syon Abbey* (V. GILLESPIE [éd.]) *with The Libraries of the Carthusians* (A. I. DOYLE [éd.]), *Corpus of British Medieval Library Catalogues*, Londres 2001, p. 484, n° 178.
2. *Ibid.*, p. 647, n° 41.
3. *Supra*, p. 70 et n. 2.

– *Collectaneum exemplorum et visionum clarevallense e codice Trecensi 946*, éd. O. Legendre, *CCCM* 208, Turnhout 2005, p. 313-321 *(Leg)*;

– G. RACITI, Paris 2010, appendice dans JOLY, *Catena aurea*, p. 199-112;

– E. DIETZ, « Isaac of Stella's *Epistola de canone missae*: A Critical Text and Translation », *Cîteaux* 64, 2013, p. 265-308.

L'édition d'Achéry est une transcription de *B* de la famille γ. Dans cette première édition la lettre est attribuée à Isaac, évêque de Langres. Cette fausse attribution sera corrigée dans l'édition du *Spicilegium* de 1723 (t. 1, p. 449-451).

Le choix apparemment fortuit que fait Tissier de *J* comme modèle pour son édition est heureux, puisqu'il a rendu accessible aux lecteurs modernes un état du texte de grande valeur, avec la conclusion épistolaire primitive. Il s'agit semble-t-il de l'unique copie dont il disposait, sinon il aurait consulté d'autres témoins pour vérifier sa lecture du dernier folio très abîmé.

Néanmoins Tissier réduit de beaucoup l'effet voulu dans le paragraphe d'ouverture en omettant la phrase dans laquelle Isaac cite Cicéron[1]. Il s'agit évidemment d'une intervention de la part de l'éditeur: soit la pensée, soit la source, soit les deux lui étaient inadmissibles. On voit aussi la main de l'éditeur, semble-t-il, dans l'omission *Vbi — fides*[2]. Apparemment, ayant achoppé sur ce passage comme certains copistes, il décida simplement de l'éliminer. Une

1. *Can.* 1 (*infra*, p. 222, l. 9-10).
2. *Can.* 22 (*infra*, p. 250, l. 14-15).

autre omission, *hostiam — invisibilem*[1], au milieu d'un passage long et difficile, pourrait s'expliquer aussi par un choix de l'éditeur ou par un saut du même au même (*hostiam* à *hostiam*).

Ces omissions et d'autres erreurs sont reprises dans le texte de Migne, qui reproduit Tissier et ajoute encore d'autres fautes de transcription. L'édition d'Achéry, basée sur un manuscrit de moindre qualité, avait néanmoins l'avantage de retenir ce que Tissier avait omis et de mettre en valeur le problème des conclusions différentes dans la tradition manuscrite de la *Lettre sur le canon de la messe*. Quant à l'édition récente de *C* dans la quatrième partie (item XXXIII) du *Collectaneum*, le travail exemplaire de Legendre ne peut remédier au fait que le copiste de Clairvaux a défiguré le texte. L'édition de Raciti est aussi exemplaire en tant que transcription fidèle de *J*, mais sans apparat critique elle ne peut rendre compte des nombreuses corrections et des leçons conjecturales.

1. *Can.* 19 (*infra*, p. 244-246, l. 8-9).

La tradition textuelle

Les annexes qu'on trouve dans *T*, *H* et *N* de la famille δ sont manifestement des ajouts qui datent d'un stade tardif dans la transmission du texte et qui ne sont pas l'œuvre d'Isaac. L'analyse de leur contenu renforce cette conclusion [1]. Il n'est pas nécessaire de s'attarder sur ces textes supplémentaires qui ont déjà été édités ailleurs [2]. Bien que la famille α semble transmettre la forme première du texte, il n'en demeure pas moins qu'un seul manuscrit *(J)* comporte la conclusion épistolaire primitive. La conclusion la mieux attestée est celle de type sermon qui figure dans tous les textes complets des familles βγδ. Or, ces familles comportent des manuscrits aussi anciens, ou encore plus, que ceux de la famille α. Cet épilogue ne peut donc être considéré comme un ajout tardif. Les critères internes confortent l'attribution de ce texte à Isaac : les idées et le vocabulaire correspondent au reste de la lettre, un trait d'humour caractéristique s'y trouve [3] (passage que plusieurs copistes ont mal compris) et la transition avec la doxologie finale rappelle la manière typique d'Isaac de terminer ses sermons. Aussi sommes-nous convaincu qu'Isaac est l'auteur des deux états du texte. Une première rédaction (RI) avec la conclusion épistolaire a été adressée au destinataire, Jean Bellesmains, tandis qu'une deuxième rédaction (RII), avec une nouvelle conclusion et une doxologie, a été destinée à la copie et à la distribution. Deux stemmata (donnés ci-contre) sont alors nécessaires pour rendre compte de ces deux étapes rédactionnelles.

1. Joly, *Catena aurea*, p. 63-68.
2. *Ibid.*, « *Addita in Epistola de Canone Missae* », p. 113-116 ; il s'agit d'une transcription de *T* préparée par G. Raciti.
3. *Can.* 23 (*infra*, p. 250, l. 5-8).

De ces 21 manuscrits, 7 sont de provenance cistercienne et 5 viennent de maisons bénédictines. À en juger d'après les contenus, on peut attribuer une provenance monastique à encore 4 manuscrits *(GRQH)*. Bien qu'adressée à un évêque et susceptible d'intéresser le clergé séculier, la *Lettre sur le canon de la messe* d'Isaac semble donc avoir circulé quasi exclusivement au sein du monde monastique. La distribution géographique des manuscrits encore existants indique une aire de circulation limitée : la plupart d'entre eux proviennent du nord de la France, quelques-uns d'Angleterre et un seul d'Italie. La fourchette chronologique du rayonnement de l'opuscule s'étend des dernières décennies du XIIe siècle (7/9 manuscrits) jusqu'au milieu du XIIIe siècle (10/12 manuscrits). Seulement deux des manuscrits encore existants datent du XIVe siècle.

Étant donné que la famille γ s'était déjà développée avant la fin des années 1170 et la famille δ avant la fin du XIIe siècle, la période la plus intense de dissémination du texte est manifestement la décennie après sa composition. Comme on peut le constater à propos du genre des commentaires sur la messe en général, le rayonnement de la lettre d'Isaac a rapidement diminué dès l'avènement de la période scolastique. Par conséquent, même si le nombre important de manuscrits donne à penser que la *Lettre sur le canon de la messe* fut un texte populaire, son succès fut de courte durée et limité à une aire géographique relativement petite (voir la carte, *infra*, p. 114).

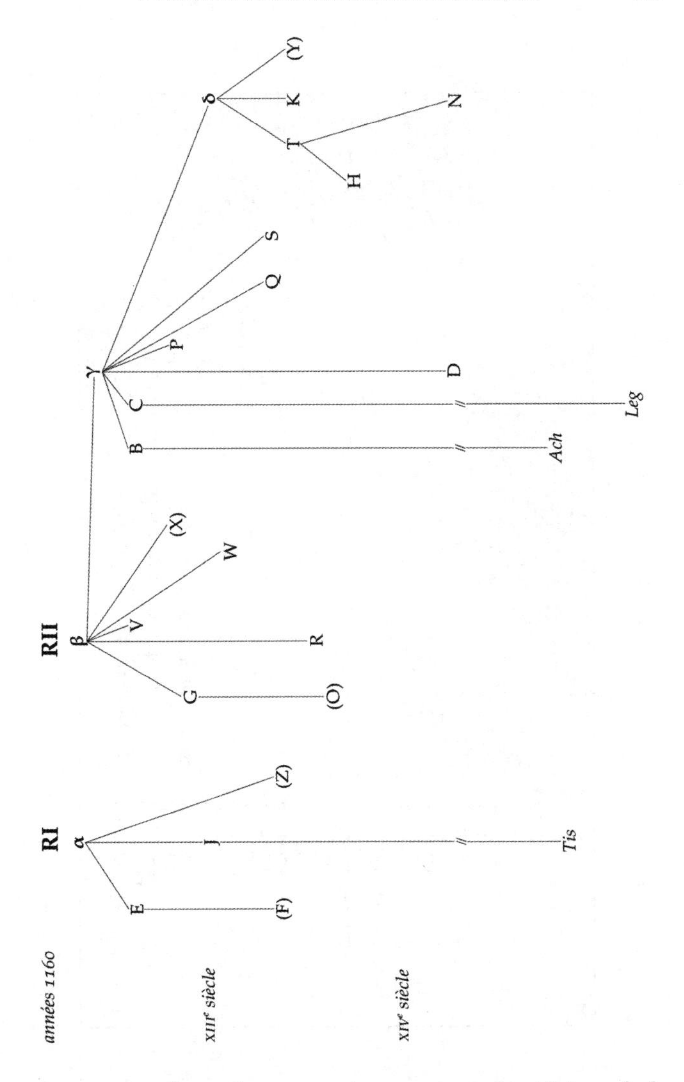

Stemmata codicum des manuscrits connus et des éditions de la *Lettre sur le canon de la messe* d'Isaac. Les parenthèses indiquent les textes inachevés.

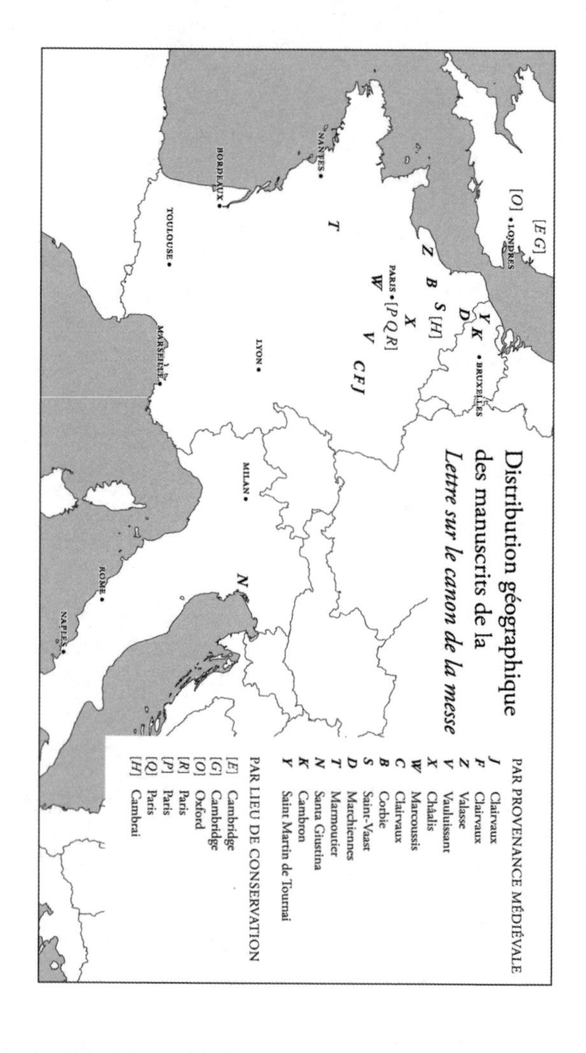
Distribution géographique
des manuscrits de la
Lettre sur le canon de la messe
PAR PROVENANCE MÉDIÉVALE
J Clairvaux
F Clairvaux
Z Valasse
V Vauluissant
X Châalis
W Marcoussis
C Clairvaux
B Corbie
S Saint-Vaast
D Marchiennes
T Marmoutier
N Santa Giustina
K Cambron
Y Saint Martin de Tournai
PAR LIEU DE CONSERVATION
[E] Cambridge
[G] Cambridge
[O] Oxford
[R] Paris
[P] Paris
[Q] Paris
[H] Cambrai
[E G]
[O]
LONDRES
BRUXELLES
Y K
D
S [H]
Z
B
PARIS
[P Q R]
X
W
V
C F J
T
NANTES
BORDEAUX
TOULOUSE
LYON
MARSEILLE
MILAN
N
ROME
NAPLES

Son influence sur d'autres écrivains fut elle aussi modeste. Comme il a été mentionné plus haut dans la description du manuscrit *B*, Robert Paululus, prêtre ou chanoine séculier à Amiens, dans une œuvre mineure intitulée *De caeremoniis* (1175/1180), cite de nombreux passages de la lettre d'Isaac, tout en les adaptant à son propre projet. De fait, Paululus reproduit la majeure partie du texte mais, en plaquant ses propres schémas sur les idées d'Isaac, il en réduit de beaucoup la force. Isaac semble aussi avoir influencé Lothar de Segni, le futur pape Innocent III, auteur d'une œuvre importante intitulée *De missarum mysteriis* (vers 1195-1197). Un passage de cette dernière sur les « trois sacrifices » du canon ressemble beaucoup à une page de la *Lettre* d'Isaac, tant par les concepts que par le vocabulaire [1]. Comme nous le verrons, le fait que Lothar ait connu ce texte est probablement moins dû à la popularité de l'œuvre d'Isaac qu'à l'influence de Jean Bellesmains.

La quasi uniformité des témoins encore existants de la famille α est impressionnante, tandis que le nombre restreint de manuscrits suggère que RI fut peu copiée. Cette famille comprend un témoin anglais du XIIe siècle (sans la conclusion épistolaire), un témoin français du XIIIe siècle qui contient le texte entier, et deux témoins français au texte incomplet. Autrement dit, la branche RI a vite flétri. En

1. Les passages en question se trouvent dans l'édition présente du texte d'Isaac, *Can.* 11-12 (*infra*, p. 234-236) et au livre 4 du texte de Lothar (*PL* 217, 842C-843B). Migne donne un titre erroné et un texte défectueux. On trouvera une édition plus satisfaisante de ces textes dans D. Wright, *A Medieval Commentary on the Mass:* Particulae *2-3 and 5-6 of the* De missarum mysteriis *(ca. 1195) of Cardinal Lothar of Segni (Pope Innocent III),* thèse (inédite), University of Notre Dame 1977, p. 186-187. La similitude de ces passages a été signalée par Franz, *Die Messe*, p. 454-455.

revanche, la version RII s'est vite répandue et fut fréquemment copiée, à tel point que plusieurs familles en sont issues. À titre d'hypothèse pour expliquer cette histoire particulière du texte, seule la version RII serait partie de l'Étoile en tant que texte publié, alors que les quelques exemplaires de la version RI auraient été faits à partir du modèle détenu par Jean Bellesmains, le destinataire de la lettre.

Il existe certains indices pour appuyer l'hypothèse que Bellesmains a joué un rôle dans la transmission du texte. Le fait que l'unique manuscrit anglais de la version RI *(E)* soit aussi l'unique témoin de toutes les familles qui reconnaissent Jean comme archevêque de Lyon (1182-1193) suggère l'existence d'un lien entre Jean et les cisterciens qui effectuèrent cette copie. Par ailleurs, plusieurs sources indépendantes affirment l'existence d'un rapport de longue date entre Jean et les cisterciens anglais. Dans sa première carrière de trésorier de York (1154-1163), il maintenait de fréquentes relations avec Rievaulx. Plus tard, sa correspondance avec Thomas Becket montre qu'il avait des contacts à Clairvaux [1]. Le scriptorium de Clairvaux produisit un exemplaire de la famille β au cours des années 1170 *(C)*, mais plus tard on trouve des extraits d'un texte de la famille α dans la bibliothèque de cette maison *(F)* qui, selon les catalogues, possédait peut-être un texte complet de la famille α.

Jean Bellesmains se retire à Clairvaux dès 1193 [2] et l'année suivante traverse une dernière fois la Manche, ce qui lui

1. F.M. Powicke, « Maurice of Rievaulx », *The English Historical Review* 36, 1921, p. 22, n. 1.

2. P. Pouzet, *L'Anglais Jean dit Bellesmains (1122-1204 ?). Évêque de Poitiers, puis Archevêque de Lyon (1162-1182—1182-1192)*, Lyon 1927, p. 114.

donne l'occasion d'apporter le texte et à Clairvaux et en Angleterre[1]. Ces relations avec les monastères peuvent aussi rendre compte de la présence d'un manuscrit de la famille α à Valasse. Ce monastère, maison-fille de Mortemer dans la filiation de Clairvaux, qui maintenait de nombreux contacts en Angleterre, aurait servi d'étape bien située pour les traversées de la Manche. Très probablement, c'est aussi Bellesmains qui a fait découvrir la *Lettre* d'Isaac à Lothar de Segni. Comme nous l'avons signalé plus haut, Lothar semble s'inspirer directement d'Isaac dans son *De missarum mysteriis*. La relation de longue date entre les deux prélats ne fait pas de doute, car pendant son séjour de retraité à Clairvaux, Bellesmains sert de lien principal entre ses hôtes cisterciens et Innocent III, qui lui adresse au moins trois lettres pendant cette période[2].

Éléments biographiques à glaner dans la tradition manuscrite

L'étude de la tradition manuscrite de *la Lettre sur le canon de la messe* éclaircit deux points concernant la biographie d'Isaac. Tout d'abord, le titre de *magister*, qui lui est attribué dans trois témoins, a parfois été invoqué comme preuve qu'Isaac avait fait carrière de maître dans les écoles avant d'entrer au monastère[3]. Cependant, les témoins en question (*T*, *H* et *N*) n'apparaissent qu'au dernier stade de la transmission du texte. Qui plus est, puisque *H* et *N* sont des copies de *T*, il s'agit d'une appellation introduite par un

1. *Ibid.*, p. 115.
2. Waddell, « John Bellesmains », p. 72-73, 76-79.
3. Raciti, « Isaac et son siècle (1) », p. 302, n. 69 ; art. « Isaac », col. 2012.

seul témoin. Comme nous l'avons vu dans la description des manuscrits, l'une des caractéristiques des familles γ et δ est la perte de connaissances précises concernant l'auteur de la *Lettre*. Si le copiste de *T* ne savait pas qu'Isaac était abbé ou que son monastère s'appelait l'Étoile, il n'y a pas de bonnes raisons d'ajouter foi à la prétention qu'il fut *magister*.

L'autre leçon à tirer concerne la réputation d'Isaac. Selon certaines théories mentionnées plus haut [1], Isaac serait devenu *persona non grata* dans l'ordre cistercien et aurait vécu en exil sur l'île de Ré pendant les années 1170. La tradition manuscrite de la *Lettre sur le canon de la messe* vient à l'appui des arguments déjà avancés contre ces théories, en montrant que la réputation d'Isaac est restée intacte à l'époque considérée. La période la plus intense de la propagation du texte correspond précisément à la fin des années 1160 et au début des années 1170. De plus, sa présence dans le *Collectaneum Clarevallense (C)*, qui selon la datation d'Olivier Legendre aurait été achevé autour de 1174 [2], montre que le compilateur tenait Isaac en haute estime. L'eucharistie est un sujet capital dans ce *Collectaneum*, et le compilateur choisit son matériel selon des critères assez conservateurs. Le fait qu'il place la lettre d'Isaac à la suite d'une série de textes patristiques est une reconnaissance claire de sa doctrine. Ce manuscrit de Clairvaux appartient à la famille γ, ce qui veut dire que dès 1174 le texte avait été copié à une fréquence telle que pratiquement toutes les familles s'étaient déjà développées. Il est peu probable qu'un auteur suspect ou mis en quarantaine ait attiré autant d'attention à cette

1. Voir la mise à jour sur la biographie d'Isaac (*infra*, p. 28-34).
2. LEGENDRE, *Collectaneum*, Introduction, p. XXXIV-XL.

époque dans les monastères cisterciens, d'où viennent la plupart des manuscrits connus.

Les principes de l'édition

Pour établir le texte, nous avons cherché à reconstruire autant que possible la forme primitive de la seconde rédaction (RII), tout en permettant aux lecteurs de retracer l'histoire du texte et de consulter les variantes importantes. Au cas où l'on découvrirait encore d'autres manuscrits, cette édition rendra plus facile leur intégration dans les *stemmata*. Les leçons des deux manuscrits complets de la famille α (*E* et *J*) sont donc prises en considération et la conclusion épistolaire du manuscrit *J* est ajoutée à la fin en caractères plus petits.

En ce qui concerne la famille β, seuls les trois meilleurs témoins (*V*, *G* et *W*) sont pris en compte. La famille γ est représentée par ses trois témoins principaux (*P*, *Q* et *S*). Pour la famille δ, le choix se limite à deux (*T* et *K*). Sont exclus de l'édition les manuscrits incomplets (*Z*, *X*, *O* et *Y*), les extraits *(F)*, les copies (*H* et *N*) et les témoins qui encombreraient inutilement l'apparat critique avec des fautes communes (*B* et *D*) ou des interventions malvenues des copistes (*R* et *C*). L'édition se fonde donc sur dix des vingt-et-un manuscrits qui nous sont parvenus.

Toutes les fois où les leçons de α s'accordent avec celles de β ou les complètent, on peut être sûr que le texte repose sur des bases solides. Là où β est en désaccord avec α, normalement c'est la leçon de β qui est retenue, à moins qu'il ne s'agisse d'une véritable erreur. Les choix se font plus difficiles lorsque β est en désaccord et avec α et avec les familles ultérieures. Bien que *V*, *G* et *W* soient les meilleurs témoins de la famille β, ils ne sont pas exempts de défauts.

Par exemple, là où *G* comporte *intente*[1], *V* et *W* donnent la leçon *in mente*. Par conséquent, dans certains cas comme l'omission de *haec* au § 6, l. 9[2], les leçons de β sont rejetées au profit de la masse des témoins.

Dans le cas de la phrase *Vbi, ait quis, uides, non est fides* (§ 22, l. 14-15[3]), étant donné la grande confusion dans la famille β et dans les familles ultérieures à cet endroit, l'unique solution viable est de retenir la leçon de *J* et *E* de la famille α. Isaac songe probablement à une variation de la déclaration d'Augustin, *nam si uides non est fides*. Les copistes semblent lire *ubi ait* comme l'annonce de la citation. Il est à noter qu'Isaac emploit *ait quis* ici et trois fois dans les *Sermons*[4] pour annoncer des citations.

Ponctuation, orthographe, coupure des mots et divisions en paragraphes

Si l'on prend en compte toute la tradition manuscrite, pratiquement chaque ligne comporte une variante ; de nombreuses lignes en comportent même plusieurs. La gamme des variations est encore plus large en ce qui concerne la ponctuation. Si l'on reportait en une seule édition toutes les marques de tous les témoins, quasiment chaque mot du texte serait suivi d'un signe de ponctuation. En revanche l'orthographe est généralement plus régulière, même s'il y a des divergences entre certains manuscrits. Les textes dif-

1. Voir *Can.* 4 (*infra*, p. 226, l. 15).
2. *Infra*, p. 228.
3. *Infra*, p. 250.
4. *Serm.* 23, 1 (*SC* 207, p. 80, l. 8-9) ; 42, 20 et 50, 15 (*SC* 339, p. 54, l. 178 et p. 190, l. 125).

fèrent fréquemment dans l'usage d'*i* et d'*y*. Le nom d'Isaac s'écrit presque toujours *Ysaac*, *ymago* revient plus souvent qu'*imago*, mais *cybus* au lieu de *cibus* est rare. On rencontre *th* au lieu de *t* dans certains mots comme *thimiama* (parfois écrit *thymiama*, *thymiana*, ou *timiama*). L'emploi de *ch* pour *h* est fréquent, alors qu'on trouve moins souvent *ch* pour *c* (par exemple *drachonis* pour *draconis*). La graphie *mp* pour *n* est employée dans plusieurs manuscrits pour le mot *idemptitas*. L'on confond souvent *c* et *t*, comme par exemple dans *fugatius*, *gracia* et *iusticia*. Quant aux préfixes *con-*, *in-* ou *ad-*, l'usage varie beaucoup, mais on trouve *commisso*, *immaculatam* et *ammiratio* plus souvent que *conmisso*, *inmaculatam* et *admiratione*. L'usage de *e* avec cédille à la place des diphtongues *ae* et *oe* se trouve seulement dans deux des manuscrits, mais dans les deux cas il s'agit moins d'une orthographe systématique que d'une aide à la lecture pour éviter une ambiguïté. En ce qui concerne la coupure des mots, on trouve dans les manuscrits *ac si* et *sibi ipsi* aussi souvent que *acsi* et *sibiipsi*.

Dans les manuscrits, le texte est donné de manière suivie ou avec peu de divisions et on ne trouve pas dans les éditions antérieures une pratique uniforme de division en paragraphes. Pour faciliter les références, le texte donné ici est divisé en paragraphes numérotés.

VI. CHOIX ÉDITORIAUX PROPRES À CE VOLUME

La ponctuation suit l'usage courant des éditions modernes. Les citations de la liturgie et des sources classiques ou patristiques, qu'elles soient textuelles ou approximatives, se présentent entre guillemets, celles de la Bible sont en italiques.

Sont relevées ici les modifications effectuées par rapport aux éditions de *Medioevo* et de *Cîteaux*.

Modifications orthographiques

Quelques modifications orthographiques ont été effectuées pour rendre les textes latins conformes aux usages de ce corpus dans la collection des *Sources Chrétiennes*. Ainsi, les *u* consonantiques ont été remplacés par des *v*. Des majuscules ont été ajoutées aux noms propres et à ceux désignant la divinité : *Deus, Dominus, Filius, Pater, Spiritus Sanctus, Trinitas*. *Id est* est écrit en deux mots. La graphie *ch* de *mihi* et *nihil* est abandonnée. Les *e* cédillés du génitif singulier ou du nominatif pluriel féminins, notamment pour le pronom relatif, le démonstratif *haec*, l'indéfini *quaedam* ont été transcrits par *ae*. Il en est de même pour les mots *aedifico, aemul-, aeneus, aetern-, aether, aethiop-, caelestis, caelum, Claraevallis, coaequalis, cohaereo, daemon, laet-, paene, paenit-, praedic-, praemium, praesens, praest-, praeter, quaestio, saeculum, saepe. Obed-* devient *oboed-*, *fedatur foedatur*, *fetor foetor*, *pena* est écrit *poena*. Le *s* suivant le préfixe *ex-* a été rétabli pour *exsero, exsisto, exspecto, exsulto, exsurgo*. Le *c* entre deux *i* a été remplacé par *t* (*sacietas, iustitia, laetitia, portio, pretium, propitiatorium, tertius, vitium, ...).* Certaines assimilations de préfixes ont été enlevées : *amm-* est écrit *adm-*, *ann- adn-*, *att- adt-*. L'usage du *h* ou du *y* est rendu conforme aux transcriptions du grec : *charism-, harmonic-; archetyp-, myster-, physic-*, mais *catena, histori-* ; enfin *dampnatus* devient *damnatus, Ihesus Iesus, menbr- membr-. En An.* 23 (p. 188, l. 18), *quotenus* est écrit en deux mots.

Changements dans le texte latin

Epistola de anima

Il s'agit uniquement de modifications de la ponctuation.

– § 4, l. 7 : – *si usquam dicitur* – corrigé en *si usquam dicitur* ;

– § 10, l. 3 : *cognoscendum. Per concupiscibilitatem* corrigé en *cognoscendum, per concupiscibilitatem* ;

– § 15, l. 10 : *creator immediate,* corrigé en *creator, immediate* ;

– § 18, l. 4 : *percipit varie* corrigé en *percipit : varie* ;

– § 20, l. 11 : *quasi in fundamento capitis* corrigé en *quasi in fundamento, capitis* ;

– § 23, l. 18-19 : *quotenus potest* corrigé en *quo tenus potest,* ;

– § 25, l. 12 : *naturas formas differentias propria accidentia* corrigé en *naturas, formas, differentias, propria, accidentia* ; l. 16 : ? remplacé par ! ;

– § 38, l. 2-4 : *lucem gignit, ingenita (lux etenim essentem tantum et ingenitam lucem significat), lucet vero exeuntem et genitam* corrigé en *lucem gignit ingenita ('lux' etenim essentem tantum et ingenitam lucem significat, 'lucet' vero exeuntem et genitam).*

Epistola de canone

– § 7, l. 4 : *aurem* corrigé en *aureum*.

– § 18, l. 11-12 : *dicit enim et facit – verbum* corrigé en *– dicit enim et facit, verbum*

Les apparats des sources et des parallèles

Pour la *Lettre sur l'âme*, compte tenu de l'abondance des sources possibles et des parallèles avec les *Sermons*, des apparats spécifiques ont été constitués. La plupart du temps, seules les références ont été données. On trouvera cependant des citations longues en français de certains textes thématiquement proches de la pensée d'Isaac, et des citations brèves en latin pour illustrer une coïncidence textuelle forte.

L'apparat scripturaire

Le signe ≠ indique que le texte cité par Isaac n'est pas exactement identique à celui de l'édition Weber-Gryson de la Vulgate. La mention Patr. signale un texte provenant d'une *Vieille Latine* attestée chez les Pères.

BIBLIOGRAPHIE

ABRÉVIATIONS

ACist	*Analecta Cisterciensia*, Rome, continuation d'*ASOC* (1965-).
ALMAdC	*Archivum Latinitatis Medii Aevi, Bulletin du Cange.*
ASOC	*Analecta Sacri Ordinis Cisterciensis*, Rome (1945-1964).
BASAÉ	*Bulletin de l'Association pour la sauvegarde de l'abbaye de l'Étoile*, Archigny.
BAug	*Bibliothèque Augustinienne*, Paris.
BAV	Biblioteca Apostolica Vaticana.
BM	Bibliothèque Municipale.
BnF	Bibliothèque nationale de France.
CCCM	*Corpus Christianorum, Continuatio Mediaevalis*, Turnhout.
CCSL	*Corpus Christianorum, Series Latina*, Turnhout.
Cîteaux	*Cîteaux in de Nederlanden*, Achel, continué par *Cîteaux, Commentarii Cistercienses*, Cîteaux.

COCR	*Collectanea Ordinis Cisterciensium Reformatorum*, Scourmont (1933-1964), continués sous le titre suivant.
CollCist	*Collectanea Cisterciensia*, Mont-des-Cats (1965-).
CSEL	*Corpus Scriptorum Ecclesiasticorum Latinorum*, Vienne.
CSQ	*Cistercian Studies Quarterly*, Trappist (KY).
CSS	*Cistercian Studies Series*, Kalamazoo (MI).
CUF	*Collection des Universités de France*, Paris.
Gallia Christiana	*Gallia christiana in provincias ecclesiasticas distributa; qua series et historia archiepiscoporum, episcoporum et abbatum Franciae vicinarumque ditionum ab origine Ecclesiarum ad nostra tempora deducitur et probatur ex authenticis instrumentis ad calcem appositis*, Paris 1656-.
IRHT	Institut de Recherche et d'Histoire des Textes, Paris.
Medioevo	*Medioevo. Rivista di storia della filosofia medievale*, Padoue.
NAL	Nouvelles acquisitions latines.
PL	*Patrologia Latina*, J.-P. MIGNE, Paris (cité par col.).
RSPT	*Revue des Sciences Philosophiques et Théologiques*, Paris.
RThAM	*Recherches de Théologie Ancienne et Médiévale*, Louvain.
SBO	*Sancti Bernardi Opera*, éd. J. LECLERCQ – H. TALBOT, Rome 1957-1977.
SC	*Sources Chrétiennes*, Paris.
STAOO	*Sancti Thomae Aquinatis Opera Omnia*, Rome 1882-.

ÉDITIONS ET TRADUCTIONS DES ŒUVRES D'ISAAC

Sermones

Tissier, B. (éd.), *Bibliotheca Patrum Cisterciensium*, Bonnefontaine 1662, t. VI, p. 1-77.

Migne, J.-P. (éd.), *PL* 194, Paris 1855, 1689-1876 (reproduit l'édition de Tissier).

Leclercq, J. (éd.), « Nouveau sermon d'Isaac de l'Étoile », *Revue d'Ascétique et de Mystique* 40, 1964, p. 277-288 (édition du *Sermon* 55).

Isaac de l'Étoile, *Sermons*, *SC* 130, 207 et 339, éd. A. Hoste – G. Salet – G. Raciti, 1967, 1974 et 1987 (édition avec traduction française de tous les sermons et les fragments). = *Serm.*

Isaac of Stella, *Sermons on the Christian Year*, trad. H. McCaffery, *Cistercian Fathers Series* 11, vol. 1, Kalamazoo 1979 (traduction anglaise des sermons 1-26).

Raciti, G. (éd.), « Pages nouvelles des sermons d'Isaac de l'Étoile », *CollCist* 43, 1981, p. 34-55 (édition des fragments).

Leonardi, C. (éd.), *Il Cristo. Vol. IV : Testi teologici e spirituali in lingua latina da Abelardo a San Bernardo*, Milan 1991, p. 257-279 (trad. partielle des *Sermons* 14, 40 et 42).

Isaac de la Estrella, *El Misterio de Cristo. Sermones*, trad. Monjas Benedictinas de Santa Escolástica, *Padres Cistercienses* 15, Monasterio Trapense de Azul 1992 (traduction espagnole des sermons et des fragments à partir de l'édition de *SC*).

GARDA, C. (éd.), *Isaac de l'Étoile vous parle*, Archigny 1999.

SCUOLA CISTERCIENSE, *Pensieri d'Amore*, intr. et trad. M. A. CHIRICO, Casale Monferrato 2000 (inclut une traduction d'une sélection de sermons).

Vom Einen zum Vielen. Der neue Aufbruch der Metaphysik im 12. Jahrhundert. Eine Auswahl zeitgenössischer Texte des Neoplatonismus, éd., intro., trad. et comm. A. FIDORA et A. NIEDERBERGER, Francfort-sur-le-Main 2002 (inclut une traduction du *Sermon* 22).

ISACCO DELLA STELLA, *I Sermoni*, trad. D. PEZZINI, vol. 1, Milan 2006 (traduction italienne des *Sermons* 16-45).

ISACCO DELLA STELLA, *I Sermoni*, trad. D. PEZZINI, vol. 2, Milan 2007 (traduction italienne des sermons 1-15, 46-55 et des fragments) = PEZZINI, *I Sermoni* 2.

DEME, D. (intr. et éd.), *The Selected Works of Isaac of Stella. A Cistercian Voice from the Twelfth Century*, Aldershot-Burlington 2007 (traduction anglaise des *Sermons* 1-6, 8-11, 16-17, 19, 21, 25, 27, 33-34, 40-43, 45-46, 48, et 51 par H. MCCAFFERY) = DEME, *Selected Works.*

JOLY, A. – GARDA, C. – FAVREAU, R., *Isaac de l'Étoile. Un abbé cistercien du XIIe siècle*, Poitiers 2009, p. 67-76 (traduction d'une sélection de passages par R. FAVREAU et C. GARDA) = JOLY *et al.*, *Isaac.*

ISAAK VON STELLA, *Sermones – Predigten*, 3 vol., *Fontes Christiani* 52/1-3, trad. W. BUCHMÜLLER – B. KOHOUT-BERGHAMMER, Fribourg – Bâle – Vienne 2012 (reproduction de l'édition des sermons et fragments des *SC*, édition provisoire de l'*Epistola de Anima* par C. TARLAZZI, reproduction de l'édition de la *PL* de l'*Epistola de Canone,* avec traduction allemande).

Isaac of Stella, *Sermons on the Christian Year,* trad. L. White, intr. E. Dietz, vol. 2, *Cistercian Fathers Series* 66, Collegeville (MN) 2019 (traduction anglaise des *Sermons* 27-55 et des fragments).

Epistola de anima (= *An.*)

Éditions

Tissier, B. (éd.), *Bibliotheca Patrum Cisterciensium,* Bonnefontaine 1664, t. VI, p. 78-83.

Migne, J.-P. (éd.), *PL* 194, Paris 1855, 1875-1890 (reproduit l'édition de Tissier).

Tarlazzi, C., « L'*Epistola de anima* di Isacco di Stella : Studio della tradizione ed edizione del testo », *Medioevo* 36, 2011, p. 167-278 = Tarlazzi, « *De anima* ».

Traductions

McGinn, B. (intr. et trad.), *Three Treatises on Man. A Cistercian Anthropology, Cistercian Fathers Series* 24, Kalamazoo (MI) 1977, p. 155-177 = McGinn, *Treatises.*

Deme, *Selected Works,* p. 143-157 (reproduction de la traduction anglaise par B. McGinn).

Peréto Rivas, R. (éd.), *La antropologia cisterciense del siglo XII, Coleccion de pensamiento medieval y renacentista* 102, Pampelune 2008, p. 131-150 (traduction espagnole à partir de la *PL*).

JOLY, A. – GARDA, C. – FAVREAU, R., *Isaac de l'Étoile. Un abbé cistercien du XIIe siècle*, Poitiers 2009, p. 66 (traduction partielle par R. FAVREAU).

CZUBAK, M. (trad.), « Izaaka ze Stella *List o duszy* (L'*Epistola de anima* di Isacco della Stella), *Studia Antyczne i Mediewistyczne* 8, 2010, p. 99-117.

ISAAK VON STELLA, *Sermones – Predigten*, trad. W. BUCHMÜLLER – B. KOHOUT-BERGHAMMER, Fribourg – Bâle – Vienne 2012, t. III, *Fontes Christiani* 52/1-3, p. 890-939.

EPISTOLA DE CANONE (= Can.)

Éditions

D'ACHÉRY, L. (éd.), *Spicilegium*, Paris 1655, t. I, p. 345-352.

TISSIER, B. (éd.), *Bibliotheca Patrum Cisterciensium*, Bonnefontaine 1664, t. VI, p. 104-107.

MIGNE, J.-P. (éd.), *PL* 194, Paris 1855, 1889-1896.

LEGENDRE, O (éd.), *Collectaneum exemplorum et visionum clarevallense e codice Trecensi 946*, *CCCM* 208, Turnhout 2005, p. 313-321 = LEGENDRE, *Collectaneum.*

RACITI, G. (éd.), dans A. JOLY, Catena Aurea Mystica, *« La chaîne d'or mystique » : le mystère de l'Église chez Isaac de l'Étoile* (extrait de la thèse pour le doctorat, Faculté de Théologie de l'Université Pontificale Grégorienne), Paris 2010, p. 99-112.

DIETZ, E., « Isaac of Stella's *Epistola de canone missae* : A Critical Text and Translation », *Cîteaux* 64, 2013, p. 265-308 = DIETZ, « *De canone* ».

Traductions[1]

BOYLE, C., De officio missae, *the Epistle of Isaac of Stella to John, Bishop of Poitiers: Translation and Commentary*, thèse inédite, Catholic University of America, Washington D.C. 1963.

DAVIAU, M., « A Letter on the Mass », *The Way* 6, 1966, p. 321-327.

WADDELL, C., « Isaac of Stella on the Canon of the Mass », *Liturgy O.C.S.O.* 11, 1977, p. 63-75[2].

DEME, *Selected Works*, p. 158-164 (reproduction de la traduction de M. DAVIAU).

FAVREAU, R., « Lettre d'Isaac, abbé de l'Étoile à Jean, évêque de Poitiers, sur le canon de la messe (1167) », dans JOLY *et al.*, *Isaac*, p. 52-65.

ISAAK VON STELLA, *Sermones – Predigten*, trad. W. BUCHMÜLLER – B. KOHOUT-BERGHAMMER, Fribourg – Bâle – Vienne 2012, vol. 3, p. 940-959 (traduction allemande).

DIETZ, E., « Isaac of Stella's *Epistola de canone missae*: A Critical Text and Translation », *Cîteaux* 64, 2013, p. 265-308 = DIETZ, « *De canone* ».

1. Toutes les traductions indiquées, sauf celle d'E. Dietz, se fondent sur le texte de la *PL*.

2. Cette traduction utilise les éditions de Migne et d'Achéry. Quelques leçons auraient été vérifiées en recourant à des manuscrits non précisés.

AUTRES SOURCES ANCIENNES

Cette liste reprend les auteurs anciens cités dans l'apparat des sources de la *Lettre sur l'âme.*

ABÉLARD

Theol. summ. bon. = *Theologia summi boni*, éd. E. BUYTAERT – C. J. MEWS, *CCCM* 13, Turnhout 1987, p. 85-201.

ALCUIN

Rat. an. = *De ratione animae*, éd. et tr. J.J.M. CURRY, Thesis Presented to the Faculty of the Graduate School of Cornell University, Ithaca (NY) 1966.

AMBROISE DE MILAN

Hex. = *Hexaemeron,* éd. C. SCHENKL, *CSEL* 32.1, Vienne 1897, p. 3-261.

Off. = *De Officiis,* éd. M. TESTARD, *CCSL* 15, Turnhout 2000 ; *Les devoirs,* trad. M. TESTARD, *CUF,* Paris 1984.

ANONYME

Ysag. in theol. = *Ysagoge in theologiam*, éd. A. LANDGRAF, *Écrits théologiques de l'école d'Abélard, Spicilegium sacrum Lovaniense*, Louvain 1934.

ARISTOTE

Cat. = *Catégories*, éd. et trad. R. BODÉÜS, *CUF*, Paris 2001 ; *Categoriae vel Praedicamenta. Translatio Boethii. Editio Composita. Translatio Guillelmi de Moerbeka. Lemmata e Simplicii Commentario decerpta. Pseudo-Augustini Paraphrasis Themistiana*, éd. L. MINIO-PALUELLO, *Aristoteles Latinus* I, 1-5, Bruxelles – Paris 1961.

AUGUSTIN

Civ. = *De civitate Dei*, éd. B. DOMBART – A. KALB, *CCSL* 47-48, Turnhout 1955 ; *La Cité de Dieu*, trad. G. COMBÈS, *BAug* 33-37, Paris 1959-1960.

Conf. = *Confessionum libri tredecim*, éd. L. VERHEIJEN, *CCSL* 27, Turnhout 1981 ; *Confessions*, trad. A. SOLIGNAC – E. TRÉHOREL – G. BOUISSOU, *BAug* 13-14, Paris 1992 (nouvelle édition augmentée).

Div. qu. = *De diversis quaestionibus octoginta tribus*, éd. A. MUTZENBECHER, *CCSL* 44A, Turnhout 1975, p. 11-249.

En. in Ps. = *Enarrationes in Psalmos*, éd. E. DEKKERS – J. FRAIPONT, *CCSL* 38-40, Turnhout 1956 ; Ps 45-52, *BAug* 59B, éd. M. DULAEY *et al.*, Paris 2019.

Ep. = *Epistulae (partim)*, éd. A. GOLDBACHER, 1-30, *CSEL* 34 et 124-184A, *CSEL* 44, Vienne 1895 et 1904.

Gen. ad litt. = *De Genesi ad litteram libri duodecim*, éd. J. ZYCHA, *CSEL* 28.1, Vienne 1894, p. 3-435 ; *La Genèse au sens littéral*, trad. P. AGAËSSE – A. SOLIGNAC, *BAug* 48, Paris 1972.

Imm. an. = *De immortalitate animae*, éd. W. HÖRMANN, *CSEL* 89, Vienne 1986, p. 101-128 ; *Dialogues philosophiques II, Dieu et l'âme : L'immortalité de l'âme*, trad. P. DE LABRIOLLE, *BAug* 5, Paris 1948[2], p. 221-397.

Io. Ev. tr. = *Homélies sur l'Évangile de saint Jean. Hom. I-XVI*, éd. mauristes, intr., trad. et notes M.-F. BERROUARD, *BAug* 71, 1993 ; *Hom. XVII-XXXXIII*, *BAug* 72, 1978 ; *Hom. XLIV-LIV*, *BAug* 73B, 1989 ; *Hom. LX-LXXIX*, *BAug* 74A, 1993.

Mor. = *De moribus Ecclesiae catholicae et de moribus Manicheorum libri duo*, éd. J. A. BAUER, *CSEL* 90, Vienne 1952, p. 3-156 ; *La morale chrétienne : Les mœurs de l'Église catholique et les mœurs des manichéens*, trad. B. ROLAND-GOSSELIN, *BAug* 1, Paris 1949, p. 369-435.

Sol. = *Soliloquiorum libri duo*, éd. W. HÖRMANN, *CSEL* 89, Vienne 1986, p. 3-98.

Trin. = *De Trinitate libri quindecim*, éd. W. J. MOUNTAIN, *CCSL* 50 et 50A, Turnhout 1968 ; *La Trinité*, trad. M. MELLET – T. CAMELOT – P. AGAËSSE, *BAug* 15-16, Paris 1955.

AUGUSTIN (Ps.)

Serm. 245 = *Sermo CCXLV. De mysterio Trinitatis et Incarnationis* I, *PL* 39, 2196-2198.

BOÈCE

Cons. = *De consolatione philosophiae*, éd. C. MORESCHINI, Leipzig – Munich 2005[2].

Div. = *De divisione liber*, éd. J. MAGEE, *Philosophia Antiqua* 77, Leyde 1998.

I in Isag. Porph. = *In Porphyrii Isagogen commentorum editio prima*, éd. S. BRANDT, *CSEL* 48, Vienne 1906, p. 3-132.

In Cat. = *In Categorias*, *PL* 64, 159-294.

Top. diff. = *De topicis differentiis*, éd. D. Z. NIKITAS, *Boethius'* De topicis differentiis *und die byzantinische Rezeption dieses Werkes*, Athènes – Paris – Bruxelles 1990, p. 1-92.

Trin. = *De sancta Trinitate*, éd. C. MORESCHINI, Leipzig – Munich 2005[2], p. 165-181.

CALCIDIUS voir PLATON

CASSIODORE

An. = *De anima*, éd. J. W. HALPORN, *CCSL* 96, Vienne 1973, p. 534-575 ; *De l'âme*, trad. A. GALONNIER, *SC* 585, Paris 2017.

Claudien Mamert

St. an. = *De statu animae*, éd. A. Engelbrecht, *CSEL* 11, Vienne 1885, p. 18-197.

Commentarius Victorinus

N. M. Häring, *Commentaries on Boethius by Thierry of Chartres and His School*, *Studies and Texts* 20, Toronto 1971.

Grégoire de Nysse (trad. Jean Scot)

Creat. hom. = *De creatione hominis*, *PL* 67, 348D-408B ; *De imagine*, éd. M.W. Herren, A. Dunning, C.O. Tommasi, G. Mandolino, *CCCM* 167, 2020.

Grégoire le Grand

Hom. Ev. = *Homiliae in evangelia*, éd. R. Étaix, *CCSL* 141, Turnhout 1999 ; *Homélies sur l'Évangile, Livre I (1-20)*, t. I, intr., éd., trad. et notes R. Étaix – B. Judic – C. Morel, *SC* 485, 2005 ; *Livre I (21-40)*, t. II, intr., éd., trad. et notes G. Blanc – R. Étaix – B. Judic – C. Morel, *SC* 522, 2008.

Guillaume de Conches

Drag. = *Dragmaticon philosophiae*, éd. I. Ronca – A. Badia, *CCCM* 152, Turnhout 1997.

Gl. sup. Boet. = *Glossae super Boethium*, éd. L. Nauta, *CCCM* 158, Turnhout 1999.

Gl. sup. Macr. = *Glossae super Macrobium*, extraits dans le volume *CCCM* 203, éd. É. A. Jeauneau, p. 129 ; voir aussi, parmi d'autres mss, BAV, Urb. Lat. 1140, disponible sur digivatlib.

Gl. sup. Plat. = *Glossae super Platonem*, éd. É. A. Jeauneau, *CCCM* 203, Turnhout 2006, p. 5-324.

GUILLAUME DE SAINT-THIERRY

Nat. corp. et an. = *De la nature du corps et de l'âme*, éd., trad., comm. M. LEMOINE, Paris 1988.

HILAIRE DE POITIERS

Trin. = *De Trinitate,* éd. P. SMULDERS, *CCSL* 62 et 62A, Turnhout 1979-1980 ; *La Trinité*, trad. J. DOIGNON – G.-M. DE DURAND *et al.*, *SC* 443, 448, 462, Paris 1999, 2000, 2001.

HOMÈRE

Il. = *Iliade*, t. 1 et 2, éd. P. MAZON, *CUF*, Paris 1937.

HUGUES DE SAINT-VICTOR

Arc. Noe = *De arca Noe morali libri*, *PL* 176, 618C-680D.

Didasc. = *Didascalicon de studio legendi*, éd. C. H. BUTTIMER, Washington 1939, p. 1-133.

Ier. Dion. = *Super Ierarchiam Dionisii*, éd. D. POIREL, *CCCM* 178, Turnhout 2015.

Misc. = *Miscellanea*, *PL* 177, 469-900.

Sacr. = *De sacramentis christiane fidei*, *PL* 176, 173A-618B et éd. R. BERNDT, Münster 2008.

Tr. d. = *De tribus diebus*, éd. D. Poirel, *CCCM* 177, Turnhout 2002.

Vn. spir. et corp. = *De unione spiritus et corporis*, éd. A. M. PIAZZONI, *Studi Medievali*, 3e série, 21, Turin 1981, p. 861-888.

ISIDORE DE SÉVILLE

Diff. I = *De differentiis rerum sive Differentiae theologicae vel spiritales (Liber differentiarum I)*, *PL* 83, 9-70.

Diff. II = *De differentiis rerum sive Differentiae theologicae vel spiritales (Liber differentiarum II),* éd. A. SANZ, *CCSL* 111A, Turnhout 2006, p. 7-112.

Jean Cassien
Coll. = *Conférences. Tome III*, éd. É. Pichery, *SC* 64, 2006.

Jean Scot voir Grégoire de Nysse

Jérôme
In Hiez. = *Commentarii in Ezechielem*, éd. F. Glorie, *CCSL* 75, Turnhout 1964, p. 3-743.
In Matt. = *Commentarii in evangelium Matthaei* I-II, éd. É. Bonnard, *SC* 242, 2006[2].
Nom. heb. = *Liber interpretationis hebraicorum nominum*, éd. P. de Lagarde, *CCSL* 72, Turnhout 1959, p. 59-161.

Macrobe
In Somn. Scip. = *Commentarii in somnium Scipionis*, éd. M. Armisen-Marchetti, *Macrobe. Commentaire au Songe de Scipion. Livre I*, Paris 2001.

Platon (trad. Calcidius)
In Tim. = *Plato latinus* 4, *Timaeus a Calcidio translatus commentarioque instructus*, éd. P. J. Jensen – J. H. Waszink, Londres – Leyde 1962 ; *Calcidius. Commentaire au Timée de Platon*, éd. B. Bakhouche – L. Brisson, Paris 2012.

Richard de Saint-Victor
Ben. min. = *Les douze patriarches ou Benjamin minor*, éd. J. Châtillon – M. Duchet-Suchaux, *SC* 419, 1997.
Stat. int. = *De statu interioris hominis*, *PL* 196, 115-1160.

Tertullien
An. = *De l'âme*, éd. J. Leal, trad. P. Mattei, *SC* 601, 2019.

Virgile
Aen. = *Aeneis*, éd. J. Perret, *Énéide*, t. I-III, *CUF*, 1977-1980.

ÉTUDES

Pour une bibliographie exhaustive jusqu'à 1972, voir McGinn, *The Golden Chain*, p. 241-265. Ne sont indiqués ici que les ouvrages cités au moins deux fois dans ce volume ; pour les autres, les références complètes sont données dans les notes.

Bell, D.N., « The Tripartite Soul and the Image of God in the Latin Tradition », *RThAM* 47, 1980, p. 16-52.

Bertola, E., « La dottrina psicologica di Isacco di Stella », *Rivista di Filosofia Neo-Scolastica* 45, 1953, p. 297-309.

Bliemetzrieder, F., « Isaac von Stella, Beiträge zur Lebensbeschreibung », *Jahrbuch der Philosophie und spekulativen Theologie* 15, 1904, p. 1-34.

Bondéelle-Souchier, A., *Bibliothèques cisterciennes dans la France médiévale : répertoire des abbayes d'hommes*, Paris 1991.

Boquet, D., *L'ordre de l'affect au Moyen Âge. Autour de l'anthropologie affective d'Aelred de Rievaulx*, Caen 2005.

Buchmüller, W., *Isaak von Étoile : monastische Theologie im Dialog mit dem Neo-Platonismus des 12. Jahrhunderts*, *Beiträge zur Geschichte der Philosophie und Theologie des Mittelalters* 80, Münster 2016.

Chirico, M. A., « Le auctoritates di Isacco della Stella », dans E. D'Angelo et J. M. Ziolkowski (éd.), *Auctor et auctoritas in Latinis medii aevi litteris. Author and Authorship in Medieval Latin Literature. Proceedings of the VIth Congress of the International Medieval Latin Committee (Benevento – Naples, November 9-13, 2010)*, Florence 2014, p. 239-264.

Clouzot, É., *Cartulaire de l'abbaye de Notre-Dame de la Merci-Dieu, autrement dite de Bécheron, au diocèse de Poitiers,* Archives historiques du Poitou 34, Poitiers 1905, Appendice XLII : « Catalogue des livres composant la bibliothèque de l'abbaye de la Merci-Dieu à la fin du xive siècle », p. 366-368.

Coleman, J., *Ancient and Medieval Memories. Studies in the Reconstruction of the Past*, Cambridge 1992.

Debray-Mulatier, J., « Biographie d'Isaac de Stella », *Cîteaux* 10, 1959, p. 178-198.

Deme, D., (intr. et éd.), *The Selected Works of Isaac of Stella. A Cistercian Voice from the Twelfth Century*, Aldershot – Burlington 2007.

Dietz, E., « Conversion in the *Sermons* of Isaac of Stella », *CSQ* 37, 2002, p. 254-255.

—, « When Exile is Home : The Biography of Isaac of Stella », *CSQ* 41, 2006, p. 141-165.

Fidora, A., « Erkenntnistheoretische Grundlagen der Wissenschaft bei Isaak von Stella. Auf der Suche nach der Metaphysik », dans Pacheco – Meirinhos, *Intellect et imagination*, p. 955-966.

—, « The Soul as Harmony : A Disputed Doctrine in Twelfth-Century Cistercian Anthropology », *CSQ* 55, 2020, p. 333-345.

Franz, A., *Die Messe im deutschen Mittelalter : Beiträge zur Geschichte der Liturgie und des religiösen Volkslebens*, Fribourg-en-Brisgau 1902 (utilisée ici), rééd. Darmstadt 1963, Bonn 2003.

Führer, M., « Isaac of Stella (c. 1100-1169) », dans K. Pollmann et W. Otten (éd.), *The Oxford Guide to the Historical Reception of Augustine*, Oxford 2013, vol. 2, p. 1191-1193.

GARDA, C., « Du nouveau sur Isaac de l'Étoile », *Cîteaux* 37, 1986, p. 8-22.

GARRIGUES, M., *Le premier cartulaire de l'abbaye cistercienne de Pontigny*, Paris 1981.

GASTALDELLI, F., « 'Optimus Praedicator' : L'opera oratoria di san Bernardo », *Studi su san Bernardo e Goffredo di Auxerre*, Florence 2001, p. 129-211 (paru d'abord dans *ACist* 51, 1995, p. 321-418).

—, « Tradizione e sviluppo : la formazione culturale e teologica di Goffredo d'Auxerre », *Studi su san Bernardo e Goffredo di Auxerre*, Florence 2001, p. 341-374 (paru d'abord dans *Annali della facoltà di lettere e filosofia* 32, 1999, p. 39-76).

HICKS, A., *Composing the World : Harmony in the Medieval Platonic Cosmos*, Oxford 2017.

JOLY, A., Catena Aurea Mystica, *« La chaîne d'or mystique » : Le mystère de l'Église chez Isaac de l'Étoile* (Extrait de la thèse pour le doctorat dans la Faculté de Théologie de l'Université Pontificale Gégorienne), Paris 2010.

JOLY, A. – GARDA, C. – FAVREAU, R., *Isaac de l'Étoile. Un abbé cistercien du XIIe siècle*, Poitiers 2009.

KÜNZLE, P., *Das Verhältnis der Seele zu ihren Potenzen. Problemgeschichtliche Untersuchungen von Augustin bis und mit Thomas von Aquin*, coll. *Studia Friburgensia, Neue Folge* 12, Fribourg 1956.

MCGINN, B., *The Golden Chain : A Study in the Theological Anthropology of Isaac of Stella*, *CSS* 15, Washington 1972.

—, *Three Treatises on Man. A Cistercian Anthropology*, *Cistercian Fathers Series* 24, Kalamazoo (MI) 1977, p. 155-177.

MEWS, C., « Debating the Authority of Pseudo-Augustine's *De spiritu et anima* », *Przegląd Tomistyczny* 24, 2018, p. 321-348.

—, « The Diffusion of the *De spiritu et anima* and Cistercian Reflection on the Soul », *Viator* 49/3, 2018, p. 297-330.

—, « *Affectus* in the *De spiritu et anima* and Cistercian Writings of the Twelfth Century », dans J. F. RUYS *et al.* (éd.), *Before Emotion : The Language of Feeling, 400-1800*, New York 2019, p. 86-96.

MILCAMPS, R., « Bibliographie d'Isaac de l'Étoile », *COCR* 20, 1958, p. 175-186.

NORPOTH, L., *Der pseudo-augustinische Traktat* De spiritu et anima, Philosophische Dissertation München 1924, erstmals gedruckt und anstelle einer Festschrift dem Autor zu seinem 70. Geburtstag am 14 April 1971 überreicht, Cologne – Bochum 1971.

PACHECO, M.C. – MEIRINHOS, J.F. (éd.), *Intellect et imagination dans la philosophie médiévale. Actes du XIe Congrès international de philosophie médiévale de la Société Internationale pour l'Étude de la Philosophie Médiévale (SIEPM). Porto, du 26 au 31 août 2002*, Turnhout 2006.

PALMÉN, R., *Richard of St. Victor's Theory of Imagination*, Leyde 2014.

PEYRAFORT-HUIN, M., avec la collaboration de P. STIRNEMANN et une contribution de J.-L. BENOIT, *La bibliothèque médiévale de l'abbaye de Pontigny (XIIe-XIXe siècles). Histoire, inventaires anciens, manuscrits*, Paris 2001.

POIREL, D., *Livre de la nature et débat trinitaire au XIIe siècle. Le « De tribus diebus » de Hugues de Saint-Victor,* Turnhout 2002.

RACITI, G., « Isaac de l'Étoile et son siècle (1) », *Cîteaux* 12, 1961, p. 281-306.

—, « Isaac de l'Étoile et son siècle (2) », *Cîteaux* 13, 1962, p. 18-34 ; 133-145 ; 205–216.

—, art. « Isaac de l'Étoile », *Dictionnaire de Spiritualité* 7, 1971, col. 2011-2038.

SCHAEFER, M., *Twelfth Century Latin Commentaries on the Mass : Christological and Ecclesiological Dimensions,* thèse (inédite), University of Notre Dame 1983.

TARLAZZI, C., *La* quantitas animae *nel XII secolo : Isacco di Stella tra i cistercensi e la scuola di S. Vittore*, thèse (inédite), Università degli Studi di Padova 2009, p. 53-96.

—, « Il manoscritto 469 della Biblioteca Teresiana di Mantova e Alchero 'di Clairvaux' », *Medioevo* 35, 2010, p. 323-340.

TROTTMANN, C., *Bernard de Clairvaux et la philosophie des Cisterciens au XIIe siècle*, Turnhout 2020.

VERNET, A. (éd.), *La bibliothèque de l'abbaye de Clairvaux du XIIe au XVIIIe siècle*, t. I, *Catalogues et répertoires*, Paris 1979.

WADDELL, C., « Isaac of Stella on the Canon of the Mass », *Liturgy O.C.S.O.* 11, 1977, p. 21-75.

—, « John Bellesmains : Bishop, Archbishop, and Monk of Clairvaux », *Cîteaux* 61, 2010, p. 63-79.

WILLIAMS, D. H., *The Cistercians in the Early Middle Ages*, Leominster (Herefordshire) 1998.

CONSPECTUS SIGLORUM

EPISTOLA DE ANIMA

A Rome, Biblioteca Angelica, 70, f. 40rb-42va
C Cambridge, University Library, Kk. 1. 20, f. 3va-7va
G Paris, Bibliothèque Sainte-Geneviève, 45, f. 148ra-154vb
M Mantoue, Biblioteca Comunale Teresiana, 469, f. 261va-265vb
O Saint-Omer, Bibliothèque de l'Agglomération de Saint-Omer, 119, f. 60rb-67va
P Paris, BnF, lat. 1252, f. 5^{v}-13^{v}
S Paris, Bibliothèque de la Sorbonne, 584, f. 92va-97va

EPISTOLA DE CANONE

E Cambridge, University Library, Add. 3037, f. 77^{v}-80^{v}
J Paris, BnF, NAL 3019, f. 6^{v}-8^{v}
V Paris, BnF, NAL 1791, f. 129^{r}-132^{v}
G Cambridge, University Library, Gg IV 16, f. 98^{v}-101^{r}
W Cité du Vatican, BAV, Reg. Lat. 106, f. 169^{v}-171^{v}
P Paris, BnF, lat. 1828, f. 168^{r}-169^{v}
Q Paris, BnF, lat. 1252, f. 1^{v}-5^{v}

S Arras, BM, 727 (jadis 620), f. 15^{v}-19^{r}

T Tours, BM, 137, f. 121^{r}-123^{v}

K Bruxelles, KBR, 224 (II. 957), f. 19^{r}-22^{v}

α *consensus codicum (prima familia) J E*

β *consensus codicum (familia altera) V G W*

γ *consensus codicum (tertia familia) P Q S*

δ *consensus codicum (quarta familia) T K*

CONVENTIONS DU TEXTE ET ABRÉVIATIONS DE L'APPARAT CRITIQUE

EPISTOLA DE ANIMA

[de]	de *supplendum censeo*
< >	*verba quae et in sermonibus leguntur includunt*
^{ac}	*ante correctionem*
a sec. m.	*a secunda manu*
add.	*addidit, addiderunt*
cett.	*ceteri codices*
iter.	*iteravit*
^{mg}	*in margine*
om.	*omisit, omiserunt*
^{pc}	*post correctionem*
^{sl}	*supra lineam*
tr.	*transposuit, transposuerunt*

Epistola de canone

ac	*ante correctionem*
add.	*addidit, addiderunt*
canc.	*cancellavit*
corr.	*correxit*
lac.	*lacuna*
mg	*in margine*
om.	*omisit, omiserunt*
sl	*supra lineam*
tr.	*transposuit*

TEXTE ET TRADUCTION

ms. *O*, f. 60[r]
PL 194, 1875B

EPISTOLA ABBATIS YSAAC DE ANIMA AD ALCHERVM MONACHVM CLARAEVALLIS

f. 60[v]

Dilecto suo Alchero frater Ysaac se et quod sibi.

1. Cogis me, dilectissime, scire quod nescio et quod nondum didici docere. Vis enim a nobis edoceri de anima, sed neque id quod in divinis litteris didicimus, id est qualis fuerit ante peccatum, aut sit sub peccato, aut futura post 5 peccatum, sed de eius natura et viribus, quomodo sit in corpore, vel quomodo exeat, et cetera quae nec scimus nec nescire nos sinis. Vtque verum fateamur, id ipsum quod a nobis in collatione audisti, ob quod animaris amplius aliquid

1. **1-2 scire — docere :** Cf. Ambroise, *Off.* I, 1, 4 (*CUF*, p. 97, l. 2) : *docere vos coepi quod ipse non didici* || **3-5 qualis — peccatum :** Cf. Hugues de Saint-Victor, *Sacr.* I, 6, 10 *de tribus statibus hominis* (*PL* 176, 269D-270A ; éd. Berndt, p. 144-145)

---

1. **3-5 qualis — peccatum :** Cf. *Serm.* 31, 15 (*SC* 207, p. 198)

O M CS GPA

Tit. epistola — claraevallis *M* : tractatus abbatis ysaac de anima *O* isaac de anima *C* incipit ysaac de anima *S*[mg] de anima *P*[mg] liber ysaac de anima hic incipit *A om. G*

1. **5 viribus :** et *add. O*

LETTRE SUR L'ÂME DE L'ABBÉ ISAAC AU MOINE ALCHER DE CLAIRVAUX

À son cher Alcher[1], son frère Isaac [s'offre] lui-même et ce qui est à lui.

1. Tu m'obliges, toi qui m'es très cher, à savoir ce que je ne sais pas et à enseigner ce que je n'ai pas encore appris. Tu veux en effet recevoir notre enseignement au sujet de l'âme, toutefois non pas ce que nous avons appris dans les textes sacrés – ce qu'elle a été avant le péché, ce qu'elle est sous le péché, ce qu'elle sera après le péché –, mais quelles sont sa nature et ses forces, comment elle est dans le corps, comment elle en sort et d'autres sujets que nous ignorons, et que tu ne nous permets pas d'ignorer[2]. Et à dire vrai, ces paroles mêmes que tu as entendues de notre bouche lors de notre échange fraternel[3] et qui t'ont incité à en espérer davantage,

1. Sur Alcher, voir Introduction (*supra*, p. 40-42).

2. Sur cette description de la requête d'Alcher, voir Introduction (*supra*, p. 43, n. 2).

3. Sur le terme *collatio*, voir Introduction (*supra*, p. 36, n. 1 et p. 81, n. 3) et *Can.* 1 (*infra*, p. 220, l. 3). La lettre reprend plusieurs sermons d'Isaac : voir Introduction (*supra*, p. 57-60).

sperare, dum adtemptantes obtemperare precibus tuis in
10 id intendimus, a nobis elabitur, avolat et quodammodo evanescit. Vnde et in hoc ipso discimus animam nostram
1875C cum divina natura plurimam gerere similitudinem, quae improbum scrutatorem sui reprimit dicens : *Averte oculos tuos a me, quoniam ipsi me avolare fecerunt*[a].

2. Tria itaque sunt : corpus, anima et Deus. Sed horum me fateor ignorare essentiam minusque quid corpus quam quid anima et quid anima quam quid sit Deus intelligere. Sed hoc fortasse miraberis, et esto. Verumtamen in hoc *corpore quod*
5 *corrumpitur et aggravat animam, ubi et terrena habitatio sensum in ima deprimit*[a] et « terreni artus moribundaque membra hebetant » depressam, agenti animae praedictorum trium primum occurrit ipsum corpus, quod necesse est
1875D obscurum ab eo obscurata non nisi obscure videat. Quanto
10 autem ab hoc tenebroso fumo altius evaporarit, limpidius utique videbit. Vnde et animam ipsam, quanto intellectus superior ac purior est sensu, clarius ac certius videre quam corpus poterit ; et ipsum Deum quam animam, quanto
1876B intelligentia praestat intellectui. Omnis enim essentiae in
15 Deo veritas est ; in anima quidem alicuius apparet imago ; in corpore vero vix ullius invenitur vestigium.

2. 1 Cf. Augustin, *Io. ev. tr.* 23, 6 (*BAug* 72, p. 366-368, l. 1-4) ; Hugues de Saint-Victor, *Sacr.* I, 10, 2 (*PL* 176, 329CD ; éd. Berndt, p. 225) || **2-3 minusque — intelligere** : Cf. Augustin, *Gen. ad litt.* V, 16, 34 (*BAug* 48, p. 420-422) || **6-7 terreni — hebetant** : Virgile, *Aen.* VI, 732 (*CUF*, t. II, p. 71)

2. **6-7 terreni — hebetant** : Cf. *Serm.* 55, 10 (*SC* 339, p. 270)

2. **3 quid**[2] *om. O* || **16 ullius invenitur** *OM* : illius invenitur *C* invenitur illius *S tr. GPA*

1. a. Ct 6, 4
2. a. Sg 9, 15 ≠

nous tentons de les retrouver, nous efforçant de nous conformer à tes prières ; mais elles nous échappent, s'envolent et en quelque sorte s'évanouissent. Et de ces difficultés mêmes, nous apprenons que notre âme comporte une très grande ressemblance avec la nature divine, qui repousse par ces mots celui qui a l'impudence de la scruter : *Détourne de moi tes yeux, car ils m'ont fait fuir à tire-d'aile*[a].

L'âme, intermédiaire entre le corps et Dieu

2. Il y a donc trois réalités : le corps, l'âme et Dieu. Mais j'avoue en ignorer l'essence et comprendre moins ce qu'est le corps que ce qu'est l'âme, et moins ce qu'est l'âme que ce qu'est Dieu[1]. Mais peut-être en seras-tu surpris : sois-le. Cependant, *l'âme est prise* dans ce *corps qui se corrompt et qui l'appesantit : la condition terrestre y fait descendre le sens vers l'abîme*[a], « des membres terrestres et des organes périssables affaiblissent l'âme » qui y est descendue. Celle-ci, quand elle agit, est d'abord confrontée à la première des trois réalités mentionnées, le corps lui-même, que, nécessairement, elle ne peut voir qu'obscurément, puisqu'elle est obscurcie par lui qui est obscur. Mais plus elle s'élèvera comme une vapeur au-dessus de cette fumée ténébreuse, plus nettement elle verra, c'est certain[2]. Ainsi, l'âme pourra se voir elle-même mieux que le corps, avec d'autant plus de clarté et de certitude que l'intellect est plus élevé et plus pur que le sens ; et elle pourra voir Dieu lui-même mieux qu'elle ne se voit, avec d'autant plus de clarté et de certitude que l'intelligence l'emporte sur l'intellect. Car en Dieu est la vérité de toute essence ; dans l'âme en apparaît une image ; mais dans le corps, on en trouve à peine une trace[3].

1. Sur cette hiérarchie gnoséologique, voir aussi Introduction (*supra*, p. 43-44 et p. 44, n. 1) ; *An.* 31-32 (*infra*, p. 202-206) et 23 (p. 186, l. 3-5).
2. Voir aussi *An.* 27 (*infra*, p. 196, l. 1-8).
3. Pour le couple *imago-vestigium*, voir Introduction (*supra*, p. 44, n. 2).

3. Deus vero solus vere simplex est, corpus autem omne vere compositum, anima quidem utriusque respectu utrumque dici potest. Aut si aliquod corpus simplex, anima utique simplicior, quae omni corpore superior, Deus vero
5 simplicissimus, qui et summus. Hinc est ergo quod Deus omnia quae habet haec est, qui omnia sua est. Corpus vero nihil eorum quae habet esse potest, quod nihil omnino suorum est. Anima autem tamquam inter has naturas media medie temperata est, ut et quaedam suorum sit et
10 inde simplex et quaedam omnino non sit et inde non vere simplex inveniatur.

1876C **4.** Vt autem ad certi aliquid ligemus sententiam, Deus nec qualitatem nec quantitatem habet. Nam cum dicitur qualis aut quantus, non aliud quam quid sit de eo praedicatur. Corpus vero utrumque habens, neutrum est. Anima vero
5 nec quantitatem habet, quia non est corpus, nec qualitate caret, quia non est Deus.

Habere tamen quantitatem si usquam dicitur sive partes,
f. 61r ratione potius similitudinis quam verita|te compositionis

3. **1-3 deus — potest :** Cf. AUGUSTIN, *Trin.* VI, 6-7, 8 (*BAug* 15, p. 486-489)

4. **4-6 anima — deus :** Cf. CLAUDIEN MAMERT, *St. an.* I, 19-20 (*CSEL* 11, p. 68-71)

---

3. **5-6 deus — est[1] :** Cf. *Serm.* 21, 2 (*SC* 207, p. 50) : *[Deus] quia simplex est, quod habet hoc est* ; 22, 3 (*SC* 207, p. 64) : *Omne quod simplex vere est, quod habet, hoc ipsum esse necesse est* ; 23, 5-7 (*SC* 207, p. 84-86) || 6 **qui — est[2] :** Cf. *Serm.* 8, 8 (*SC* 130, p. 198) ; 23, 4 (*SC* 207, p. 84) ; 23, 7 (*SC* 207, p. 86) ; 34, 26 (*SC* 207, p. 250)

4. **4-6 anima — deus :** Cf. *Serm.* 8, 2 (*SC* 130, p. 192)

---

3. **9 et[2] :** igitur *O*

4. **2 dicitur :** dicatur *O*

3. De fait, Dieu seul est vraiment simple ; tout corps est vraiment composé ; quant à l'âme, selon qu'on la considère à partir de Dieu ou à partir du corps, on peut la qualifier de l'une ou l'autre façon. Ou alors[1], si quelque corps est simple, l'âme est assurément plus simple que lui, elle qui est supérieure à tout corps, et Dieu est le plus simple, lui qui est aussi supérieur à tout. D'où il résulte donc que Dieu est tout ce qu'il a, lui qui est tout ce qui est à lui. Mais le corps ne peut être rien de ce qu'il a, lui qui n'est absolument rien de ce qui est à lui. L'âme quant à elle, en tant qu'intermédiaire entre ces natures, est à l'équilibre entre les deux : pour certains aspects, elle est ce qui est à elle et par là elle est simple, mais pour d'autres, elle ne l'est absolument pas et par là on ne saurait la trouver vraiment simple.

4. Pour fixer notre manière de voir sur une certitude, Dieu n'a ni qualité ni quantité. En fait, lorsqu'on exprime quel il est ou combien il est, on ne lui attribue comme prédicat rien d'autre que ce qu'il est. Le corps, lui, a qualité et quantité, mais n'est ni l'une ni l'autre. L'âme, elle, n'a pas de quantité, parce qu'elle n'est pas un corps, et n'est pas dépourvue de qualité, parce qu'elle n'est pas Dieu.

Cependant si jamais l'on dit[2] que l'âme a une quantité, ou des parties, on doit le comprendre en raisonnant par ressemblance, plutôt qu'en tenant pour vrai qu'elle est

1. On a ici la première illustration d'un procédé récurrent chez Isaac : après avoir présenté une affirmation, il examine la proposition contraire dans un raisonnement alternatif.

2. Même remarque.

intelligendum est. Habet enim vires sive potentias naturales
10 secundum quas virtuales seu potentiales dicitur habere
partes, sicut sunt ingenium ratio memoria. Quae si vere sunt
animae partes secundum quantitatem, et animas eas esse
1876D necesse est, et quot habebit partes, ex tot animabus constare
eam verum erit. Omnis enim pars eiusdem invenitur naturae
15 cum suo toto. Omnis quippe pars corporis corpus est. Vnde
et omnem partem animae, si quantitativas habet partes,
animam esse aliam necessario convincitur.

5. Cum igitur animae sint partes, et connaturales, inge-
1877A nium ratio memoria et huiusmodi, nec quantitativae necesse
est, cum ea sint idem quod ipsa, eadem videlicet natura,
eadem essentia, eadem omnino anima. Non enim anima
5 et ratio animae duae sunt essentiae sed una. Proprietates
quidem diversae sed essentia una. « Nempe secundum pro-
prietatem – sicut beatus ait Augustinus – aliud est anima et
aliud est ratio, et tamen in anima est ratio et una est anima.
Sed aliud anima agit, aliud ratio. Anima vivit, ratio sapit.
10 Et cum unum sint, sola tamen anima suscipit vitam, sola
ratio suscipit sapientiam. » Videre itaque est quomodo in

9-11 habet — partes : Cf. BOÈCE, *Div.* (éd. Magee, p. 40, l. 20-27)
5. 6-11 PS.-AUGUSTIN, *Serm.* 245, 2 (*PL* 39, 2196)

5. **5-6 proprietates — una :** Cf. *Serm.* 23, 7 (*SC* 207, p. 86) ; 23, 9 (*SC* 207, p. 88)

4. **16 et** *om. O*
5. **7 ait augustinus** *tr. O*

1. Il ne s'agit pas ici d'une opposition entre la puissance et l'acte, mais de la division de l'âme en ses différentes forces ou facultés, vue comme la division d'un *totum virtuale seu potentiale* en *partes potentiales seu virtuales*, discutée dans le *De divisione* de Boèce. Cf. l'introduction d'A. ARLIG, *Mereology in Medieval Logic and Metaphysics*, Pise 2019, p. 8, qui suggère la traduction anglaise de *power part* au lieu de *potential part*. Voir aussi Introduction (*supra*, p. 44-46).

composée. L'âme, en effet, a des forces ou puissances naturelles, conformément auxquelles on dit qu'elle a des parties virtuelles ou potentielles[1], comme le sont l'entendement, la raison, la mémoire. Si celles-ci sont vraiment des parties de l'âme selon la quantité, elles sont nécessairement aussi des âmes et ceci sera vrai : autant l'âme aura de parties, d'autant d'âmes elle sera constituée. En effet, toute partie se trouve être d'une même nature avec son tout. De fait, toute partie d'un corps est un corps. D'où il est démontré que, si l'âme a des parties quantitatives[2], toute partie de l'âme est nécessairement une autre âme.

5. Or comme il y a des parties de l'âme – l'entendement, la raison, la mémoire et autres – et qu'elles lui sont connaturelles, il est nécessaire qu'elles ne soient pas quantitatives, puisque ces aspects sont la même chose que l'âme, c'est-à-dire la même nature, la même essence, absolument la même âme. En effet, l'âme et la raison de l'âme ne sont pas deux essences, mais une seule. Les propriétés sont certes diverses, mais l'essence est une[3]. « Selon la propriété, comme le dit saint Augustin, certes l'âme est une chose et la raison une autre, cependant la raison est dans l'âme et l'âme est une. Mais l'âme fait certaines choses, la raison en fait d'autres. L'âme vit, la raison comprend. Et bien qu'elles forment une unité, l'âme seule reçoit la vie, la raison seule reçoit la sagesse. » Il faut donc voir en cela comment l'image de la

2. Les parties potentielles ou virtuelles ne sont donc pas quantitatives : il s'agit d'une idée déjà exprimée par BOÈCE, *Div.* (p. 40, l. 25-26, cité *supra*, p. 45, n. 1).

3. En faisant écho à un lexique trinitaire, Isaac suggère donc une identité d'essence couplée à une différence de propriétés : voir Introduction (*supra*, p. 46) ; *An.* 7 (*infra*, p. 162, l. 7-16) ; 8 (p. 162, l. 3-5) ; 12 (p. 170, l. 22-24) ; 13 (p. 172, l. 6-8) et *Serm.* 23, 7-9 (*SC* 207, p. 86-88).

hac parte fulgeat imago deitatis in anima, ut, cum pluralitas in ea sit proprietatum naturalium, una tamen sint natura.
1877B Et, cum nulla earum sit altera, nulla tamen aliud est quam
15 altera. Est igitur anima rationabilis concupiscibilis irascibilis, quasi quaedam sua trinitas, et hoc totum et nihil amplius aut minus, et tota haec trinitas quaedam animae unitas et ipsa anima.

6. Habet igitur anima naturalia et ipsa omnia est, et ob hoc simplex est. Habet accidentalia et ipsa non est, propter quod omnino simplex non est. Non enim est anima sua prudentia, sua temperantia, sua fortitudo, sua iustitia. Suae
5 igitur vires est, et suae virtutes non est. *Sedere* enim nos oportet *in civitate donec induamur*, id est *induantur* vires nostrae *virtute ex alto*[a].

Vires etenim susceptivae sunt donorum, quae habitu
1877C virtutes fiunt. Porro sicut in igne nativus est calor, qui appro-
10 pinquantes calefacit creans in eis accidentalem calorem ex ea natura qua calere possunt, et naturalis lux illuminans accedentes ex ea videlicet natura qua illuminari possunt, sic in divina natura naturale donum ac beneficium est fontale illuminans et accendens, tamquam sapientiam et iustitiam
15 in eis qui accedunt creans, in ea videlicet parte qua accendi et illuminari possunt. Vnde est : *Accedite et illuminamini*[b]. Et illud : *Appropinquate mihi et ego appropinquabo vobis*[c]. Et illud : *Caritas Dei diffusa est in cordibus nostris per Spiritum Sanctum qui datus est nobis*[d]. Adtende tamen quod vires

6. 2-4 **habet — iustitia** : Cf. AUGUSTIN, *Trin.* VI, 4, 6 (*BAug* 15, p. 480)

6. a. Lc 24, 49 ≠ b. Ps 33, 6 c. Jc 4, 8 d. Rm 5, 5

1. Voir BELL, « The Tripartite Soul », p. 42-44 et BUCHMÜLLER, *Monastische Theologie*, p. 445-448 ; cf. *An.* 8 (*infra*, p. 162, n. 5-7).

déité brille dans l'âme de sorte que, malgré la présence en elle d'une pluralité de propriétés naturelles, ces dernières soient cependant une seule nature. Et bien qu'aucune d'elles ne soit l'autre, aucune cependant n'est autre chose que l'autre. L'âme est donc rationnelle, concupiscible, irascible : c'est en quelque sorte une trinité de l'âme[1] et elle est tout cela ensemble, rien de plus ou de moins, et toute cette trinité est une certaine unité de l'âme et l'âme elle-même.

6. L'âme a donc des aspects naturels et elle est tous ces aspects : pour cette raison, elle est simple. Elle a des aspects accidentels et elle n'est pas ces aspects : c'est pourquoi elle n'est pas entièrement simple. L'âme n'est pas, en effet, sa prudence, sa tempérance, sa force, sa justice. Ainsi donc elle est ses forces et elle n'est pas ses vertus. Car il nous faut *demeurer dans la cité jusqu'à ce que nous soyons revêtus*, c'est-à-dire que nos forces *soient revêtues de la vertu d'en haut*[a].

Les forces sont en effet susceptibles de recevoir des dons qui, par une disposition stable, deviennent des vertus. Ainsi se trouvent dans le feu une chaleur innée, qui réchauffe ceux qui s'en approchent, créant en eux une chaleur accidentelle à partir de cette nature par laquelle ils peuvent être chauds, et une lumière naturelle, éclairant ceux qui viennent à elle, à partir de cette nature par laquelle ils peuvent être éclairés. De même, dans la nature divine, il y a un don naturel et un bienfait source qui éclairent et embrasent, créant en quelque sorte en ceux qui viennent à elle la sagesse et la justice, dans cette partie par laquelle ils peuvent être embrasés et éclairés. D'où il est dit : *Venez et soyez éclairés*[b]. Et encore : *Approchez-vous de moi et je m'approcherai de vous*[c]. Et encore : *L'amour de Dieu a été répandu en nos cœurs par l'Esprit Saint qui nous a été donné*[d]. Remarque cependant que les forces sont

20 nonnumquam indifferenter virtutes dicuntur secundum
1877D quod in evangelio *talenta donantur unicuique secundum*
f. 61v *propriam virtutem*[e]. A viribus tamen virtuosi | denominantur ut a virtute, licet indirecte, studiosi. Neque enim omnium omnes vires gratia sua replet qui *unicuique*[e] *prout*
25 *vult distribuit*[f], sed aliorum alias et alias aliorum. Beatiores autem qui pluribus, si tamen melioribus, abundant, sicut ait Apostolus : *Aemulamini charismata meliora*[g]. Dominus autem Iesus, cuius omnes animae vires *indutae sunt virtute ex alto*[h], *plenus* dicitur *Spiritu Sancto*[i] *plenus* quoque *gra-*
30 *tiae et veritatis*[j] et fortasse solus *de cuius plenitudine omnes accipimus*[k].

7. Sunt igitur corporis et naturalia et accidentalia sed nihil horum est corpus ; Dei vero nec naturalia nec accidentalia
1878A sed totum et solum et semper quicquid Dei est unus est Deus ; animae vero naturalia, quae non aliud esse possunt
5 quam ipsa anima, et accidentalia, quae nisi aliud esse non possunt ab ipsa anima.

22-23 a — denominantur : Cf. Boèce, *Cons.* IV, 7, 19 (éd. Moreschini, p. 133) : *ex quo etiam virtus vocatur, quod suis viribus nitens non superetur adversis* ; *In Cat.* ad 1a, 13-15 (*PL* 64, 167D-168D)

30 et² — solus : Cf. *Serm.* 1, 3 (*SC* 130, p. 86)

7. 5 accidentalia: et *add. O*

e. Mt 25, 15 ≠ f. 1 Co 12, 11 ≠ g. 1 Co 12, 31 ≠ h. Lc 24, 49 ≠ i. Lc 4, 1 j. Jn 1, 14 ≠ k. Jn 1, 16 ≠

1. Voir I. Rosier Catach, « Les controverses logico-grammaticales sur la signification des paronymes au début du xiie siècle », dans C. Erismann,

parfois indifféremment qualifiées de vertus, selon ce qui est dit dans l'évangile : *Des talents sont donnés à chacun selon sa propre vertu*[e]. D'après leurs forces, les hommes sont appelés « vertueux », tout comme, d'après leur vertu, bien qu'indirectement, ils sont dits « zélés[1] ». Sa grâce ne comble pas toutes les forces de tous, car il *a distribué à chacun*[e] *comme il le veut*[f], mais des uns certaines forces, des autres d'autres. Plus heureux sont ceux qui surabondent de forces, pourvu qu'elles soient les meilleures, comme le dit l'Apôtre : *Ayez pour ambition les dons les meilleurs*[g]. Le Seigneur Jésus, lui dont toutes les forces de l'âme *ont été revêtues de la vertu d'en haut*[h], est dit *rempli de l'Esprit Saint*[i], *rempli* aussi *de grâce et de vérité*[j], et peut-être le seul *de la plénitude duquel, tous, nous recevons*[k].

7. Du corps, il y a donc à la fois des aspects naturels et des aspects accidentels, mais aucun d'eux n'est le corps ; de Dieu, il n'y a ni aspects naturels ni aspects accidentels, mais totalement, seulement et toujours tout ce qui est de Dieu est le Dieu un. De l'âme, il y a des aspects naturels, qui ne peuvent être autre chose que l'âme elle-même, et des aspects accidentels, qui ne peuvent qu'être autre chose que l'âme elle-même.

A. Schniewind (éd.), *Compléments de substance. Études sur les propriétés accidentelles offertes à Alain de Libera*, Paris 2008, p. 103-125, notamment p. 105 : « pour Boèce [...], les 'paronymes' *(denominativa)* sont seulement les noms qui sont dérivés à la fois par le sens et la forme, et pour lesquels il existe une transfiguration ou inflexion casuelle (ex. *albedo - albus*). Il y a deux autres types de dérivés, ceux qui ne sont pas apparentés par la forme, mais seulement par le sens (ex. *virtus - studiosus*), et ceux qui ne présentent pas d'inflexion de forme (ex. *grammatica* 'grammaire' - *grammatica* 'grammairienne') et qui sont pour Boèce des équivoques. »

Quod si putari debet Dei quoque aliqua esse naturalia, quoniam Pater naturalem habet Filium et ille naturalem Patrem et uterque naturalem ille paternitatem et ille filia-
10 tionem, in hoc tamen differt communiter ab utroque, id est corpore et anima, quod accidentalia nulla habet ; a corpore vero quod naturalia sua est ; ab anima autem quod omnia sua est, excepto quod altera persona ad alteram relative dicitur. Anima quidem omnia sua nullatenus est nec sola
15 relatione aut proprietate ab accidentalibus suis differt sed oppositione essentiae.

1878B **8.** Posita ergo anima in medio cum utroque aliquam debuit habere convenientiam : et cum summo in suo superiori et cum imo in suo inferiori. Habet namque, ut dictum est, anima secundum proprietates imum medium summum,
5 quamvis secundum essentiam omnia sint unum. Tota itaque animae essentia in his tribus plena et perfecta continetur id est in rationabilitate et concupiscibilitate et irascibilitate.

7. **12-14 quod — dicitur :** Cf. Augustin, *Civ.* XI, 10 (*BAug* 35, p. 62, l. 19-21) : *sed ideo simplex dicitur, quoniam quod habet hoc est, excepto quod relative quaeque persona ad alteram dicitur,* « Elle est appelée simple parce qu'elle est ce qu'elle a, étant sauf que chaque personne est dite personne relativement à une des deux autres. »

8. **5-7 tota — irascibilitate :** Cf. Calcidius, *In Tim.* 229 (éd. Bakhouche, p. 458-460) ; Macrobe, *In Somn. Scip.* I, 6, 42 (éd. Armisen-Marchetti, p. 34) ; Tertullien, *An.* 16, 3 (*SC* 601, p. 230) ; Jérôme, *In Hiez.* I, 1, 6-8 (*CCSL* 75, p. 11) ; *In Matt.* II, 13, 33 (*SC* 242, p. 280-282) ; Jean Cassien, *Coll.* 24, 15 (*SC* 64, p. 187) ; Isidore de Séville, *Diff.* II, 28 (*CCSL* 111A, p. 65, l. 33-37) ; Alcuin, *Rat. an.* 2 (éd. Curry, p. 41)

---

8. **5-7 tota — irascibilitate :** Cf. *Serm.* 10, 18 (*SC* 130, p. 234) ; 17, 13 (*SC* 130, p. 318-320) ; 17, 22 (*SC* 130, p. 322) ; 25, 5 (*SC* 207, p. 118) ; 51, 13-14 (*SC* 339, p. 208)

---

7. **8 naturalem[2]** *M C G* : habet *add. O S P A*

Mais peut-être doit-on penser qu'il y a des aspects naturels de Dieu aussi, parce que le Père a un Fils et celui-ci un Père, tous deux naturels, et que l'un a une paternité, l'autre une filiation, toutes deux naturelles ; cependant, Dieu diffère à la fois de l'un et de l'autre, c'est-à-dire du corps et de l'âme, en cela : il n'a aucun aspect accidentel. Dieu diffère du corps parce qu'il est ses aspects naturels ; de l'âme parce qu'il est tout ce qui est à lui, sauf que chaque personne [de la Trinité] est dite relativement à une autre[1]. L'âme n'est en aucune façon tout ce qui est à elle et ne diffère pas de ses aspects accidentels par la seule relation ou propriété, mais par une opposition d'essence.

Rationalité, concupiscibilité et irascibilité[2]

8. Placée donc en position médiane, l'âme devait avoir quelque accord avec l'un et l'autre, [avec Dieu], le plus haut, dans ce qui est supérieur en elle et [avec le corps], le plus bas, dans ce qui est inférieur en elle[2]. Comme il a été dit[3], l'âme a en effet, selon les propriétés, un bas, un milieu, un haut, bien que, selon l'essence, tous soient un. C'est pourquoi l'essence de l'âme est tout entière contenue pleine et parfaite dans les trois aspects que voici : la rationalité, la concupiscibilité et l'irascibilité[4].

1. Isaac reprend ici la doctrine augustinienne de la Trinité, selon laquelle il n'y a en elle nul accident, mais des relations entre les personnes qui relèvent de l'essence et ne sont pas des attributs, contrairement aux autres catégories qu'Augustin trouve chez Aristote. Cf. AUGUSTIN, *Trin.* V, 5, 6.8-9.11 (*BAug* 15, p. 430-451).
2. Voir aussi *An.* 19 (*infra*, p. 180, l. 5-20).
3. Cf. *An.* 5 (*supra*, p. 156, l. 1-6).
4. Sur ces trois termes, voir Introduction (*supra*, p. 46-47).

9. Vnde propheta volens in Christo ostendere plenam ac perfectam animam affuturam humanam ait : *Vt sciat reprobare malum et eligere bonum*, sicut et de veritate corporis praemisit : *butirum et mel comedet*[a]. Ac si diceret : laborem

1878C 5 – multo siquidem labore et fatigatione crebrisque tunsionibus de lacte butirum elicitur – et quietem – mel etenim gratis dulce est – veraciter in carne experietur, quatinus experientia sciat per rationabilitatem eligere per concupiscibilitatem bonum, id est mel, et reprobare per irascibilitatem malum,

10 id est butirum. Hinc etiam nos, quos de se ipso secundum se ipsum erudit ut sequentes ipsum perveniamus ad ipsum, et crebris tribulationibus pascit et nonnullis consolationibus lenit, quatinus ex his quae patimur amara discamus fugere amariora, et ex his quae praelibamus dulcia deside-

15 rare dulciora.

10. Itaque per rationabilitatem habilis naturae est anima illuminari ad aliquid vel infra se vel supra se vel etiam in se et iuxta se cognoscendum, per concupiscibilitatem vero et

1878D irascibilitatem affici ad aliquid appetendum vel fugiendum|,

f. 62[r] 5 amandum vel odiendum. De rationabilitate igitur omnis oritur animae sensus, de aliis vero omnis affectus.

10. 5-6 **de — affectus :** HUGUES DE SAINT VICTOR, *Sacr.* I, 10, 3 (*PL* 176, 331B-332B ; éd. Berndt, p. 227-228) ; *Arc. Noe* IV, 1, 2 (*PL* 176, 621D) ; RICHARD DE SAINT VICTOR, *Ben. min.* 3 (*SC* 419, p. 94-98) ; *Stat. int.* I, 34 (*PL* 196, 1141B-1142C)

9. 2-10 **ut — butyrum :** Cf. *Serm.* 8, 4 (*SC* 130, p. 194) ; 25, 5 (*SC* 207, p. 118) ; 51, 12 (*SC* 339, p. 206) ; 51, 14 (*SC* 339, p. 208) || 5 **labore — fatigatione :** Cf. *Serm.* 29, 3 (*SC* 207, p. 168)

9. a. Is 7, 15

9. De là vient que le prophète, lorsqu'il veut montrer que dans le Christ il y aura une âme humaine pleine et parfaite, dit : *Afin qu'il sache rejeter le mal et choisir le bien*, comme il s'est exprimé aussi, juste avant, au sujet de la réalité du corps : *de beurre et de miel il se nourrira*[a]. C'est comme s'il disait : [le Christ] fera réellement dans sa chair l'expérience du travail – car il faut beaucoup travailler, se fatiguer et battre énergiquement pour extraire le beurre du lait – et du repos – car le miel est doux, gratuitement ; et ce jusqu'au moment où, par sa rationalité, grâce à l'expérience, il saura choisir le bien – le miel – par sa concupiscibilité et rejeter le mal – le beurre – par son irascibilité. Donc nous aussi, qu'il instruit sur lui-même d'après son propre exemple, pour qu'en le suivant nous parvenions jusqu'à lui, il nous nourrit de fréquentes épreuves et nous apaise par quelques consolations ; et ce jusqu'au moment où, de ce que nous endurons d'amer, nous apprendrons à fuir ce qui est plus amer et, de ce que nous goûtons de doux, à désirer ce qui est plus doux encore.

10. Aussi l'âme, par sa rationalité, est d'une nature apte à être éclairée pour connaître ce qui se trouve au-dessous ou au-dessus d'elle, ou même en elle et à côté d'elle. Par sa concupiscibilité et son irascibilité, elle est apte à être affectée pour désirer ou fuir, aimer ou détester. Donc c'est de la rationalité que naît toute compréhension de l'âme et des [deux] autres facultés tout affect[1].

1. Sur les traductions des termes *sensus* et *affectus*, voir Introduction (*supra*, p. 47-48).

11. Affectus vero quadripertitus esse dinoscitur, dum de eo quod diligimus aut in praesentiarum gaudemus aut futurum speramus, aut de eo quod odimus iam dolemus seu dolendum timemus. Ac per hoc de concupiscibilitate gaudium et spes, de irascibilitate vero dolor et metus oriuntur. Qui quidem quatuor affectus animae omnium sunt vitiorum aut virtutum quasi quaedam elementa et communis materies. Affectus etenim omni operi nomen imponit. Et quoniam <virtus est habitus animi bene instituti, instituendi et componendi ordinandique sunt a praeposita ratione ad id quod debent et quomodo debent animi affectus, ut in virtutes proficere possint. Alioquin in vitia facile deficient. Cum igitur prudenter, modeste, fortiter et iuste amor et odium instituuntur, in virtutes exsurgunt : prudentiam, temperantiam, fortitudinem, iustitiam, quae quasi radices sive cardines omnium omnino dicuntur esse virtutum.> Nam, ut beatus ait Augustinus, « id quod quadripertita virtus dicitur ex amoris vario quodam affectu formatur, ut temperantia sit amor Deo se integrum servans et incorruptum, fortitudo amor propter Deum facile omnia perferens,

11. **4-5 ac — oriuntur :** Cf. Boèce, *Cons.* I, VII, 25-28 (éd. Moreschini, p. 26) ; Isidore de Séville, *Diff.*, II, 41 (*CCSL* 111A, p. 104-105, l. 1-11) || **8 affectus — imponit :** Cf. Ambroise, *Off.* I, 30, 147 (*CUF*, p. 166, l. 2-3) : *adfectus tuus nomen imponit operi tuo* || **9 virtus — instituti :** Cf. Boèce, *Top. diff.* II, 7 (éd. Nikitas, p. 33, l. 7) : *an habitus bene constitutae mentis / virtutis sit definitio* ; Augustin, *Div. qu.* 31, 1 (*CCSL* 44A, p. 41)

11. **1-8 affectus — materies :** Cf. *Serm.* 17, 11-13 (*SC* 130, p. 316-318) || **8 affectus — imponit :** Cf. *Serm.* 17, 15 (*SC* 130, p. 320) : *affectus enim operi nomen imponit* ; 46, 11 (*SC* 339, p. 124) : *affectus quidem operi nomen imponit* ; 3, 2 (*SC* 130, p. 114) ; 4, 17 (*SC* 130, p. 140) || **9-16 virtus — virtutum :** *Serm.* 3, 1-2 (*SC* 130, p. 114) ; cf. *Serm.* 4, 14 (*SC* 130, p. 138) ; 4, 16 (*SC* 130, p. 140) ; 8, 4 (*SC* 130, p. 194)

Affectus.
Des sentiments aux vertus

11. L'affect est connu pour être quadripartite : ce que nous aimons, nous nous en réjouissons au moment présent, ou l'espérons pour l'avenir ; ce que nous détestons, nous en souffrons déjà ou craignons d'avoir à en souffrir. Ainsi, de la concupiscibilité naissent joie et espoir, de l'irascibilité douleur et crainte[1]. Ces quatre affects de l'âme sont pour ainsi dire éléments et matière commune de tous les vices et vertus. Car l'affect impose son nom à toute œuvre. Et puisque la vertu est la disposition stable de l'âme bien établie[2], les affects de l'âme[3] doivent être établis, disposés et ordonnés par la raison, qui les commande en les orientant vers ce qu'ils doivent faire et vers les moyens pour y parvenir, de sorte qu'ils puissent progresser en devenant vertus. Sans quoi ils régresseront facilement en devenant vices. Lors donc qu'amour et haine sont établis avec prudence, modération, force et justice, ils s'élèvent jusqu'aux vertus de prudence, tempérance, force, justice, dont on dit qu'elles sont comme les racines ou pivots d'absolument toutes les vertus. Car, ainsi que le dit saint Augustin, « ce qu'on appelle vertu quadripartite est formé des affects divers de l'amour : ainsi, la tempérance est l'amour qui se préserve intègre et sans tache pour Dieu ; la force est l'amour qui supporte tout

1. Voir Introduction (*supra*, p. 49-50).

2. Voir Mews, « Diffusion », p. 298-299, n. 9. Voir aussi Introduction (*supra*, p. 50, n. 3).

3. Dans la plupart des cas, Isaac désigne l'âme par le terme *anima*, moins souvent par ceux d'*animus* ou de *spiritus*. Cf. M. Chenu, « *Spiritus*, le vocabulaire de l'âme au xiie siècle », *RSPT* 41, 1957, p. 209-232. Cf. aussi É. Gilson, *Introduction à l'étude de saint Augustin*, chap. III, p. 56, n. 1.

iustitia amor Deo tantum serviens et ob hoc subiectis omnibus bene imperans, prudentia amor ea quae iuvant in Deum bene discernens ab his quae ab ipso impediunt. » Proinde, ut dictum est, de concupiscibilitate et irascibilitate omnis 1879B 25 oritur animi motus quo afficitur ad aliquid supra se vel infra se, in se vel iuxta se eligendum aut reprobandum, amandum vel odiendum. De concupiscibilitate igitur propassio, titillatio, delectatio, dilectio ; de irascibilitate vero venit zelus, ira, indignatio, odium. Quae omnia si bene, si ordinate, si 30 plene in anima instituuntur, per odium mundi et sui proficit in amorem proximi et Dei, in temporalium et inferiorum contemptum, aeternorum ac superiorum desiderium. Sed ista iam de affectu tacta potius quam dicta sufficiant.

12. Sensus vero de rationabilitate exsurgens, propter tempus praesens, praeteritum et futurum variatur aut varie nominatur : ratio, memoria, ingenium. Ingenium vero ea 1879C vis animae dicitur sive intentio qua se extendit et exercet 5 ad incognitorum inventionem. ‹Ingenium ergo exquirit incognita, ratio iudicat inventa, memoria recondit iudicata et offert adhuc diiudicanda. Ingenium igitur quae adinvenit ad rationem adducit, memoria quod abscondit reducit.

17-23 AUGUSTIN, *Mor.* I, 15, 25 (*BAug* 1, p. 174, l. 3-6 et 176, l. 6-13) : « Car en disant de la vertu qu'elle est quadripartite, on le dit, autant que je le comprends, des divers mouvements *(affectus)* de l'amour lui-même. [...] Aussi peut-on encore définir les vertus en disant : la tempérance est l'amour qui se conserve intègre et incorruptible pour Dieu ; la force est l'amour supportant facilement tout pour Dieu ; la justice est l'amour qui ne sert que Dieu, et à cause de cela commande bien aux choses soumises à l'homme ; la prudence est l'amour qui discerne bien ce qui l'aide à aller à Dieu de ce qui l'en empêche. »

---

11. 30 animam *O*

12. 5 **ergo** *O M* : vero *CS PA* enim *G*

facilement à cause de Dieu ; la justice est l'amour qui sert Dieu exclusivement et qui, de ce fait, gouverne bien tous ceux qui sont soumis à elle ; la prudence est l'amour qui distingue bien ce qui est utile pour atteindre Dieu de ce qui en empêche. » Ainsi donc, comme il a été dit[1], de la concupiscibilité ou de l'irascibilité naît chaque mouvement de l'âme, qui l'affecte pour choisir ou rejeter, aimer ou haïr ce qui est au-dessus ou en-dessous d'elle, en elle ou à côté d'elle. De la concupiscibilité donc viennent commencement de trouble[2], excitation, plaisir, amour ; de l'irascibilité, jalousie, colère, indignation, haine. Si toutes ces choses sont bien établies, avec ordre et plénitude dans l'âme, elle progresse, par la haine du monde et de soi, vers l'amour du prochain et de Dieu, le mépris des biens temporels et inférieurs, le désir des biens éternels et supérieurs. Mais au sujet de l'affect, que suffise ce qui vient d'être effleuré plutôt que traité.

Sensus.
Raison, mémoire, entendement

12. La compréhension qui s'élève de la rationalité varie, ou est nommée de façon variée, en fonction du temps présent, passé et futur : raison, mémoire, entendement. On appelle entendement cette force ou cette tension par laquelle l'âme se déploie et travaille à découvrir ce qui est inconnu. L'entendement donc explore ce qui est inconnu, la raison juge ce qui a été découvert, la mémoire met en réserve ce qui a été jugé et présente ce qui doit encore l'être. Ainsi, l'entendement apporte ce qu'il découvre à la raison, la mémoire lui rapporte ce qu'elle garde en réserve. Quant

1. Cf. *An.* 10 (*supra*, p. 164, l. 1-6).

2. JÉRÔME distingue entre *passio* et *propassio*. Voir *Comm. in Mattheum* I, 5, 28 (éd. D. HURST – M. ADRIAEN, *CCSL* 77, 1969, p. 30-31) ou encore ISIDORE, *De differentiis verborum* I, 431 (*PL* 83, 53C-54A).

Ratio vero tamquam praesentibus superfertur et quasi in ore cordis semper aut masticat quod dentes ingenii carpunt aut ruminat quod venter memoriae | repraesentat>. <Non enim omne quod scimus semper occurrit, nec versatur in intuitu scientis omne quod scitur. Verumtamen temporaliter et per partes a memoria tamquam reconditum abstrahitur et in ore cordis praesens formatur verbum, quod foris in ore carnis agit strepitum.> Hinc etiam est quod, <quia Deo nihil futurum nihil praeteritum sed omnia in ictu intuentis praesentialiter simul et semel et semper sunt omnia tamquam praesentia et immobiliter aeterna ei in Verbo esse dicuntur et logo, id est ratione mentis, quae simul et semel et semper secum tractet sibi loquatur.> Vnde et omnis eius de omnibus sensus non memoria nec ingenium sed verbum dicitur. Verumtamen ratio memoria ingenium secundum exercitium tria, secundum essentiam unum sunt in anima et quod ipsa.

12. 5-11 ingenium — repraesentat : sur *venter memoriae,* cf. AUGUSTIN, *Conf.* X, 14, 21-22 (*BAug* 14, p. 178, l. 27-29 et 180, l. 11-13) ; *Trin.* XII, 14, 23 (*BAug* 16, p. 256, l. 7) ; sur la triade *memoria, ratio, ingenium*, cf. GUILLAUME DE CONCHES, *Gl. sup. Boet.* I, pr. 1, 39-61 (*CCCM* 158, p. 19-20, cité dans Introduction, *supra*, p. 51, n. 2) ; *Drag.* VI, 18, 4-8 (*CCCM* 152, p. 240-243) ; *Gl. sup. Plat.* 15 (*CCCM* 203, p. 28) ; ANONYME, *Ysag. in theol.* I (éd. Landgraf, p. 70) || **9-10 in — cordis :** cf. AUGUSTIN, *Trin.* XV, 10, 18 (*BAug* 16, p. 466-468) ; *De mendacio* 16, 31-32 (*BAug* 2, p. 310-316)

---

12. 5-11 ingenium — repraesentat : *Serm.* 23, 10 (*SC* 207, p. 88-90) ; cf. *Serm.* 17, 10 (*SC* 130, p. 316) || **11-16 non — strepitum :** *Serm.* 23, 11 (*SC* 207, p. 90) || **16-17 quia — preteritum :** Cf. *Serm.* 28, 7 (*SC* 207, p. 156) || **16-21 quia — loquatur :** *Serm.* 23, 12 (*SC* 207, p. 90-92) || **18 simul — semper :** Cf. *Serm.* 9, 1 (*SC* 130, p. 206) ; 22, 23 (*SC* 207, p. 80) ; 23, 9 (*SC* 207, p. 88) ; 23, 14 (*SC* 207, p. 92) ; 24, 8 (*SC* 207, p. 104) ; 29, 2 (*SC* 207, p. 168) ; 34, 14 (*SC* 207, p. 242) ; 35, 4 (*SC* 207, p. 258) ; 36, 2 (*SC* 207, p. 268) ; 42, 17 (*SC* 339, p. 52) ; 43, 1 (*SC* 339, p. 58)

à la raison, elle se tient pour ainsi dire en surplomb des choses présentes et, comme dans la bouche du cœur, ne cesse soit de mâcher ce que les dents de l'entendement saisissent, soit de ruminer ce que lui rendent à nouveau présent les entrailles de la mémoire. Car ce n'est pas continuellement que se présente à nous tout ce que nous savons, ni que s'offre au regard de celui qui sait tout ce qu'il sait. Mais c'est temporairement et partiellement qu'est tiré de la mémoire ce qui était pour ainsi dire mis en réserve, et qu'est formée à l'instant présent dans la bouche du cœur la parole qui retentit au-dehors dans la bouche de chair. Ainsi donc, parce que pour Dieu rien n'est ni futur ni passé, mais que tout est présent d'un coup à son regard, simultanément une seule fois et toujours, tout est dit être dans le Verbe comme lui étant à la fois présent et immuablement éternel ; et par le *logos*, c'est-à-dire par la raison de son esprit, qui s'entretient avec elle-même simultanément une seule fois et toujours, il peut se parler à lui-même. C'est pourquoi toute sa compréhension de toutes choses n'est dite ni mémoire ni entendement, mais verbe. En revanche, dans l'âme, raison, mémoire, entendement sont trois du point de vue de leur exercice, mais un du point de vue de leur essence, et ils sont ce qu'est l'âme elle-même[1].

1. Sur la triade *memoria*, *ratio*, *ingenium*, qu'Isaac utilise aussi dans ses *Sermons* 17 et 23 et dont la source est probablement Guillaume de Conches, voir aussi BUCHMÜLLER, *Monastische Theologie*, p. 382-386, TROTTMANN, *Bernard de Clairvaux*, p. 407-409 et Introduction (*supra*, p. 50-51). ~ L'idée d'une pluralité selon l'exercice *(secundum exercitium)* qui s'accompagne d'une unité selon l'essence *(secundum essentiam)* se trouve aussi en *An.* 13 (*infra*, p. 172) et peut être rapprochée de l'association d'une différence selon les propriétés et d'une identité selon l'essence qu'on trouve en *An.* 5 (*supra*, p. 156-158) et 8 (p. 162, l. 3-5).

13. Sed sicut propter tempus varia sunt exercitia sensus, qui in ipsa anima est unus et quod ipsa anima, ita et propter ea, ad quae cognoscenda exseritur et intendit, multiplex dicitur et multipliciter nuncupatur. Dicitur ergo sensus 1880A corporeus, imaginatio, ratio, intellectus, intelligentia. Haec tamen omnia in anima non aliud sunt quam anima. Aliae et aliae inter se proprietates propter varia exercitia, sed una essentia rationalis et una anima. Sicut enim vita animae qua vivit, non quomodo vivit, nihil aliud est quam anima vivens, sic et quilibet sensus animae quo discit, non quo docetur, non aliud est quam ipsa sentiens, nec voluntas animae, quantum ad facultatem pertinet, aliud esse potest quam ipsa volens.

14. <Sicut ergo sursum versus quinquepertita quadam distinctione mundus iste visibilis gradatur – terra, aqua, aere, aethere sive firmamento, ipso quoque caelo supremo quod empireum vocant – sic et animae in mundo sui corporis peregrinanti quinque sunt ad sapientiam progressus :

13. 4-5 dicitur — intelligentia : Cf. BOÈCE, *Cons.* V, 4, 27-30 (éd. Moreschini, p. 149) ; *I in Isag. Porph.* I, 3 (*CSEL* 48, p. 8) ; *Trin.* 2 (éd. Moreschini, p. 169, l. 79-80) ; HUGUES DE SAINT-VICTOR, *Misc.* I, 15 (*PL* 177, 485B, voir texte traduit *infra*, p. 256-257) ; *Didasc.* II, 3 (éd. Buttimer, p. 25-27)

14. 2-4 terra — vocant : Cf. CALCIDIUS, *In Tim.* 129 (éd. Bakhouche, p. 367) : « Car [Platon] dit que le lieu le plus haut est celui du feu pur ; le lieu de l'éther en est le plus proche, lui dont le corps est également de feu, mais notablement plus dense que ce feu céleste plus élevé ; ensuite on trouve [le lieu] de l'air, puis de la substance humide, que les Grecs appellent *hygra usia* : cette substance humide est un air plus dense, comme l'est cet air que les hommes respirent ; le lieu le plus bas et le plus reculé est celui de la terre. » ; AMBROISE, *Hex.* I, 6, 23 (*CSEL* 32, p. 21)

---

14. 1-6 sicut — intelligentia : *Serm.* 4, 6 (*SC* 130, p. 134)

Sens, imagination, raison, intellect et intelligence

13. Mais tout comme, à cause du temps, les modes d'exercice de la compréhension sont variés – elle qui dans l'âme est une et qui est ce qu'est l'âme elle-même –, ainsi, à cause des objets qu'elle s'emploie et tend à connaître, on la dit multiple et on la nomme de multiples façons. On l'appelle donc sens corporel, imagination, raison, intellect, intelligence[1]. Cependant toutes ces facultés présentes dans l'âme ne sont rien d'autre que l'âme. Les propriétés diffèrent les unes des autres par leurs modes d'exercices variés, mais il n'y a qu'une essence rationnelle et qu'une âme[2]. En effet, de même que la vie de l'âme, par laquelle elle vit – non à la manière de laquelle elle vit –, n'est rien d'autre que l'âme qui vit, de même aussi chaque sens de l'âme par lequel elle apprend – non par lequel elle est instruite –, n'est rien d'autre que l'âme qui sent ; et la volonté de l'âme, pour autant que cela s'applique à la faculté, ne peut être autre que l'âme qui veut.

14. De même donc que ce monde visible s'élève graduellement par la distinction de cinq éléments – terre, eau, air, éther ou firmament, et aussi le plus haut des cieux qu'on appelle empyrée –, de même pour l'âme, pérégrinant dans le monde de son corps, il y a cinq étapes[3] vers la sagesse : sens,

1. Pour cette liste à cinq éléments, voir Introduction (*supra*, p. 52-57) et Note complémentaire (*infra*, p. 255-267).

2. Voir aussi *An.* 5 (*supra*, p. 156-158), 8 (p. 162, l. 3-5) et 12 (p. 170, l. 22-24).

3. Sur les mots *progressus* ou *progressio* utilisés ici, inspirés probablement de Hugues de Saint Victor, voir Note complémentaire (*infra*, p. 257-258 et 265-266).

1880B sensus, imaginatio, ratio, intellectus, intelligentia.› Quinque etenim progressionibus rationabilitas exercetur ad sapientiam, sicut quatuor affectus ipse ad caritatem, quatinus in novem istis progressibus in semetipsa proficiens anima sensu 10 et affectu quasi internis quibusdam pedibus quae spiritu vivit spiritu ambulet usque ad cherubim et seraphim, id est plenitudinem scientiae et rogum caritatis habeatque in se anima per exercitium virtutes, quarum per naturam habet facultates, quatinus sicut caelum dicitur quoniam sedes est 15 sapientiae[a], sic suis in se quasi caelestibus et ornetur ordinibus et ordinetur virtutibus. Facile autem vacanti erit hos 1880C progressus nominibus et ordinibus comparare angelorum.

15. ‹Sensu igitur corpora percipit, imaginatione corporum similitudines, ratione vero corporum dimensiones et similia : primum videlicet incorporeum ad subsistendum tamen indigum corpore ac per hoc loco et tempore. Intellectu f. 63r 5 quidem, super omne quod corpus est vel | corporis vel ullo modo corporeum, spiritum creatum, qui ad subsistendum non eget corpore ac per hoc nec loco, sed sine tempore esse minime possit, cum naturae mutabilis sit. Intelligentia denique utcumque et quantum naturae creatae fas est,

11-12 id — scientiae : Cf. ORIGÈNE, *Commentaire sur le Cantique* II, 8, 15 (éd. Brésard *et al.*, *SC* 375, 1991, p. 414, l. 3-4)

6-16 quinque — virtutibus : Cf. *Serm.* 5, 23 (*SC* 130, p. 160) ; 10, 4 (*SC* 130, p. 222) || **9-10 sensu — pedibus :** Cf. *Serm.* 10, 1 (*SC* 130, p. 220) || **16-17 facile — angelorum :** Cf. *Serm.* 45, 22 (*SC* 339, p. 112-114)

15. **3 incorporeum** *om. O* || **7-8 esse minime** *OM* : *tr. CSPA* esse non *G*

14. a. Cf. Pr 12, 23 (LXX) ; Is 66, 1 ; Ac 7, 49

1. Voir *An.* 11 (*supra*, p. 166-168).

2. Sur les « pieds » de l'âme, voir BOQUET, *Affect*, p. 159-161.

3. Isaac reprend ici le dicton *anima iusti sedes est sapientiae*, issu de la traduction latine de Pr 12, 23 (LXX) et transmis par les Pères, en

imagination, raison, intellect, intelligence. Et de fait la rationalité est exercée à la sagesse en cinq étapes, comme l'affect l'est à la charité en quatre étapes[1] ; ainsi l'âme, progressant en elle-même en ces neuf étapes par la compréhension et l'affect, comme mue de l'intérieur par des pieds[2], elle qui vit par l'esprit, marchera par l'esprit jusqu'aux chérubins et aux séraphins, c'est-à-dire jusqu'à la plénitude de la connaissance et jusqu'au feu brûlant de la charité ; de la sorte, l'âme possédera en elle, par exercice, les vertus dont par nature elle a les facultés : de même qu'on l'appelle ciel car elle est le trône de la sagesse[a3], de même l'âme sera ornée en elle-même par des ordres quasi célestes et ordonnée par ses vertus. Il sera d'ailleurs facile à qui en aura le loisir de comparer ces étapes aux noms et aux ordres des anges[4].

15[5]. Par le sens, donc, l'âme perçoit les corps, par l'imagination les ressemblances des corps, par la raison leurs dimensions et autres choses semblables : il s'agit d'un premier degré de l'incorporel, qui pour subsister a cependant besoin du corps et par conséquent de lieu et de temps. Par l'intellect, l'âme perçoit, au-dessus de tout ce qui est un corps ou du corps, ou en quelque façon corporel, l'esprit créé, qui pour subsister n'a pas besoin de corps, ni par conséquent de lieu, mais qui ne peut se passer du temps puisqu'il est d'une nature soumise au changement. Par l'intelligence enfin, d'une certaine manière et autant qu'il est permis à

---

particulier Augustin : voir A.-M. La Bonnardière, « *Anima iusti sedes sapientiae* dans l'œuvre de saint Augustin », dans J. Fontaine – C. Kannengiesser (éd.), Epektasis : *Mélanges patristiques offerts au cardinal Jean Daniélou*, Paris 1972, p. 111-120.

4. Cette comparaison est développée dans le *De spiritu et anima* 5 (*PL* 40, 782-783).

5. Voir aussi *An.* 18 (*infra*, p. 178, l. 3-6) ; 24 (p. 190) ; 25 (p. 192-194) ; 28 (p. 198) ; 31 (p. 202, l. 4-9).

super quam solus sit creator, immediate cernit ipsum solum summe et pure incorporeum, quod nec corpore ut sit nec loco ut alicubi nec tempore ut aliquando eget.›

16. De sensu. Sensus igitur terrae comparatur : corpus etenim non transcendit. Corpus autem omne pro terra habendum est. Est igitur sensus ea animae vis qua rerum corporearum corporeas formas percipit et praesentes. Qui corporeus, cum tamen non sit corpus, dicitur, quia corpus, ut dictum est, non transcendit vel quia corporeis exercetur instrumentis ; unde et ob numerum instrumentorum quinquepertitus dicitur, cum sit tamen intus non nisi unus. Sicut enim in lutere aqua recepta per plurima foramina radios emittit varios et pro qualitate et positione foraminum difformes, cum tamen intus una sit et uniformis, sic sensus interior unus et uniformis pro qualitate et positione instrumentorum variatur et ad diversa viget. Intus enim nec solum in phantastico animae, quod est infimum spiritus, verum etiam in spiritu pecorum, qui est supremum corporis, visus auditus olfactus gustus et tactus simul sunt, qui in instrumentis, ut dictum est, diversis diversa agunt.

15. 1-12 Cf. AUGUSTIN, *Ep.* 18, 2 (*CSEL* 34, p. 45)

15. 1-12 *Serm.* 4, 7-8 (*SC* 130, p. 134)

16. **1 de sensu** *M* : *om. cett.*

1. Il s'agit sans doute pour Isaac d'un terme technique renvoyant à une partie du cerveau, la *cella phantastica*, instrument de l'imagination localisé dans le front. Elle est notamment mentionnée chez le physicien THIERRY DE CHARTRES, *Commentum super Boethii librum De Trinitate* II, 4 (éd. N. M. HÄRING, Toronto 1971, p. 69, l. 42 et 59) ; *Glosa super Boethii librum De Trinitate* II, 9 (éd. N. M. HÄRING, Toronto 1971, p. 270, l. 51) ; GUILLAUME DE CONCHES, *Philosophia mundi* IV, 21 (éd. G. MAURACH, Pretoria 1980, p. 106-107) ; *Drag.* VI, 19, 5 (*CCCM* 152, p. 245, l. 45-46 : *phantasticam cellulam,* trad. dans M. LEMOINE, C. PICARD-PARRA [éd.], *Théologie et cosmologie au XIIe siècle*, Paris 2004, p. 100) ; voir aussi

une nature créée que seul surpasse le Créateur, l'âme voit sans médiation le seul suprêmement et purement incorporel, qui n'a besoin ni de corps pour exister, ni de lieu pour être en un certain endroit, ni de temps pour être à un certain moment.

Les sens corporels

16. Le sens est donc comparable à la terre : il ne va pas, en effet, au-delà du corps ; or tout corps est à considérer comme terre. Le sens est donc cette force de l'âme par laquelle elle perçoit, en leur présence, les formes corporelles des choses corporelles. On appelle le sens 'corporel', bien qu'il ne soit pas un corps, parce que, comme on vient de le dire, il ne va pas au-delà du corps, ou bien parce qu'il est exercé par des moyens corporels ; de là vient qu'en raison du nombre de ces moyens, on le dit aussi quintuple, alors même qu'à l'intérieur il est tout un. De même, en effet, que l'eau recueillie dans un bassin s'échappe par de nombreuses ouvertures, en jets divers et inégaux selon la nature et la place de ces ouvertures, tout en étant à l'intérieur du bassin une et homogène, ainsi le sens intérieur, un et homogène, varie selon la nature et la place de ses moyens et exerce sa force sur des objets divers. Intérieurement en effet, non seulement dans le phantastique de l'âme[1], qui est le plus bas degré de l'esprit, mais aussi dans l'esprit des bêtes, qui est le degré le plus haut du corps, on trouve ensemble la vue, l'ouïe, l'odorat, le goût et le toucher qui, comme il a été dit, par des moyens divers ont des activités diverses.

Gl. sup. Boet. I, pr. 1 (p. 19-20) cité dans l'Introduction (*supra*, p. 51, n. 2) ; HUGUES DE SAINT-VICTOR, *Vn. spir. et corp.* (p. 886, l. 111.113 : *phantastica cella*). Chez Isaac, on trouve le substantif *phantasticum* en *Serm.* 55, 15 (*SC* 339, p. 274, l. 128), pour désigner la partie inférieure de l'âme raisonnable, et dans cette *Lettre* à quatre reprises : outre cette occurrence, *An.* 19 (*infra*, p. 180, l. 12) ; 21 (p. 184, l. 9-10) ; 37 (p. 214, l. 2). Cf. PALMÉN, *Imagination*, p. 39-49.

17. Ignis enim micat in oculis, qui et positione igni et compositione congruunt luci. Aer vero subtilis purus ignique contiguus sonat in auribus, congruentibus positione aeri, compositione sonoritati. Cetera in ceteris patent. Nam cras-
5 sus iste et fumosus quodammodo aer odoribus foetoribusve affectus naribus et aqua palato sapit. Terra autem solidatur in tactu, maxime tamen pedum et manuum, quibus magis terram tractamus. Ceterum, quoniam corpus animalis maxime terrena materies est, ubique in eo viget tactus ubi
1881B 10 spiritus. De sensu ergo oritur imaginatio et secundum eius diversitates ipsius quoque variatio.

18. De imaginatione. Imaginatio autem ea vis animae est quae rerum corporearum corporeas percipit formas, sed absentes. Sensus vera corpora per praesentes ipsorum qualitates veras percipit : varie, ut dictum est, varias. Imaginatio
5 vero ipsorum verorum tantum similitudines et imagines, unde et imaginatio nominatur. Quae cum non sint vera corpora nec verae corporum qualitates, elongatio quaedam et evaporatio a corporeis est imaginatio, nec tamen ad incorporeum perventio : extremus spiritus corporei conatus, sed
10 non ad incorporeum perventus.

17. 1-8 **ignis — tractamus :** Cf. Augustin, *Gen. ad litt.* XII, 16, 32 (*CSEL* 28.1, p. 401)

---

17. 10 **ergo :** igitur *O*
18. 1 **de imaginatione** *M* : *om. cett.* || 9 **perventio :** perventus *O*

17. Ainsi le feu brille dans les yeux qui sont adaptés au feu par leur place et à la lumière par leur constitution. Pour sa part, l'air, subtil, pur et contigu au feu, résonne dans les oreilles, adaptées à l'air par leur place et à la perception du son par leur constitution. Pour les autres sens, les autres ressemblances sont évidentes. Ainsi l'air qu'on pourrait dire épais et enfumé, chargé de senteurs et de puanteurs, est senti par les narines ; quant à l'eau, elle est goûtée par le palais. La terre, on en éprouve la consistance par le toucher, toutefois principalement avec les pieds et les mains, par lesquels nous sommes davantage en contact avec elle. Du reste, puisque le corps d'un animal est principalement une matière terrestre, en lui le toucher exerce sa force partout où se trouve l'esprit. Du sens donc naît l'imagination et aussi, du fait des différences entre perceptions sensorielles, sa variété.

L'imagination

18. L'imagination est cette force de l'âme qui perçoit les formes corporelles des choses corporelles, mais en leur absence. Le sens perçoit les corps véritables par leurs qualités présentes et véritables ; il perçoit de façon variée, comme il a été dit[1], des qualités variées. L'imagination, elle, perçoit seulement les ressemblances et les images de ces corps véritables, d'où son nom d' 'imag-ination'[2]. Comme il ne s'agit pas de véritables corps ni de véritables qualités des corps, l'imagination est une sorte d'éloignement et d'évaporation loin des choses corporelles, sans pour autant parvenir à l'incorporel : elle est l'effort ultime d'un esprit corporel, mais qui ne parvient pas à l'incorporel.

1. Cf. *An.* 16 (*supra*, p. 176, l. 12-13).

2. Voir aussi *An.* 15 (*supra*, p. 174, l. 1-2) ; 24 (*infra*, p. 190, l. 1-2) ; 25 (p. 192, l. 7-10) ; 31 (p. 202, l. 4-6).

1881C **19.** Impossibile etenim est quod corpus est in spiritum adtenuari vel quod spiritus est in corpus crassari. Omne enim *quod natum est ex carne* semper per naturam et essentiam *caro est, et quod natum est ex spiritu* similiter *spiritus est*[a].
5 Sunt tamen utriusque quaedam similia, corporis videlicet supremum et spiritus infimum, in quibus sine naturarum
f. 63v confusi|one personali tamen unione facile necti possunt. Similia enim gaudent similibus et facile cohaerent adnexione quae non resiliunt dissimilitudine. Itaque anima, quae vere
10 spiritus est et non corpus, et caro, quae vere corpus est et non spiritus, facile et convenienter in suis extremitatibus uniuntur, id est in phantastico animae, quod fere corpus est, et sensualitate carnis, quae fere spiritus est. Sicut enim
1881D supremum animae, id est intelligentia sive mens, de qua
15 post dicetur, *imaginem et similitudinem*[b] sui gerit superioris, id est Dei, unde et eius susceptiva fore potuit et ad unionem personalem etiam, quando ipse voluit, absque ulla demutatione naturae fuit, sic et supremum carnis, id est sensualitas, animae gerens imaginem, cur ad personalem
20 unionem eius non suscipiat essentiam ? Nonne in sensu et memoria pecudis quaedam est imitago rationabilitatis et in appetitu voluntatis et in his quae refugit reprobationis ?

19. Cf. HUGUES DE SAINT-VICTOR, *Vn. spir. et corp.* (éd. Piazzoni, p. 883-888) || **19-21 imaginem — imitago** : Cf. GUILLAUME DE CONCHES, *Gl. sup. Boet.* I, pr. 1, l. 262-265 (*CCCM* 158, p. 28-29) ; III, pr. 1, l. 44-45 (*CCCM* 158, p. 129-130) : « L'image *(imago)* est dite, pour ainsi dire, imitation *(imitago)* : la chose est imitée par une certaine ressemblance mais ce n'est pas la chose elle-même. »

19. **18 demutatione :** diminutione *O* || **21 imitago** *O P*[ac] *A* : imitatio *M* imago *CS GP*[pc]

19. a. Jn 3, 6 b. Gn 1, 26

19. En effet, il est impossible que ce qui est corps soit allégé jusqu'à devenir esprit, ni que ce qui est esprit soit épaissi jusqu'à devenir corps, car tout *ce qui est né de la chair est* toujours *chair* par nature et par essence, *et* semblablement *ce qui est né de l'esprit est esprit*[a]. Il y a cependant des aspects du corps et de l'esprit qui se ressemblent : ce qui est supérieur dans le corps et ce qui est inférieur dans l'esprit, où ils peuvent facilement être liés et s'unir en une personne, mais sans confusion des natures[1]. Les choses qui sont semblables se plaisent entre elles et celles qui ne s'éloignent pas par leur dissemblance s'associent facilement par un lien. C'est pourquoi l'âme, qui est véritablement esprit et non corps, et la chair, qui est véritablement corps et non esprit, sont unies facilement et harmonieusement en leurs extrêmes, à savoir dans le phantastique[2] de l'âme, qui est presque corps, et dans la sensibilité de la chair, qui est presque esprit[3]. En effet, ce qui est le plus haut dans l'âme, c'est-à-dire l'intelligence ou l'esprit *(mens)*, dont il sera question plus loin, porte *l'image et la ressemblance*[b] de celui qui est plus haut qu'elle, à savoir Dieu – ce qui l'a rendue capable de le recevoir à l'avenir et ce qui lui a même permis, quand il l'a voulu, de s'unir à lui en une personne sans aucun changement de nature. Pourquoi donc ce qui est le plus haut dans la chair, c'est-à-dire la sensibilité, qui porte de même l'image de l'âme, ne recevrait-il pas l'essence de l'âme pour s'unir à elle en une personne ? N'y a-t-il pas d'une certaine façon, dans la sensation et la mémoire de l'animal, une imitation de la rationalité, dans son désir une imitation de la volonté et dans ses répulsions une imitation de la désapprobation ? L'esprit corporel donc,

1. Isaac emploie ici une terminologie christologique ; voir aussi l. 17-18.
2. Cf. *supra*, p. 176, n. 1.
3. Voir *An.* 21 (*infra*, p. 184) ; 37 (p. 214, l. 1-4) ; cf. *An.* 8 (*supra*, p. 162, l. 1-3).

Spiritus igitur corporeus, qui utique vere est corpus, et sensu naturali inter multa discernit, et concupiscibilitatis vi eligit,
25 et irascibilitatis natura reprobat.

1882A **20.** Verumtamen cum haec iumentis non desint, quae supra corpoream naturam omnino nihil habere putantur, rationali tamen animae compositione sui humani corporis habitaculum mage congruit, quasi rationabilibus et harmo-
5 nicis eius motibus seu numeris summi citharistae plectro obtemperatum et consonum, sicut scriptum est : *Sapientia aedificavit sibi domum et excidit columnas septem*[a]. Sententia etenim ista, licet anagogice mentis rationalis, quae habitatio et domus divinitatis dicitur, naturalem tangat creationem,
10 allegorice autem Ecclesiae spiritualem aedificationem, historialiter tamen, et quasi in fundamento, capitis humani, quod sedes est animae et domus quodammodo rationis, intimat compagem. Caput siquidem, quod ipse melius nosti, qui in
1882B physica emines, sex ossibus compaginatum septem columnis
15 colli sustentatur. De compositione igitur corporis humani si nobis diligentem epistolam scribere non fueris dedignatus, forsan auctore Deo quomodo quasi instrumentum operationis et delectationis illud anima et libenter suscipiat et sollicita custodiat et invita dimittat et dimissum desidera-
20 bunda exspectet et in recepto gratulabunda exsultet, sicut est apud Iohannem *citharedorum citharizantium in citharis suis*[b], a nobis aliquod rescriptum recipies.

20. 11-12 quod — rationis : Cf. Calcidius, *In Tim.* 213 (éd. Bakhouche, p. 440) || **13-15 caput — sustentatur** : Cf. Cassiodore, *An.* 11 (*CCSL* 96, p. 556, l. 3-5 et p. 558, l. 83-84)

23 **utique** *om. O*
20. 2 **corpoream naturam** *tr. O*

20. a. Pr 9, 1 b. Ap 14, 2

qui assurément est vraiment corps, discerne par une compréhension naturelle entre de nombreuses choses et, tout à la fois, choisit par la force de sa concupiscibilité et désapprouve par la nature de son irascibilité.

20. Certes, ces capacités ne font pas défaut aux bêtes de somme, dont on pense qu'elles n'ont absolument rien en sus de leur nature corporelle ; cependant, le corps humain est une demeure bien plus adaptée, par sa composition, à l'âme rationnelle, comme si, grâce à des mouvements et mesures rationnels et harmonieux, il se trouvait bien tempéré et accordé au plectre du Cithariste Suprême, selon ce qui est écrit : *La Sagesse s'est bâti une demeure et elle a dressé sept colonnes*[a]. Certes cette phrase, du moins selon le sens anagogique, a trait à la création naturelle de l'esprit rationnel, qu'on appelle séjour et demeure de la divinité, et, selon le sens allégorique, à l'édification spirituelle de l'Église ; mais selon le sens historique et pour ainsi dire fondamentalement, elle évoque la structure de la tête de l'homme, qui est siège de l'âme et d'une certaine façon demeure de la raison. La tête, structurée par six os, est soutenue par les sept colonnes du cou – toi qui te distingues en médecine, tu le sais mieux que moi[1]. Si donc tu ne dédaignes pas de nous écrire une lettre détaillée sur la composition du corps humain, peut-être avec l'aide de Dieu recevras-tu de nous quelque réponse sur la façon dont l'âme reçoit volontiers le corps comme l'instrument de son activité et de son plaisir, dont elle le garde avec sollicitude, le quitte à regret, l'attend pleine de désir après l'avoir quitté et exulte, pleine de gratitude, quand elle le retrouve, comme il est dit chez Jean *des joueurs de cithare jouant de leurs cithares*[b2].

1. Voir Introduction (*supra*, p. 40-42) et *An.* 21 (*infra*, p. 184, l. 2).
2. Voir Hicks, *Composing the World*, p. 140-145 ; Introduction (*supra*, p. 56).

21. Interim ergo prosequamur inceptum, et de corpore quidem et anima contrariis, ut dixisti, naturis quomodo conveniant et simul esse possint haec dicta sufficiant. Per
1882C duas etenim convenientissimas medietates facile et firme
5 duae dissidentes extremitates necti possunt, quod in magni, ut quidam dicunt, animalis, id est mundi huius, fabrica cernere facile est. Convenientissima autem media sunt animae et carnis, iuxta quod dictum est et multiplicius assignari
f. 64r pos|set, sensualitas carnis, quae maxime ignis est, et phantas-
10 ticum spiritus, quod igneus vigor dicitur. « Igneus est – ait quidam de animabus loquens – illis vigor et caelestis origo. »

22. Hic fortasse dicet aliquis : si per sensualitatem illam, quae spiritus corporeus est, inest anima corpori, quare post ipsius discessum eo spiritu, qui utique vita est, non vivit corpus ? Ad quod dicimus : dum illius sensualitatis
1882D 5 integritas et temperantia congruens vivificationi manserit, numquam recedere animam ; cum autem distemperata et dirupta, invitam recedere, secum omnia sua ferre, sensum videlicet et imaginationem rationem intellectum intelligentiam concupiscibilitatem irascibilitatem, et ex his
10 secundum merita affici ad delectationem sive ad dolorem ; corpus autem tamquam organum, quod prius integrum contemperatum et dispositum, ut melos musicum in se

21. **5-6 magni — fabrica :** Cf. PLATON, *Tim.* 30b, tr. CALCIDIUS (éd. Bakhouche, p. 158, l. 21) || **10-11 igneus — origo :** VIRGILE, *Aen.* VI, 730 (*CUF*, t. 2, p. 70)

---

21. **5-6 magni — fabrica :** Cf. *Serm.* 32, 12 (*SC* 207, p. 212) || **10-11 igneus — origo :** Cf. *Serm.* 55, 10 (*SC* 339, p. 270)

---

22. **7 dirupta :** fuerit *add. a sec. m. O*[sl]

21. En attendant, poursuivons donc ce que nous avons commencé. Pour ce qui est du corps et de l'âme, natures, comme tu l'as dit, contraires, sur la manière dont ils s'accordent et sur la manière dont ils peuvent coexister, que suffise ce que nous avons dit. En effet, par deux intermédiaires en parfait accord, deux extrêmes opposés peuvent facilement et fermement être liés, ce qu'il est aisé de voir dans la construction du grand être animé, comme certains l'appellent, c'est-à-dire de ce monde. Il y a donc entre l'âme et la chair des intermédiaires en parfait accord, selon ce qui a été dit[1] et qui pourrait être indiqué de multiples manières encore : la sensibilité de la chair qui est principalement feu et le phantastique[2] de l'esprit, qui est dit vigueur de feu. Un auteur dit à propos des âmes que leur « vigueur est de feu et leur origine céleste ».

22. Ici peut-être quelqu'un dira : si l'âme est dans le corps par cette sensibilité qui est esprit corporel, pourquoi, après le départ de l'âme, le corps ne vit-il pas par cet esprit, qui assurément est vie ? Ce à quoi nous répondons : tant que l'intégrité de cette sensibilité et l'équilibre adapté à la circulation de la vie demeureront, jamais l'âme ne partira du corps ; mais lorsque cet équilibre a été rompu et cette intégrité disloquée, l'âme se retire du corps à regret et emporte avec elle tout ce qui lui appartient : sens, imagination, raison, intellect, intelligence, concupiscibilité et irascibilité ; et à partir de ces facultés, en fonction des mérites, elle est affectée vers le plaisir ou vers la douleur. Quant au corps, comme un instrument auparavant intact, bien accordé et

1. Cf. *An.* 19 (*supra*, p. 180, l. 9-13) et *An.* 37 (*infra*, p. 214, l. 3).
2. Cf. *supra*, p. 176, n. 1.

continereret et tactum resonaret, nunc confractum et inutile e regione iacere ; perisse quidem organum sed non perisse
15 melos sive cantum, nisi tantum sonum cantum putaveris. Neque enim anima, quae corpus non est, localis esse potest nec localiter accedere inhabitare vel recedere, sed sicut in
1883A organo musico seu antiphonario folio cantus inest sive melos musicum dum cordae seu notulae congrue dispositae sunt,
20 cum autem disponuntur accedit, cum confunduntur discedit, ita et animae est ratio cum suo corpore. Et si quaeris ubi sit anima post corpus, quaero ubi sit cantus post folium aut post sonum, ubi sit sensus post verbum, ubi sententia post versum, ubi numerus post numeratum. Pone quatuor
25 lapillos et tres, et sunt septem. Aufer illos : nonne tria et quatuor sunt septem ? Numerabilia ergo vel numerata, si placet, quasi quoddam corpus sunt numeri, et sententiae versus, sensus vero sermo, et cantilenae modulatio vocis. Quibus omnibus quasi corporibus tenentur incorporea,
30 interdum autem accedunt, nonnumquam vero recedunt.

1883B **23.** Sed dices istam similitudinem magis convenire Deo, qui pure et omnino incorporeus est, qui in omnibus in semetipso est, quam animae. Et esto. Ego autem, ut praefatus sum, certius aliquid philosophari queo de Deo quam

22. 11-21 GRÉGOIRE DE NYSSE, *Creat. hom.* 12, 161, trad. JEAN SCOT, *De imagine* 12, 8 (*CCCM* 167, p. 97, l. 112-125) || **16-17 neque — recedere :** AUGUSTIN, *Imm. an.* 16, 25 : *tota sentit in singulis,* « l'âme sent tout entière ce qui se passe en chaque point [du corps] » (*BAug* 5, p. 218, l. 16) ; *Ep.* 166, 2, 4 (*CSEL* 44, p. 550-553) ; CLAUDIEN MAMERT, *St. an.* I, 17 (*CSEL* 11, p. 62-64) et III, 2 (p. 155)

25 sunt : fiunt *O* || **27 sunt** *M P A* : sint *O om. CS G*

1. Pour l'analyse de ce paragraphe, où Isaac compare l'âme à une mélodie pour montrer son immortalité, voir HICKS, *Composing the World*, p. 140-145 et Introduction (*supra*, p. 56, n. 3).

bien réglé de façon à contenir en lui la mélodie musicale et, quand on le touche, faire entendre des sons, tout au contraire il reste désormais à terre, brisé et inutile. L'instrument certes a péri, mais la mélodie ou le chant n'ont pas péri – sauf si tu penses que le chant n'est que son. L'âme, en effet, qui n'est pas corps, ne peut être assignée à un lieu, ni ne peut s'approcher [du corps], y demeurer ou s'en éloigner de façon localisée. Mais il en va comme dans un instrument de musique ou sur un feuillet d'antiphonaire : le chant ou la mélodie musicale sont présents tant que les cordes sont ajustées et les notes correctement disposées. Quand notes et cordes sont bien disposées, le chant arrive ; quand elles sont en désordre, il s'en va : ainsi en est-il du rapport de l'âme avec son corps. Et si tu demandes où est l'âme séparée du corps, moi je demande où est le chant séparé du feuillet ou du son, le sens séparé du mot, l'affirmation séparée de la ligne, le nombre séparé de ce qu'il dénombre. Pose quatre cailloux puis trois, cela fait sept. Enlève-les : est-ce que trois plus quatre ne font pas toujours sept ? Les choses que l'on peut dénombrer ou, si tu préfères, celles que l'on a dénombrées, sont en quelque sorte le corps du nombre, et la ligne celui de l'affirmation, le mot proféré celui du sens, la modulation de la voix celui du chant. Les réalités incorporelles se lient à toutes ces choses qui leur tiennent lieu de corps : parfois elles y entrent, parfois elles s'en vont[1].

23. Mais tu diras que cette comparaison, mieux qu'à l'âme, convient à Dieu, lui qui est purement et totalement incorporel, qui en toutes choses est en lui-même. Soit. Quant à moi, comme je l'ai dit[2], je peux tenir un propos philosophique sur Dieu avec plus de certitude – et plus de facilité –

2. Cf. *An.* 2 (*supra*, p. 152, l. 1-3).

5 de anima et de anima quam de corpore et facilius. Anima tamen *imaginem et similitudinem*[a] habet divinitatis, unde et ei natura similis sit omnino necesse est. Deus ergo ubique est in semetipso, anima autem ubicumque est quodammodo in semetipsa. Ac per hoc ibi est anima post corpus, ubi erat 10 agens in corpore. Ibi Deus est modo ubi fuit antequam mundum faceret, ubi etiam foret si mundus esse desineret. Deus autem infinitus est et incircumscriptus ; ideoque cum 1883C sit in semetipso, ubique esse dicitur. Anima autem neutrum, et ideo, cum sit in semetipsa, et finita et circumscripta esse 15 dinoscitur. Neutrum tamen loco, sed naturalibus potentiis f. 64v et viribus. | Potentiae autem eius naturales et vires idem sunt quod ipsa. Essentia ergo ipsa finita est et circumscripta, unde et cum alicubi esse dicitur, alias esse negatur. Est quo tenus potest, supra quod nihil potest ; Deus autem omnipotens 20 est. Invisibilis itaque et illocalis anima manet et videtur in corpore per corpus, sicut sensus in littera manet et videtur per litteram ; et omnino invisibilis Deus est : in omni creatura et per creaturam ipsam videtur ab his qui oculos videndi habent[b]. Videbitur autem plenius et perfectius oculis

23. **5 et[1]** : etiam *O* || **10 fuit** *O CS* : erat *M GPA* || **16 naturales et** *tr. O*

23. a. Gn 1, 26 b. Cf. Mc 4, 9 ; 8, 18 ; Mt 11, 15 ; 13, 9

1. Voir L. VALENTE, « *Deus est ubique, ergo alicubi ?* Ubiquité et présence de Dieu dans le monde au XIIe siècle », dans T. SUAREZ-NANI – O. RIBORDY – A. PETAGINE (éd.), *Lieu, espace et mouvement : Physique,*

que sur l'âme, et sur l'âme que sur le corps. Cependant l'âme possède *l'image et la ressemblance*[a] de la divinité, d'où il s'ensuit que, nécessairement, elle lui est aussi tout à fait semblable par nature. Dieu donc est partout en lui-même ; mais l'âme, partout où elle est, est en elle-même dans une certaine mesure. Par conséquent, l'âme, une fois séparée du corps, se trouve là où elle était lorsqu'elle agissait dans le corps. Dieu est maintenant là où il fut avant d'avoir créé le monde, là où il serait encore si le monde cessait d'exister. Or Dieu est infini et sans limites : c'est pourquoi, bien qu'il soit en lui-même, on dit qu'il est partout[1]. Mais l'âme n'est ni infinie ni sans limites : c'est pourquoi, bien qu'elle soit en elle-même, on reconnaît qu'elle est finie et délimitée. Ce n'est pas par le lieu qu'elle l'est, mais par ses puissances naturelles et ses forces. Car ses puissances naturelles et ses forces sont la même chose qu'elle-même. Par son essence donc, l'âme est finie et limitée : de ce fait, lorsqu'on dit qu'elle est quelque part, on nie qu'elle soit ailleurs. Elle est jusqu'au point où elle a une puissance ; au-dessus de ce point, elle n'en a aucune ; Dieu, au contraire, est tout-puissant. Donc l'âme demeure invisible et non localisable[2], mais elle est vue dans le corps à travers le corps, comme le sens demeure dans la lettre et est vu à travers la lettre. Quant à Dieu, qui est totalement invisible, il est vu en toute créature et à travers la créature elle-même, par ceux qui ont des yeux pour voir[b]. Mais il sera vu plus pleinement et plus parfaitement par les

---

Métaphysique et Cosmologie (XIIe-XVIe siècles), Actes du colloque international, Université de Fribourg (Suisse), 12-14 mars 2015, Textes et Études du Moyen Âge 86, Turnhout 2017, p. 17-38.

2. Voir l'apparat des sources, sur *An.* 22, l. 16-17 (*supra*, p. 186).

25 spiritualibus ac novis in *caelo novo et terra nova*[c]. Vniversitas
1883D etenim creaturae quasi corpus est divinitatis, singulae autem quasi singula membra. Sicut vero Deus in toto et in singulis totus sed in semetipso, sic et anima in toto suo corpore et in singulis membris in semetipsa tota. Deus autem veraciter,
30 anima quidem ad similitudinem illius veritatis. Cum igitur anima, prout dictum est, incorporea sit ac per hoc illocalis, ea tamen parte qua dicta est fere corporea, ferme quoque localis invenitur.

24. Hinc ergo sicut sensu circa corpora, sic imaginatione circa corporum similitudines versatur ac locorum, et in eis sive vigilans sive dormiens, sive alienata a sensibus ad horam sive prorsus abrupta, sive per se sive per operationem alterius
5 spiritus boni aut mali, agere aliquid aut pati sibi videtur.
1884A Neque quantum ad sensum adtinet supra corpus neque per imaginationem supra corporeas similitudines umquam sive in corpore sive extra corpus transcendere poterit, quippe quae has vires non nisi ad haec exercitia suscepit. His igitur
10 nec Deum supra se nec angelum iuxta se nec seipsam in se nec corporum etiam incorporeas formas sub se aut vidit aut videbit.

Superest ergo ratio, tertius, ut dictum est, animae ad sapientiam progressus.

27-29 sicut — tota : Cf. Augustin, *Imm. an.* 16, 25 (*BAug* 5, p. 218, l. 16) ; *Ep.* 166, 2, 4 (*CSEL* 44, p. 550-553) ; Claudien Mamert, *St. an.* I, 17 (*CSEL* 11, p. 62-64) ; III, 2 (p. 155)

24. 1 sicut — corpora : Cf. Aristote, *Cat.* 7, 7b 35 (*CUF*, p. 35, l. 39-40 ; *Aristoteles Latinus* I, p. 21, l. 19-20) : *sensus enim circa corpus et in corpore sunt*

---

24. 2-3 et — dormiens : Cf. *Serm.* 55, 15 (*SC* 339, p. 274) || **10-11 Deum — se :** Cf. *Serm.* 55, 11 (*SC* 339, p. 272)

---

25 et : ac *O* || **28 toto suo** *tr.* *O*

yeux spirituels et nouveaux *dans le ciel nouveau et la terre nouvelle*[c]. Car l'ensemble de la création est comme le corps de la divinité, chaque créature en est comme un membre singulier. De même que Dieu est en tout, tout entier en chaque chose, mais demeure en lui-même, de même l'âme est dans tout son corps et en chacun de ses membres tout entière en elle-même. Mais c'est en vérité que Dieu est ainsi, tandis que l'âme ne l'est qu'à la ressemblance de cette vérité. Alors donc que l'âme, ainsi qu'il a été dit[1], est incorporelle et de ce fait non localisable, cependant elle est aussi trouvée presque localisable, par cette partie qui la fait dire presque corporelle.

24. Ainsi donc, de même que par le sens l'âme se trouve confrontée à des corps, de même par l'imagination elle se trouve confrontée à des ressemblances de corps et de lieux ; et en ces ressemblances, qu'elle veille ou qu'elle dorme, qu'elle ait perdu les sens pour un instant ou en ait été complètement détachée, soit par elle-même, soit par l'action d'un autre esprit bon ou mauvais, il lui semble faire ou subir quelque chose. Et pour ce qui relève du sens, elle ne pourra jamais s'élever au-delà du corps, ni, par l'imagination, au-delà des ressemblances corporelles, que ce soit dans le corps ou hors du corps, elle qui n'a reçu ces forces que pour les exercer ainsi. Par ces [forces] donc, elle n'a vu ni ne verra Dieu au-dessus d'elle, ni un ange au même niveau qu'elle, ni elle-même en elle, non plus que les formes incorporelles des corps en dessous d'elle.

Il reste donc la raison, troisième étape de l'âme vers la sagesse, comme il a été dit[2].

c. Ap 21, 1 ; cf. Is 65, 17 ; Is 66, 22 ; 2 P 3, 13

1. Cf. *An.* 22 (*supra*, p. 186, l. 15-17).
2. Cf. *An.* 14 (*supra*, p. 172-174, l. 5-6) ; 15 (p. 174-176) ; 18 (p. 178, l. 3-6) ; 25 (*infra*, p. 192-194) ; 28 (p. 198) et 31 (p. 202, l. 4-9).

25. De ratione. Ratio itaque ea vis animae est quae rerum corporearum incorporeas percipit formas. Abstrahit enim a corpore quae fundantur in corpore non actione sed consideratione et, cum videat ea actu non subsistere nisi in
5 corpore, percipit tamen ea corpus non esse. Nempe natura ipsius corporis, secundum quam omne corpus corpus est,
1884B utique nullum corpus est. Nusquam tamen subsistit extra corpus nec invenitur natura corporis nisi in corpore, quae tamen invenitur corpus non esse nec corporis similitudo;
10 unde nec sensu nec imaginatione percipitur. Percipit itaque ratio quod nec sensus nec imaginatio, rerum videlicet corporearum naturas, formas, differentias, propria, accidentia : omnia incorporea, sed non extra corpora nisi ratione subsistentia. Non enim inveniuntur secundae substantiae
15 subsistere nisi in primis; quantominus quorum est esse in subiecto aliquo esse ! Haec sunt igitur quae superius primum

25. 14-15 non — primis : Cf. ARISTOTE, *Cat.* 5 (*Aristoteles Latinus*, p. 7, l. 10 – p. 8, l. 15) ; BOÈCE, *In Cat.* (*PL* 64, 181D-186B)

25. 14-15 non — primis : Cf. *Serm.* 19, 14 (*SC* 207, p. 32) : « Toute substance, c'est-à-dire toute réalité existant par soi *(res per se existens)*, est donc ou bien première ou bien seconde. Mais notons cette différence : la première subsiste à la fois par soi et en soi *(per se et in se)*, tandis que la seconde subsiste bien par soi, mais non en soi. Car la substance seconde n'existe jamais que dans la première. » ; *Serm.* 19, 16 (*SC* 207, p. 32) : « Ainsi donc, de même que la substance seconde ne subsiste que dans la substance première *(nisi in prima)*, de même la première ne subsiste que de la seconde *(nisi de secunda)*. »

25. 1 de ratione *M* : *om. cett.* || **5 tamen ea** *tr. O*

1. Voir aussi *An.* 14 (*supra*, p. 172-174, l. 5-6) ; 15 (p. 174-176) ; 18 (p. 178, l. 3-6) ; 24 (p. 190) ; 28 (*infra*, p. 198) et 31 (p. 202, l. 4-9).

2. Cette liste s'inspire de l'*Isagogè* de Porphyre qui, selon la traduction de BOÈCE (*Aristoteles Latinus* I, 6-7, *Cat. suppl.*, p. 5-31), traite de *genus, species, differentia, proprium, accidens*. Les termes *natura* et *forma* pourraient aussi être rapprochés de *genus* et *species* – *forma* est une autre

La raison

25. La raison donc est la force de l'âme qui perçoit les formes incorporelles des réalités corporelles. Elle abstrait en effet du corps, non par l'action mais par la considération, ce qui a son fondement dans le corps, et bien qu'elle voie que cela ne subsiste en acte que dans le corps, elle perçoit cependant que cela n'est pas corps. Certes la nature du corps lui-même, selon laquelle tout corps est corps, n'est en rien un corps, assurément. Cependant cette nature du corps ne subsiste jamais hors du corps et ne peut être trouvée ailleurs que dans le corps; toutefois on constate qu'elle n'est ni corps ni ressemblance d'un corps : aussi ne la perçoit-on ni par le sens ni par l'imagination[1]. Donc la raison perçoit ce que ne perçoivent ni le sens ni l'imagination, à savoir les natures des choses corporelles, les formes, les différences, les propres et les accidents[2] : tous sont des incorporels, mais qui ne subsistent pas hors des corps sinon par la raison. On ne trouve pas, en effet, de substances secondes qui subsistent ailleurs que dans des substances premières, et c'est d'autant moins le cas de ces choses pour lesquelles être, c'est être en quelque sujet[3] ! Voilà donc ce que plus haut nous avons appelé à bon droit premier

---

traduction latine du grec porphyrien εἶδος, rendu chez Boèce par *species* (voir Martianus Capella, *De nuptiis* IV, 345, éd. J. Willis, Leipzig 1983, p. 111, l. 16-1 et *Aristoteles Latinus* I, 6-7, *Cat. suppl.*, p. 8, l. 17-18). Avec un sens un peu différent, cf. la liste *natura, forma, usus* en *Serm.* 19, 9 (*SC* 207, p. 28), discutée dans Trottmann, *Bernard de Clairvaux*, p. 385.

3. Isaac reprend ici le lexique d'Aristote, *Cat.* 5 et de son commentaire par Boèce, *In Cat.* (*PL* 64, 185D) : « Puisque toute chose est soit une substance, soit un accident et que parmi les substances certaines sont premières, d'autres secondes, on obtient une tripartition, de telle sorte que toute chose est soit un accident, soit une substance seconde, soit une substance première ». Ce qui doit être dans un sujet pour exister est l'accident (Boèce reprend la distinction entre *esse in* et *dici de subiecto* de *Cat.* 1 et 5). Sur cette terminologie, voir Trottmann, *Bernard de Clairvaux*, p. 376-382.

incorporeum iure diximus, quae, cum non sint corpus, dici
f. 65r necdum possunt spiritus, quia nimirum ablatis in quibus
1884C sunt in semetipsis nullate|nus subsistunt. Corpore enim
20 egent ut sint ac per hoc loco, ut alicubi, et tempore, ut quandoque. Nam, ut dictum est, huiusmodi non subsistunt nisi in aliis, licet alia ab illis. Secundae etenim substantiae sunt in primis, sed primae sunt a secundis.

26. Sunt ergo rerum, circa quas percipiendas versantur et vigent sensus imaginatio ratio, status diversi, realis videlicet et rationalis, seu naturalis, ut quidam malunt, et doctrinalis. Vnde duae illae disciplinae nominatae dinoscuntur,
5 naturalis videlicet et mathematica. Mathesis vero doctrina dicitur eo quod rationalis rerum status, quem sensus nescit nec opinatur imaginatio, in ratione et doctrina potius
1884D quam in actu totus subsistit. Circa naturales ergo rerum corporearum status sensus et imaginatio vigent, sed absque
10 ratione non satis valent ; ad rationalem vero non ascendunt, sed infra remanentes eum ascendenti rationi quasi a longe ostendunt. Deducere nimirum rationem ipsam aliquatenus possunt, sed usque ad rerum corporearum incorporeas formas comitari eam non possunt. Supereminet autem adhuc

26. 4-16 **disciplinae — ratiocinetur :** Cf. Boèce, *Trin.* 2 (éd. Moreschini, p. 168, l. 68 – 169, l. 83)

26. 2-3 **status — rationalis :** Cf. *Serm.* 20, 2 (*SC* 207, p. 42)

1. Voir *An.* 15 (*supra*, p. 174, l. 3).

2. Cf. *An.* 25 (*supra*, p. 192, l. 4-5).

3. Le mot *status* appartient à la terminologie technique de la logique de cette époque ; par exemple, il est utilisé dans les débats sur les universaux dès la première moitié du XIIe siècle (voir C. Tarlazzi, *Individui Universali. Il realismo di Gualtiero di Mortagne nel XII secolo*, Textes et études du Moyen Âge 85, Barcelone – Rome 2018, p. 37-65 ; Abélard, *Logica 'Ingredientibus' Super Porphyrium*, éd. B. Geyer, Münster 1933, p. 20, l. 7-14). Le passage d'Isaac peut être comparé à Thierry de Chartres, *Commentum super Boethii librum De Trinitate* II, 5 (éd. N.M. Häring, p. 70, l. 61-62) :

degré de l'incorporel[1] : bien que ce ne soit pas corps, cela ne peut encore être dit esprit, parce que, assurément, si on enlève [les substances premières] dans lesquelles cela est, cela ne subsiste en aucune façon par soi-même. En effet, cela a besoin de corps pour être et, à cause de cela, de l'espace pour être en quelque lieu et du temps pour être en quelque moment. Car, comme il a été dit[2], les réalités de cette sorte ne subsistent que dans d'autres, même si ces autres procèdent d'elles. En effet les substances secondes sont dans les premières, mais les premières procèdent des secondes.

26. Donc les réalités auxquelles se trouvent confrontés, pour les percevoir, le sens, l'imagination et la raison, et sur lesquelles ils exercent leur force, ont des états différents[3] : réel et rationnel, ou bien, comme certains préfèrent le dire, naturel et doctrinal[4]. De là vient que l'on distingue les noms de deux disciplines, la naturelle et la mathématique. La science mathématique est appelée doctrine parce que l'état rationnel des réalités, que le sens ignore et que l'imagination ne conjecture pas, subsiste tout entier dans la raison et la doctrine plutôt qu'en acte. Donc le sens et l'imagination exercent leur force dans le domaine des états naturels des réalités corporelles, mais sans la raison ils n'ont pas assez de pouvoir ; ils ne s'élèvent pas jusqu'à l'état rationnel mais, demeurant en dessous de lui, ils le montrent pour ainsi dire de loin à la raison qui s'élève jusqu'à lui. Assurément ils peuvent escorter la raison elle-même jusqu'à un certain point, mais ils ne peuvent pas l'accompagner jusqu'aux formes incorporelles des réalités corporelles. Mais

« L'imagination confond les états ; la raison au contraire distingue un état d'un autre état. » Voir aussi Introduction (*supra*, p. 54, n. 2) et *Serm.* 4, 13 (*SC* 130, p. 138) ; 19, 7.14.19 ; 20, 2 (*SC* 207, p. 28.32.36 ; 42).

4. Pour la distinction entre physique, mathématiques et théologie, qu'on entrevoit dans ce paragraphe et qui dépend du *De Trinitate* de BOÈCE, voir *An.* 33 (*infra*, p. 206-208), Introduction (*supra*, p. 53-54) et Note complémentaire (*infra*, p. 259-260).

15 ea disciplina quam theologiam dicunt eo quod de divinis ratiocinetur. Ad quam simili quadam proportione iuvare ratio valet, sed pervenire nequaquam valet. Habet etenim metas suas et propriis finibus limitatur.

27. Sicut ergo sol de subterraneis emergens, aquarum ac paludum nebulosa quadam fumositate languens, prius rubet potius quam lucet, deinde in libertatem purioris aeris cal-
1885A catis nebulis evadens serenior splendet, sic nimirum anima
5 de sola animatione carnis in sensum surgens, et per ipsum post ipsum in imaginationem phantasiis corporum adhuc decolorata languens, in liquidum rationis evoluta tandem assurgit et emicat. Rationem vero superat intellectus et ordine et virtute, sicut aerem firmamentum tam ab omni
10 obtusitate terrae quam ab aquae fluiditate aut humiditate aeris liberrimum. Sensus enim obtusus et gravis sicut *terra deorsum*[a] iacet, quem ut aqua imaginatio circumfluitat. Aeris vero subtilitati ratio comparatur, inferiora omnia circumplectens et penetrans et in abstractionis quodam, ut dictum
15 est, pendulo perspiciens. Firmamenti quidem soliditati intellectus conferendus est, qui et ipse spiritalium natura-
1885B rum realem statum pervidet. Empireo quidem toti igneo acutissimo et subtilissimo conferenda videtur intelligentia.

27. 1-11 sicut — liberrimum : Cf. *Serm.* 4, 4 (*SC* 130, p. 130-132) || **10-18 sensus — intelligentia :** Cf. *Serm.* 45, 17 (*SC* 339, p. 110)

27. 12 quem *O GPA* : quam *M CS*

27. a. Pr 25, 3

1. Cf. *An.* 25 (*supra*, p. 192, l. 2-5).

2. Comme l'analyse D. Poirel, que nous remercions, le substantif *pendulum* désigne quelque chose de « suspendu », donc en hauteur par rapport aux *inferiora* que l'abstraction surplombe et observe de façon panoramique (au contraire de l'imagination et *a fortiori* de la sensation), mais aussi dans

encore plus haut que les disciplines précédentes, on trouve celle appelée « théologie », parce qu'elle raisonne au sujet de ce qui est divin. Pour l'atteindre, la raison peut aider de façon semblable, mais elle-même ne peut en aucun cas y parvenir. Car elle est elle-même bornée et limitée par sa propre finitude.

27. Ainsi donc le soleil, émergeant du monde souterrain, languissant dans la vapeur nébuleuse des eaux et des marais, se montre rouge d'abord plutôt que brillant, puis, s'échappant, au sortir des nuées qu'il a refoulées, vers la liberté d'un air plus pur, resplendit en toute sérénité. De même assurément, l'âme, se dégageant de la simple animation de la chair pour parvenir au sens, puis, l'outrepassant, à l'imagination qui est au-delà du sens, languissante alors, encore altérée par les visions des corps, se lève et resplendit enfin, déployée dans la limpidité de la raison. Mais l'intellect surpasse la raison, en ordre et en vertu, comme le firmament surpasse l'air, pleinement libéré aussi bien de toute l'épaisseur de la terre que des remous de l'eau ou de l'humidité de l'air. Le sens, épais et lourd, se trouve *en bas* comme *la terre*[a], lui que l'imagination entoure comme l'eau de ses remous. La raison, elle, se compare à la subtilité de l'air, qui embrasse et pénètre tout ce qui est inférieur et regarde tout cela, comme il a été dit[1], dans la suspension instable de l'abstraction[2]. Pour l'intellect, il doit être rapproché de la solidité du firmament, lui qui voit nettement l'état réel des natures spirituelles. Quant à l'intelligence, on voit qu'elle doit être rapprochée de l'empyrée qui est tout de feu, le plus pénétrant et le plus subtil.

---

un état de suspension et d'instabilité, au contraire du *firmamentum* solide et stable de l'intellect, qui porte sur les formes incorporelles et n'est donc soumis à aucun mouvement. Cette conjonction entre les notions d'élévation et d'oscillation définit bien la position intermédiaire de la raison entre l'imagination, qu'elle dépasse en hauteur, et l'intellect, dont elle n'a pas encore la fermeté.

28. De intellectu. Intellectus igitur ea vis animae est qua rerum vere incorporearum incorporeas percipit formas. Vere incorporeum dicimus quod corpore non eget ut sit ac per hoc nec loco ut alicubi, quamvis non sit omnino incor- f. 65v 5 poreum pure, cum non possit esse sine tempore. Pure autem incorporeum est simplex, quod sibi omnimodis | sufficiens est. Sensu itaque anima, ut dictum est, corpus percipit, imaginatione fere corpus, ratione fere incorporeum, intellectu vere incorporeum, intelligentia pure incorporeum, quod 10 nec corpore eget ut sit, nec loco ut alicubi, nec tempore ut 1885C aliquando, nec causa ut alicunde, nec forma ut aliquid, nec aliquo genere subiecti in quo subsistat vel cui assistat vel insistat, sed, ut dictum est, quod sibi omnimodis sufficiens est, quod seipso est et idipsum est.

29. Est igitur pure et vere incorporei quaedam imago et similitudo[a] vere et non pure incorporeum, et illius id quod diximus paene incorporeum, et ipsius id quod diximus paene corpus. Ipsi quoque supremum corpus, id est ignis, quadam 5 similitudine iungitur, et igni aer, aeri aqua, aquae terra. Hac

---

28. **11-13 nec³ — insistat :** Cf. *Serm.* 22, 22 (*SC* 207, p. 78)

---

28. **1 de intellectu** *M* : *om. cett.* || **14 quod :** in *add. O*

---

29. a. Cf. Gn 1, 26

---

1. Cf. *An.* 15 et 18 (*supra*, p. 174, l. 1 et 178, l. 3-4).

2. Isaac revient souvent sur cette hiérarchie des objets de la connaissance : voir Introduction (*supra*, p. 52-53) ; *An.* 15 (*supra*, p. 174-176) ; 18 (p. 178) ; 24 (p. 190) ; 25 (p. 192-194) et 31 (*infra*, p. 202-204).

3. Cf. *supra*, l. 3-5.

4. L'usage du terme *idipsum* appliqué à Dieu a été étudié par J. Leclercq, « *Idipsum*, les harmoniques d'un mot biblique dans saint Bernard », *Recueil d'études sur saint Bernard et ses écrits* V, Rome 1992, p. 331-345.

L'intellect

28. L'intellect est donc la force par laquelle l'âme perçoit les formes incorporelles des réalités vraiment incorporelles. Nous appelons vraiment incorporel ce qui n'a pas besoin de corps pour être, et, de ce fait, n'a pas besoin de l'espace pour être en quelque lieu, bien que pour tout dire il ne soit pas purement incorporel, puisqu'il ne peut être sans le temps. Le purement incorporel est simple, en ce qu'il se suffit à lui-même de toutes les manières. Donc l'âme, comme il a été dit[1], par le sens perçoit le corps, par l'imagination ce qui est presque corps, par la raison ce qui est presque incorporel, par l'intellect ce qui est vraiment incorporel, par l'intelligence ce qui est purement incorporel[2]. Le purement incorporel n'a pas besoin de corps pour être, ni d'espace pour être en quelque lieu, ni de temps pour être en quelque moment, ni de cause pour venir de quelque part, ni de forme pour être quelque chose, ni de quelque sorte de sujet où il puisse subsister et auquel il puisse adhérer ou dans lequel il puisse s'insérer, mais, comme il a été dit[3], il se suffit à lui-même de toutes les manières, parce qu'il est par lui-même et qu'il est cela même qu'il est[4].

29. De ce qui est purement et vraiment incorporel, ce qui est vraiment mais non purement incorporel est donc une certaine image et ressemblance[a], et ce que nous avons appelé presque incorporel l'est du vraiment mais non purement corporel, et ce que nous avons appelé presque corps l'est de ce que nous avons appelé presque incorporel[5]. À ce presque corps est aussi lié par une certaine ressemblance le corps le plus élevé, c'est-à-dire le feu, et au feu est lié l'air, à l'air l'eau, et à l'eau la terre. Ainsi donc, on peut dire que par cette

5. Voir le tableau de l'Introduction (*supra*, p. 52-53).

igitur quasi aurea catena poetae vel ima dependent a summis vel erecta scala prophetae[b] ascenditur ad summa de imis.

30. Sicut igitur ordinem rerum *adtingit a fine usque ad finem*, id est a summo ad imum, *Sapientia fortiter* ab 1885D archetypo quaeque trahens in proprios status, ut sint quod sunt, *et disponit omnia suaviter*[a] moderans ac regens per esse quae protrahit de non esse ad esse, sic et anima illius Sapientiae imago, si non degeneret, eam ubique libenter considerando sequitur admirans et amans investigans et laudans in omnibus et potentiam protrahentem omnia de non esse ad esse et sapientiam disponentem omnia per esse et bonitatem continentem omnia ne recidant ad non esse, sicut psaltes exsultat : *Quam delectasti me in factura tua, Domine, et in operibus manuum tuarum exsultabo. Quam magnificata sunt opera tua, Domine ; nimis profundae factae sunt cogitationes tuae*[b]. Et alibi : *Meditabor in omnibus operibus tuis et in adinventionibus tuis exercebor*[c]. Opera sunt conditionis, adinventiones regiminis. Et alibi : *Mirabilia opera* 1886A *tua, Domine, et anima mea cognoscet nimis*[d]. <Admiratio habet investigationem, investigatio meretur cognitionem.>

29. 6 aurea — poetae : Cf. MACROBE, *In Somn. Scip.* I, 14, 15 (éd. Armisen-Marchetti, p. 80) : *et haec est Homeri catena aurea, quam pendere de caelo in terras deum iussisse commemorat* ; cf. HOMÈRE, *Il.* VIII, 19 (*CUF*, t. II, p. 26) || **6-7 aurea — imis :** Cf. GUILLAUME DE CONCHES, *Gl. sup. Macr. in Somn. Scip.* I, 14, 15 (voir Introduction, *supra*, p. 54-56, spéc. p. 55, n. 1) ; *Gl. sup. Plat.* 74 (*CCCM* 203, p. 129) || **7 erecta — prophetae :** Cf. HUGUES DE SAINT-VICTOR, *Vn. spir. et corp.* (éd. Piazzoni, p. 884, l. 24)

30. 8-10 et — esse : Cf. ABÉLARD, *Theol. summ. bon.* I, 1-5 (*CCCM* 13, p. 86-88) ; HUGUES DE SAINT-VICTOR, *Tr. d.*, I (*CCCM* 177, p. 3, l. 6 – 4, l. 7)

---

29. 6 aurea — poetae : *Serm.* 54, 15 (*SC* 339, p. 260)

30. 8-10 et — esse : Cf. *Serm.* 7, 6 (*SC* 130, p. 182-184) ; *Serm.* 7, 8 (*SC* 130, p. 184) ; *Serm.* 21, 4 (*SC* 207, p. 50) || **17-18 admiratio — cognitionem :** *Serm.* 8, 6 (*SC* 130, p. 196, l. 64-66)

chaîne d'or du poète, les réalités les plus basses dépendent des réalités les plus hautes, ou que, par l'échelle dressée du prophète[b], on monte des plus basses vers les plus hautes.

30. Comme donc *la Sagesse atteint* l'ordre des réalités *d'un bout du monde à l'autre*, c'est-à-dire du plus haut jusqu'au plus bas, les tirant toutes *avec force* de l'archétype pour les amener vers leurs propres états, afin qu'elles soient ce qu'elles sont, *et* comme *elle dispose toutes choses avec douceur*[a], réglant et dirigeant par l'être ce qu'elle a attiré du non-être à l'être, ainsi l'âme, image de cette Sagesse, si du moins elle ne dégénère pas, la suit partout volontiers par sa contemplation, admirant et aimant, recherchant et louant, en toutes choses, à la fois la puissance qui attire toutes les réalités du non-être à l'être, la sagesse qui les dispose par l'être, et la bonté[1] qui les retient toutes afin qu'elles ne retournent pas au non-être. C'est ainsi qu'exulte le psalmiste : *Que tu m'as réjouis dans ta création, Seigneur ! Et devant les œuvres de tes mains j'exulterai ; que tes œuvres sont remarquables, Seigneur, si profondes sont tes pensées*[b] *!* Et ailleurs : *Je méditerai sur toutes tes œuvres et je considérerai tes interventions*[c]. Les œuvres relèvent de la création, les interventions du gouvernement. Et ailleurs : *Admirables sont tes œuvres, Seigneur, et mon âme le reconnaîtra bien*[d]. L'admiration porte à la recherche et la recherche obtient la connaissance.

b. Cf. Gn 28, 12

30. a. Sg 8, 1 b. Ps 91, 5-6 c. Ps 76, 13 d. Ps 138, 14

1. La triade *potentia, sapientia, bonitas* est utilisée à la fois par Abélard et Hugues de Saint-Victor ; voir Poirel, *Livre de la nature*, p. 261-420 et M. Perkams, *The origins of the Trinitarian attributes* potentia, sapientia, benignitas, *Archa Verbi* 1, 2004, p. 25-41.

31. Habet itaque anima unde investiget et cognoscat. Ad totalis enim Sapientiae similitudinem facta, omnium in se similitudinem gerit, unde et a philosopho diffinita est omnium similitudo. Sensu igitur corpora, quod saepe
5 dictum est, investigat et cognoscit ; imaginatione corporum similitudines ; ratione corporum dimensiones et similitudines dissimilium ac dissimilitudines similium ; intellectu commutabilem spiritum ; intelligentia incommutabilem Deum. Habens itaque anima in se vires, quibus investiget
10 omnia, et per eas exsistens omnibus similis, cum sit una,
1886B terrae videlicet per sensum, aquae per imaginationem, aeri per rationem, firmamento per intellectum, caelorum caelo per intelligentiam, vel metallis et lapidibus per essentiam, herbis et arboribus per vitam, animalibus per sensum et

31. 3 a philosopho : Cf. Hugues de Saint-Victor, *Didasc.* I, 1 (éd. Buttimer, p. 5-6) : « En effet, comme le dit Varron dans le *Periphysion* : tout changement n'advient pas aux choses de l'extérieur, de telle sorte qu'il soit nécessaire que tout ce qui est changé ou bien perde quelque chose qu'il avait, ou bien reçoive de l'extérieur quelque chose d'autre et de différent qu'il n'avait pas [...] Ainsi l'esprit, marqué par la similitude de toutes choses, peut assurément être dit toutes choses *(sic nimirum mens, rerum omnium similitudine insignita, omnia esse dicitur).* » || **9-16** Cf. Grégoire le Grand, *Hom. Ev.* 29, 2 (éd. Étaix, *SC* 522, p. 202, l. 13-15) : « L'homme a quelque chose de toutes les créatures. Il a l'être *(esse)* en commun avec les pierres, la vie *(vivere)* avec les arbres, la sensibilité *(sentire)* avec les animaux, l'intelligence *(intelligere)* avec les anges. »

---

31. 1-4 ad — similitudo : Cf. *Serm.* 9, 2 (*SC* 130, p. 206) : « Le premier livre est donc le Verbe même de Dieu, la Sagesse elle-même ; le second est l'esprit créé : et lui-même est tout entier écrit au-dedans. Là, il y a tout ensemble ; ici, il y a la similitude de tout *(ibi simul omnia, hic similitudo omnium).* »

---

31. 9 anima in se *O GPA* : in se anima *M CS*

31. C'est pourquoi l'âme a la capacité de chercher et de connaître. Car faite à la ressemblance de la Sagesse totale, elle porte en elle la ressemblance de toutes les réalités : c'est pour cela qu'elle a aussi été définie par le philosophe comme la ressemblance de toutes les réalités[1]. Ainsi, par le sens, elle recherche et connaît les corps, ce que nous avons déjà dit maintes fois[2] ; par l'imagination, elle recherche et connaît les ressemblances des corps ; par la raison, les dimensions des corps, les ressemblances entre réalités dissemblables et les dissemblances entre réalités semblables ; par l'intellect, l'esprit soumis au changement ; par l'intelligence, le Dieu immuable. C'est pourquoi l'âme, ayant en elle les forces pour rechercher toutes les réalités, se trouve aussi, par l'intermédiaire de ces forces, bien qu'étant une, semblable à toutes les réalités : à la terre par l'intermédiaire du sens ; à l'eau par l'imagination ; à l'air par la raison ; au firmament par l'intellect ; au ciel des cieux par l'intelligence. Et semblable aux métaux et aux pierres par l'existence[3], aux herbes et aux arbres par la vie, aux animaux par le sens et l'imagination,

1. Pour la thèse de l'âme humaine comme *similitudo omnium*, voir BUCHMÜLLER, *Monastische Theologie*, p. 537-555. La référence d'Isaac à un « philosophe » pourrait dériver du *Didascalicon*, où Hugues cite Varron : voir MCGINN, *The Golden Chain*, p. 118-119 et, pour la citation de Hugues, L. DESCHAMPS, « *Victrix Venus* : Varron et la cosmologie empédocléenne », dans R. ALTHEIM-STIEHL – M. ROSENBACH (éd.), *Beiträge zur altitalischen Geistesgeschichte. Festschrift G. Radke*, Münster 1986, p. 51-72.

2. Cf. *An.* 15 (*supra*, p. 174-176) ; 18 (p. 178) ; 24 (p. 190) ; 25 (p. 192-194) et 28 (p. 198).

3. Le sens d'existence pour le terme *essentia* est souvent présent au XIIe siècle. Voir J. JOLIVET, « Notes de lexicographie abélardienne », dans R. LOUIS, J. JOLIVET, J. CHÂTILLON (éd.), *Pierre Abélard et Pierre le Vénérable. Les courants philosophiques, littéraires et artistiques en Occident au milieu du XIIe siècle*, Paris 1975, p. 538-543.

f. 66r 15 imaginationem, hominibus per rationem, | angelis per intellectum, Deo per intelligentiam, opifici suo cum gratia et laude psallit clamans : *Mirabilis facta est scientia tua ex me, confortata est et non potero ad eam*[a].

32. Ideo dicitur haec scientia *confortata* ab anima ut ad eam valere non possit, quia ipsa infirmata est ab ea, quam intueri et habere debuit. Vnde et alibi lamentatur et luget : *Comprehenderunt me iniquitates meae et non potui ut vide-* 1886C 5 *rem*[a]. Et alibi : *Lumen oculorum meorum non est mecum*[b]. Et alibi : *Turbatus est a furore oculus meus*[c]. Illuminatis igitur tantummodo oculis concupiscentiae et apertis, viri videlicet, id est spiritus, ad curiositatem, et carnis, id est mulieris, ad voluptatem, oculus sensus et imaginationis turbatus est ut 10 obscurius videat, rationis ut vix videat, intellectus et intelligentiae ut fere nihil videant. Quis enim seipsum vidit ? Quis agnovit se, dico *imaginem et similitudinem Dei ad imaginem et similitudinem Dei*[d] ? Qui similium alterum novit, utrumque novit, et qui alterutrum non novit, neutrum 15 novit. Itaque anima, quae per se debuit Deum noscere supra 1886D se, perdidit seipsam noscere in se et angelum iuxta se. Vi ergo intellectus quoniam angeli vigent, se invicem et animas nostras vident. A quibus tamen mutuo in sua natura videri non possunt, quia infirmata est anima et non potest ad eos

32. **9-11 ut — videant :** Cf. HUGUES DE SAINT-VICTOR, *Sacr.*, I, 10, 2 *Quid sit fides* (*PL* 176, 329C-330A; éd. Berndt, p. 225) ; *Ier. Dion.* III, 2, 3 (*CCCM* 178, p. 472) ; *Misc.* I, 1 (*PL* 177, 471B-C)

32. **4-11 comprehenderunt — videant :** Cf. *Serm.* 9, 4 (*SC* 130, p. 206-208) ; *Serm.* 28, 16 (*SC* 207, p. 162) || **12-13 quis — dei :** Cf. *Serm.* 55, 9 (*SC* 339, p. 270)

32. **8 carnis id est mulieris :** mulieris id est carnis *O*

31. a. Ps 138, 6
32. a. Ps 39, 13 b. Ps 37, 11 c. Ps 6, 8 d. Gn 1, 26

aux hommes par la raison, aux anges par l'intellect, à Dieu par l'intelligence, elle psalmodie pour son Créateur avec action de grâce et louange en proclamant : *Admirable est ta science, elle me dépasse, elle a été établie bien haut et je ne pourrai l'atteindre*[a].

32. Cette science est dite *établie bien haut* loin de l'âme, en sorte que cette dernière n'est pas capable de l'atteindre, parce que l'âme a été affaiblie loin de la science même qu'elle aurait dû contempler et posséder. De là vient qu'ailleurs aussi elle se lamente et pleure : *Mes iniquités m'ont entourée et j'ai été incapable de voir*[a]. Et ailleurs : *La lumière de mes yeux m'abandonne*[b]. Et ailleurs : *La fureur a troublé mon œil*[c]. Ainsi, parce que seuls les yeux de la concupiscence – ceux de l'homme, c'est-à-dire de l'esprit – ont été éclairés et ouverts à la curiosité, et ceux de la chair – c'est-dire de la femme – au plaisir, l'œil du sens et de l'imagination a été troublé, en sorte qu'il voit plus obscurément ; celui de la raison l'a été, en sorte qu'il voit à peine ; ceux de l'intellect et de l'intelligence l'ont été, en sorte qu'ils ne voient presque rien. Qui en effet s'est vu lui-même ? Qui s'est reconnu, dis-je, *image et ressemblance de Dieu, à l'image et à la ressemblance de Dieu*[d] ? Quiconque connaît l'une de deux choses semblables, connaît l'une et l'autre et qui ne connaît pas l'une ou l'autre, ne connaît ni l'une ni l'autre. C'est pourquoi l'âme, qui aurait dû, par elle-même, connaître Dieu au-dessus d'elle, a perdu la capacité de se connaître elle-même en elle et de connaître un ange au même niveau qu'elle. Les anges, exerçant avec vigueur la force de leur intellect, se voient mutuellement et voient nos âmes. Mais la réciproque est fausse : ils ne peuvent pas être vus par nos âmes en leur nature, parce que l'âme a été affaiblie et ne peut ouvrir son œil pour les voir. Aussi,

20 videndos oculum aperire. Vnde, cum se volunt hominibus ostendere, aut per assumptum corpus sensui famulantur foris, aut imaginationi per corporeas similitudines intus.

33. Cum autem sensus et imaginatio vigeant in naturalibus, ratio vero in mathematicis, intelligentia in theologicis, intellectus propriam haud constituit disciplinam. Natura etenim incorporea, cuius incorporeas percipit formas, media,
5 ut dictum est, inter corpus et Deum collocatur. Habet enim naturalia, quae est, nec ab ea per abstrahentiam aliter percipi possunt. Habet et accidentalia, quae abstracta et in sui
1887A natura considerata altius evolant et intelligentia ipsa, qua Deus videtur, indigent. Virtutes enim naturales, in suo
10 summo et fonte et naturali essentia consideratae, omnes unum et summum sunt et omnium principium et naturarum natura et essentiarum essentia. Vnde et partim intellectus cedit in naturalem disciplinam, partim vero in theologicam. Quid enim est aliud essentia iustitiae quam Deus, cuius
15 participatio virtus dicitur ? Et quot sunt participationum varietates, tot iustitiae singularitates. Verumtamen una est essentialis iustitia, non qualitas, non accidens animae, in semetipsa subsistens, participata a spiritibus participatione

33. **1-2 cum — theologicis :** Cf. BOÈCE, *Trin.* 2 (éd. Moreschini, p. 168, l. 68 – p. 169, l. 83)

---

33. **9-10 suo summo** *tr. O*

---

1. Sur la distinction entre ces trois domaines, inspirée de la division des sciences spéculatives du *De Trinitate* de Boèce, voir *An.* 26 (*supra*, p. 194), Introduction (*supra*, p. 53-54) et Note complémentaire (*infra*, p. 259-260).

2. Cf. *An.* 3 (*supra*, p. 154, l. 8-9).

3. Les *naturalia* de l'âme sont identiques à l'âme et, quand on les considère de façon abstraite, on les perçoit encore comme identiques à elle. Ses *accidentalia* au contraire, c'est-à-dire ses vertus, ne lui sont pas identiques

lorsqu'ils veulent se montrer aux hommes, ils se rendent accessibles : au sens, extérieurement, par l'intermédiaire d'un corps assumé ; à l'imagination, intérieurement, par l'intermédiaire de ressemblances corporelles.

33. Alors que le sens et l'imagination exercent leur force dans le domaine des réalités naturelles, la raison dans celui des réalités mathématiques, l'intelligence dans celui des réalités théologiques[1], l'intellect n'a pas constitué sa propre discipline. En effet, la nature incorporelle [= l'âme], dont il perçoit les formes incorporelles, occupe une position médiane, comme il a été dit[2], entre le corps et Dieu. Car elle a des aspects naturels qui sont identiques à elle-même et qu'elle, par abstraction, ne peut pas percevoir autrement[3]. Elle a aussi des caractéristiques accidentelles qui, abstraites et considérées en leur nature propre, prennent plus haut leur envol et requièrent cette intelligence par laquelle Dieu est vu. Les vertus naturelles en effet, considérées en leur plus haut accomplissement, leur source et leur essence naturelle, sont toutes ensemble l'unité la plus haute, principe de toutes choses, nature des natures et essence des essences. D'où il s'ensuit que l'intellect aboutit d'une part à la discipline naturelle, d'autre part à la discipline théologique. Qu'est-ce d'autre en effet que l'essence de la justice, sinon Dieu, dont on dit que participer de lui est une vertu ? Et autant il y a de formes variées de participations, autant il y a de formes singulières de la justice. Cependant la justice essentielle est une ; elle n'est ni une qualité, ni un accident de l'âme, mais elle subsiste en elle-même, et participent d'elle des esprits qui

et, considérés de façon abstraite, sont identiques à Dieu. La connaissance de l'âme ressortit donc à deux disciplines différentes : la physique (pour les *naturalia*) et la théologie (pour les *accidentalia*). Sur cette distinction entre *naturalia* et *accidentalia* de l'âme, voir aussi *An.* 6 (*supra*, p. 158, l. 1-5), 7 (p. 160-162) et Introduction (*supra*, p. 45, n. 1).

ipsius iustis. Cuius participationes spirituum iustitiae sunt
20 et illis accidentales.

34. Capabilis enim omnibus Deus et participabilis natu-
1887B rali suo munere et usu ex munere. Ab omnibus participatur
f. 66v ad essentiam et secundum illam | ad idoneam speciem et
secundum utrumque ad congruum usum. Omnia etenim
5 sunt : quod videlicet esse est in omni re primum et principium. Nam quod non est, nihil omnino est ; et, cum sit,
aliqua specie vel imagine vel forma tenetur, per quam ab
omni re alia discernitur et aliquod in se munus naturaliter
habet. Nihil enim pro nihilo. Quae videlicet tria omni
10 exsistenti insunt quasi quaedam vestigia summae essentiae
et imaginis et muneris, id est Trinitatis Patris et Filii et
Spiritus Sancti. « Aeternitas quippe est in Patre, species in
imagine, usus in munere ». Cum igitur capabilis divinitatis
1887C capax sit, iuxta quod dictum est, quicquid *numero mensura*
15 *et pondere*[a] subsistit, gradatim tamen et differenter ab inani-
matis per animationem et sensibilitatem et rationabilitatem

34. **12-14 aeternitas — sit :** HILAIRE DE POITIERS, *Trin.* II, 1 (*SC* 447, p. 276, l. 21-22) : *infinitas in aeterno, species in imagine, usus in munere* ; AUGUSTIN, *Trin.* VI, 10, 11 (*BAug* 15, p. 496-498) : *Quidam cum vellet brevissime singularum in trinitate personarum insinuare propria : « Aeternitas – inquit – in patre, species in imagine, usus in munere. »* ; XV, 3, 5 (*BAug* 16, p. 428, l. 10-13)

34. Cf. *Serm.* 24, 18-19 (*SC* 207, p. 110) ; 26, 1 (*SC* 207, p. 126) ; 32, 10 (*SC* 207, p. 210-212) || **2-4 ab — usum :** Cf. *Serm.* 19, 9 (*SC* 207, p. 28) : « Aussi la première question qui se pose au sujet de tout être, du moment qu'il existe, est celle-ci : 'Qu'est-ce qu'il est ?' ; la seconde : 'Comment est-il ?' ; la troisième : 'Pourquoi est-il ?' – c'est-à-dire : 'Quelle est sa nature, sa forme et son usage ?' » || **14-15 numero — substitit :** Cf. *Serm.* 19, 8 (*SC* 207, p. 28)

34. **12 patre :** et *add. M CS*

34. a. Cf. Sg 11, 21

1. Dans tout ce passage, où Isaac suit Hilaire et la discussion d'Hilaire par

sont justes du fait de cette participation. Les participations de ces esprits sont leurs justices et sont pour eux accidentelles.

34. Dieu en effet peut être reçu par tous, et il est 'participable' par son don naturel et le fait que l'on puisse jouir[1] de ce don. Toutes choses participent de lui pour être et, selon leur être, atteindre l'espèce[2] qui leur est propre et, selon l'être et l'espèce, atteindre un juste usage. Toutes choses, en effet, existent : le fait d'être est en toute chose commencement et principe. Car ce qui n'est pas, n'est absolument rien. Tandis que ce qui est, est maintenu par quelque espèce, image ou forme par laquelle il se distingue de toute autre chose ; et il possède par nature, en soi, un certain don. Car rien en effet n'existe pour rien. Ces trois aspects[3] donc sont présents en tout ce qui existe : ils sont comme des traces de l'essence suprême, de l'image suprême et du don suprême, c'est-à-dire de la Trinité du Père, du Fils et de l'Esprit Saint. De fait « l'éternité est dans le Père, la visibilité[4] dans l'image, la jouissance dans le don ». Donc, bien que capable de recevoir la divinité qui peut être reçue, selon ce qui a été dit[5], c'est cependant par degrés et de façon différenciée que tout ce qui subsiste *en nombre, mesure et poids*[a], s'élève à partir de ce qui est inanimé, par l'animation, la sensibilité et la rationalité,

---

Augustin, nous avons choisi de rendre *usus* non seulement par « usage », mais aussi par l'idée augustinienne de jouissance, quand Dieu est l'objet de cet *usus*. Cf. HILAIRE, *Trin.* II, 1 (*SC* 447, p. 277, n. 5) ; J. DOIGNON, « *Spiritus Sanctus... usus in munere* (Hilaire de Poitiers, *De Trinitate* 2, 1) », *Revue théologique de Louvain* 12, 1981, p. 235-240 et AGOSTINO, *La Trinità*, éd. G. CATAPANO – B. CILLERAI, Milan 2012, p. 1075-1076, n. 58.

2. Isaac emploie ici le terme *species* au sens de PORPHYRE, *Isagogè*, tr. BOÈCE, *Aristoteles Latinus* I, 6-7, *Categoriarum supplementa*, p. 5-31.

3. Il s'agit de la triade *essentia*, *species*, *munus*, comme l'indique la suite.

4. Pour le choix de cette traduction, cf. HILAIRE DE POITIERS, *Trin.* II, 1 (*SC* 447, p. 276, n. 4).

5. Cf. *An.* 34 (*supra*, p. 208, l. 1).

ad eius *imaginem et similitudinem*[b], quae in eminentiori parte animae fulget, ascenditur.

35. Quae quidem anima, sicut Deus capabilis omnibus, sic est capax omnium. Et per quinque quidem saepe nominata quae de rationabilitate ipsius oriuntur ad cognitionem, per concupiscibilitatem vero ad dilectionem universitatis capax invenitur. Quaecumque igitur aliquo sensu percipit, protinus in concupiscibilitatis quasi salsamentum intingit, ut inde illi sapiat ac quasi per saporem placeat aut displiceat. Sunt igitur in anima et sunt id quod anima naturalis sensus, cognoscens omnia et diiudicans inter omnia, et naturalis affectus, quo suo ordine et gradu diligat omnia.

36. Verumtamen facultates et quasi instrumenta cognoscendi et diligendi habet ex natura, cognitionem tamen veritatis et ordinem dilectionis nequaquam habet nisi ex gratia. <Facta enim a Deo mens rationalis, sicut prima et sola eius suscipit imaginem, ita potest cognitionem et amorem. Vasa[a] ergo quae creatrix gratia format, ut sint, adiutrix gratia replet, ne vacua sint.> Nempe, <sicut oculus carnis,

---

36. 4-7 **facta — sint :** *Serm.* 26, 1 (*SC* 207, p. 126)

---

36. **1 instrumenta :** et *add. O*

---

b. Cf. Gn 1, 26
36. a. Cf. Rm 9, 21

---

1. Il s'agit, bien sûr, de *sensus*, *imaginatio*, *ratio*, *intellectus*, *intelligentia* (cf. *An.* 14, *supra*, p. 172-174 et *passim*). Isaac décrit ces puissances de façon

jusqu'à l'image et à la ressemblance[b] de la divinité, qui brille dans la partie supérieure de l'âme.

35. L'âme, de même que Dieu peut être reçu par tous, peut tout recevoir. Et par les cinq facultés souvent nommées[1], qui tirent leur origine de sa rationalité et orientent l'âme vers la connaissance, par sa concupiscibilité qui l'oriente vers l'amour, elle se révèle capable de recevoir l'univers. Donc tout ce qu'elle perçoit par un sens, aussitôt elle le trempe dans sa concupiscibilité comme dans une salaison, de sorte que cela ait du goût pour elle et que, comme pour une saveur, cela lui plaise ou lui déplaise. Sont donc dans l'âme, et identiques à elle, une compréhension naturelle qui connaît tout et discerne entre tout, et un affect naturel, par lequel elle aime toute chose en son ordre et degré.

36. Si l'âme possède, par nature, des facultés et comme des instruments pour connaître et aimer, cependant elle ne possède en aucune manière la connaissance de la vérité et l'ordre de l'amour[2], sinon par grâce. Dieu, en effet, a créé l'esprit raisonnable : premier et seul à recevoir son image, il est ainsi capable de connaissance et d'amour. Car les vases[a] que la grâce créatrice forme, pour qu'ils existent, la grâce auxiliatrice les remplit, pour qu'ils ne soient pas vides. Assurément l'œil de la chair, quoiqu'il ait par nature

---

dynamique, comme des étapes progressives vers la connaissance. Cette idée de progression se trouve aussi chez HUGUES DE SAINT-VICTOR, *Misc.*, *sententia* I, 15 (citée dans Note complémentaire, *infra*, p. 256-257).

2. L'ordre de l'amour (*ordo amoris* ou *caritatis* ou *dilectionis*), c'est-à-dire la façon juste et vertueuse d'aimer Dieu qui est l'amour même, est un concept augustinien. Cf. *Civ.* XV, 22 (*BAug* 36, p. 138-140) ; *Serm.* 344, 1-2 (*PL* 39, 1512), en lien avec Ct 2, 4 *(ordinavit me in caritatem).*

cum ex natura habeat facultatem videndi et auris audiendi, numquam consequitur per se visionem oculus aut auditum
10 auris nisi beneficio exterioris lucis et soni, sic et spiritus rationalis, ex dono creationis habilis ad cognoscendum verum
1888A et diligendum bonum, nisi radio lucis interioris perfusus et calore succensus numquam consequetur sapientiae seu caritatis effectum. Sicut enim solem non videt oculus nisi
15 in lumine solis, sic verum ac divinum lumen videre non poterit intelligentia nisi in ipsius lumine. *In lumine* – inquit prophetes – *tuo videbimus lumen*[b].

Quare sicut de sole exit unde sol videri possit nec tamen solem deserit, sed in illo manet quod de illo exiens illum
f. 67r 20 ostendit, ita manens in Deo lux quae | exit ab eo mentem irradiat, ut primum quidem ipsam choruscationem lucis, sine qua nihil videret, videat et in ipsa caetera videat.› Hincque ad ipsum lucis fontem intelligentiam exserens, ipsum per
1888B ipsius lucem inveniat et cernat. Itaque sicut in imaginatione
25 desubtus phantasiae surgunt, ita in intelligentiam desuper theophaniae descendunt. Sicut autem anima corpori suo non

7-17 **oculus — lumen :** Cf. *Serm.* 32, 9 (*SC* 207, p. 210) || 7-22 **sicut — videat :** *Serm.* 26, 6-7 (*SC* 207, p. 128-130)

9 **aut** *M CS* : vel *O* nec *GPA* || 13 **consequetur** *O PA* : consequitur *M G* consequeretur *C* consentitur *S* || 22 **nihil :** non *O*

b. Ps 35, 10

la faculté de voir – et l'oreille, celle d'entendre –, n'atteint jamais de lui-même la vision, pas plus que l'oreille n'atteint d'elle-même l'audition, si ce n'est à la faveur de la lumière et des sons extérieurs : ainsi en va-t-il également de l'esprit raisonnable. Il est bien apte, par le don de la création, à connaître le vrai et aimer le bien, mais si le rayon de lumière intérieure ne l'inonde pas et que la chaleur ne l'enflamme pas, il n'atteindra jamais l'achèvement de la sagesse et de la charité. En effet, comme l'œil ne voit pas le soleil, sinon dans la lumière du soleil, ainsi l'intelligence non plus ne pourra voir la lumière véritable et divine, sinon dans la lumière de cette lumière-même. *Dans ta lumière*, dit le prophète, *nous verrons la lumière*[b].

C'est pourquoi, de même que du soleil émane, sans pour autant le quitter, ce qui permet de le voir, mais que demeure en lui ce qui, en émanant de lui, le rend visible, ainsi la lumière qui, tout en demeurant en Dieu, émane de lui, illumine-t-elle l'esprit. D'abord, l'esprit voit cet étincellement de lumière, sans lequel il ne verrait rien, et il y voit aussi tout le reste. De là, tendant son intelligence vers la source même de la lumière, l'esprit découvre et distingue cette source par la lumière qui en émane[1]. C'est pourquoi, tout comme dans l'imagination des visions surgissent d'en bas, ainsi dans l'intelligence des théophanies[2] arrivent d'en haut. De même

1. Sur cette métaphore de la lumière, voir *An.* 38 (*infra*, p. 216, l. 1-13) et BUCHMÜLLER, *Monastische Theologie*, p. 398-405.

2. Sur le terme de théophanie, voir POIREL, *Livre de la nature*, p. 338, n. 74 ; sur le désaccord entre Hugues de Saint-Victor et Jean Scot Érigène à propos du concept de théophanie, voir J. CHÂTILLON, « Hugues de Saint-Victor critique de Jean Scot », dans *Jean Scot Érigène et l'histoire de la philosophie, Actes du Colloque de Laon 1975*, Paris 1977, p. 415-431 = J. CHÂTILLON, *Le mouvement canonial. Études réunies*, Turnhout 1992, p. 419-445.

sufficit sola ad vitam, sic nec sibi sola ad sapientiam. Iuvatur ergo sensus exterius, imaginatio inferius, ratio vero ex prima gratia interius iuxta quod *illuminatur omnis homo veniens in* 30 *hunc mundum*[c], intellectus quidem et intelligentia superius.

37. [De intelligentia]. Intelligentia ergo ea vis animae est, quae immediate supponitur Deo, sicut phantasticum animae superponitur corpori vel sicut sensualitas carnis supponitur infimo animae. Verumtamen in Deo, cui cognoscendo 5 proxima est intelligentia, cum proprietates inveniantur diversae, nihil tamen inferius, nihil inaequale. *Nemo* 1888C tamen *novit Patrem nisi* per *Filium* et in Spiritu Sancto[a]. Omnia Pater facit et donat et condonat per Filium et in Spiritu. Vnde etsi totae tres Personae coaeternae sibi sint 10 et coaequales in illa ineffabili sua natura, creaturae tamen quodammodo quasi propior videtur esse Spiritus Sanctus quippe qui de utroque munus est utriusque ; nobis autem omnis divinitatis usus ex munere. Est enim in Deo munus

36. **24-30 itaque — superius :** Hugues de Saint-Victor, *Vn. spir. et corp.* (éd. Piazzoni, p. 883, l. 21-23) : « La théophanie est dans la révélation, l'intelligence dans la contemplation, l'imagination dans la sensibilité ; dans le sens se trouvent l'instrument de la sensibilité et l'origine de l'imagination. »

27-30 **iuvatur — superius :** Cf. *Serm.* 9, 8 (*SC* 130, p. 210)

37. **1-4 intelligentia — animae :** Cf. *Serm.* 55, 15 (*SC* 339, p. 274) : « Dans l'âme raisonnable la partie supérieure, appelée esprit, porte l'image et la ressemblance de celui au-dessous duquel elle est immédiatement placée, car entre l'esprit raisonnable et Dieu il n'y a aucun intermédiaire ; quant à la partie inférieure, le phantastique, qui est placée immédiatement au-dessus du corps, elle ne se dégage pas des ressemblances avec lui, car c'est en elles que, soit dans la veille soit dans le sommeil, elle vit, agit et pâtit. » || **8-9 omnia — spiritu :** Cf. *Serm.* 11, 13 (*SC* 130, p. 244) ; 24, 22 (*SC* 207, p. 114)

que l'âme, toute seule, ne suffit pas pour faire parvenir à la vie le corps qu'elle anime, de même elle ne se suffit pas à elle-même, toute seule, pour parvenir à la sagesse. Donc le sens reçoit une aide de l'extérieur, l'imagination d'en dessous, la raison de l'intérieur, à partir d'une grâce première – *tout homme est éclairé en venant en ce monde*[c] ; quant à l'intellect et l'intelligence, ils reçoivent une aide d'en haut.

L'intelligence

37. Donc l'intelligence est la force de l'âme qui est placée sans médiation en dessous de Dieu, comme le phantastique[1] de l'âme l'est au-dessus du corps et la sensibilité de la chair en dessous du point le plus bas de l'âme. Cependant, si l'intelligence est la plus proche de la connaissance de Dieu, en qui se trouvent des propriétés diverses, toutefois il ne se trouve en lui rien d'inférieur, rien d'inégal. *Personne ne connaît le Père, sinon* par *le Fils* et en l'Esprit Saint[a]. Le Père fait toutes choses, donne et pardonne, par le Fils et dans l'Esprit. Aussi les trois Personnes sont-elles totalement coéternelles et égales les uns aux autres, en cette nature ineffable qui est la leur ; toutefois, l'Esprit Saint semble être en quelque sorte, pour ainsi dire, plus proche de la créature, lui qui est don à la fois du Père et du Fils, à partir de l'un et de l'autre ; or nous ne pouvons jouir de la divinité, si ce n'est par un don. En Dieu, il est en effet le don naturel par lequel

37. 1 de intelligentia *scripsi* || 3 **superponitur** *O M* : supponitur *CS GPA* || 9 **sint** *O M* : sunt *CS GPA* || 11 **videtur esse** *tr. O*

c. Jn 1, 9 ≠

37. a. Cf. Mt. 11, 27

1. Voir *An.* 16 (*supra*, p. 176, n. 1) ; cf. aussi *An.* 19 (p. 180, l. 12) et 21 (p. 184, l. 9-10).

naturale quo ipse donabilis et fruibilis est omni, ut superius
15 dictum est, naturae.

38. Sicut enim lux corporea, quia lux est, naturaliter lucet, id est lucem gignit ingenita ('lux' etenim essentem tantum et ingenitam lucem significat, 'lucet' vero exeuntem et genitam), et quia lucet illuminat, hoc est lucem praebet,
1888D 5 ita quidem in Deo *lux est in quo tenebrae non sunt ullae*[a], immo ipse *lux* est *inaccessibilis*[b] nisi cui ipse naturali dono, id est illuminatione, accesserit, et quia lux est, utique lucet, id est splendorem emittit de se, et quia lux[c] lucet, id est de se splendorem emittit, lucem praebet, id est illuminat. Lux
10 ergo, splendorem emittens de se sed non amittens, illuminat intelligentiam ad agnitionem veritatis, et ignis, de se quem retinet in se emittens calorem, inflammat affectum ad amorem virtutis. Itaque, licet indifferens sit natura coaequalis Trinitatis, tamen sicut ad nos a Patre per Filium et
15 Spiritum vel in Spiritu divina descendunt, iuxta quod dicitur *baptizantes eos in nomine Patris et Filii et Spiritus Sancti*[d],
1889A ita per Spiritum ad Filium et per Filium ad Patrem humana ascendunt. Ideo namque abeunte Filio *mittitur Paraclitus Spiritus*[e], qui corpus capiti uniat, id est Christo[f], et ipse

38. 1-9 **sicut — illuminat** : Cf. AUGUSTIN, *Sol.* I, 8, 15 (*CSEL* 89, p. 23-24) || 1-13 **sicut — virtutis** : Cf. HUGUES DE SAINT-VICTOR, *Ier. Dion.* II, 1, 1 (*CCCM* 178, p. 414-416) ; *Commentarius Victorinus De trinitate* 16-18 (éd. Häring, p. 483-484)

---

38. 1-13 **lux — virtutis** : Cf. *Serm.* 24, 12-14 (*SC* 207, p. 106-108) ; cf. *Serm.* 26, 9 (*SC* 207, p. 132)

---

38. 2 **essentem** *O* : existentem *M*[mg] *S* essentm *(sic)* *C* essentiam *G* essentie *PA*

---

38. a. 1 Jn 1, 5 ≠ b. 1 Tm 6, 16 ≠ c. Cf. Jn 1, 4.9 ; 8, 12 ; 9, 5 ; 12, 46 d. Mt 28, 19 e. Jn 14, 26 ≠ f. Cf. Ep 5, 23

Dieu peut se donner à toute nature pour qu'elle jouisse de lui, comme cela a été dit plus haut[1].

38. La lumière corporelle, parce qu'elle est lumière, luit naturellement, autrement dit engendre de la lumière tout en étant inengendrée – ici « lumière » signifie la lumière qui simplement existe, inengendrée, et « luit », au contraire, celle qui sort et est engendrée ; et parce qu'elle luit elle illumine, c'est-à-dire fournit de la lumière. De même, *il y a de la lumière* en *Dieu, lui en qui il n'y a nulle ténèbre*[a] ; bien plus, il est *lumière inaccessible*[b], sauf pour celui de qui Dieu lui-même s'approche par un don naturel, c'est-à-dire une illumination ; et parce qu'il est lumière[c], il luit assurément, c'est-à-dire qu'il émet de l'éclat à partir de lui-même ; et parce que la lumière luit, c'est-à-dire émet de l'éclat à partir d'elle-même, elle fournit de la lumière, c'est-à-dire illumine. Ainsi la lumière, en émettant de l'éclat à partir d'elle-même mais sans rien en perdre, illumine-t-elle l'intelligence pour qu'elle connaisse la vérité ; et le feu, en émettant à partir de lui-même la chaleur qu'il contient en lui-même, enflamme l'affect pour qu'il aime la vertu. C'est pourquoi, bien que l'égalité de nature dans la Trinité ne laisse place à aucune différence, cependant ce qui est divin descend vers nous du Père par le Fils et l'Esprit ou dans l'Esprit, selon ce qu'il est dit : *les baptisant au nom du Père et du Fils et de l'Esprit Saint*[d] ; de même ce qui est humain monte par l'Esprit vers le Fils et par le Fils vers le Père. Aussi, au moment du départ du Fils, *l'Esprit Paraclet est-il envoyé*[e], pour unir le corps à la tête, c'est-à-dire au Christ[f], et pour

1. Cf. *An.* 34 (*supra*, p. 208, l. 1-4). On notera ici un écho augustinien dans le terme *fruibilis* : cf. AUGUSTIN, *De doctrina christiana*, I, IV, 4 (*BAug* 11, éd. G. COMBÈS – J. FARGES, Paris 1949, p. 184), pour la distinction entre *uti* et *frui*.

20 Deo, sicut scriptum est : *Caput mulieris vir, viri Christus, Christi Deus*[g]. Spiritus igitur regit et consolatur et erudit
f. 67v et perducet Ecclesiam ad Christum, quam ipse | simul sine *macula et ruga*[h] offeret regnum Deo et Patri[i]. Quod in nobis adimplere dignetur gloriosa Trinitas. Amen.

1890A **39.** Haec tibi, frater, inter innumeras angustias, ne non oboediremus, scripsimus. Venerunt enim super regiones nostras hoc anno mala pestilentiae et famis qualia omnia retro saecula, ut putatur, non viderunt. Quorum quidem
5 praeterito anno signa vidimus et notavimus, scientes omnis rei eventus et causas habere unde proveniant, et praeparationes quomodo, et signa quando, et finales commoditates quare contingant. Nihil enim a Sapientia fit nisi sapienter, et a summo bono nisi bonum et bene et ad bonum. Vale et
10 ora pro nobis diligens nos, quia nos te diligimus.

39. 4-8 quorum — contingant : Cf. *Serm.* 33, 10 (*SC* 207, p. 226) ; 48, 10 (*SC* 339, p. 160) || **8-9 nihil — bonum :** Cf. *Serm.* 1, 11 (*SC* 130, p. 90) : *Sapientia sapienter semper agit et loquitur* ; 8, 10 (*SC* 130, p. 198) : *naturam, in qua bonus a bono bene, et ad bonum creatus es* ; 47, 13 (*SC* 339, p. 144-146) : « tout ce qui arrive à tout point de vue est bien disposé par l'Être bon, est bien fait par lui en son lieu, en son temps, en son mode, et, à cause de l'Être bon par qui il est bien fait, doit bien être aimé par les bons » ; 47, 19 (*SC* 339, p. 150)

23 **in** *om. O*
39. 10 quia : et *add. O*

g. 1 Co 11, 3 h. Cf. Ep 5, 27 ≠ i. Cf. 1 Co 15, 24

s'unir lui-même à Dieu, comme il a été écrit : *La tête de la femme, c'est l'homme, celle de l'homme le Christ, celle du Christ Dieu*[g]. L'Esprit donc gouverne, console, instruit et conduira l'Église au Christ ; lui, au même moment, l'offrira sans *tache ni ride*[h] comme royaume à celui qui est Dieu et Père[i]. Que la glorieuse Trinité daigne accomplir cela en nous. Ainsi soit-il.

Conclusion

39. Nous t'avons écrit ceci, frère, au milieu d'angoisses sans nombre, pour ne pas te désobéir. Cette année en effet se sont abattus sur nos régions les fléaux de la peste et de la famine, avec une ampleur jamais vue, de mémoire d'homme, dans tous les siècles passés. L'an dernier, nous en avons observé et relevé les signes : car nous savons bien que tous les événements ont des causes dont ils proviennent, des préalables qui fixent leurs modalités, des signes qui en indiquent le moment et des finalités opportunes qui donnent sens à leur contingence. Car la Sagesse ne fait rien que d'une manière sage et le souverain bien ne fait rien que de bon et de bien et pour une bonne fin. Porte-toi bien et prie pour nous en nous aimant, parce que nous t'aimons.

PL 194
1889A

EPISTOLA YSAAC ABBATIS STELLENSIS AD IOHANNEM PICTAVENSEM EPISCOPVM DE CANONE MISSAE

1889B

Domino et patri in Christo, semper venerabili et digne amando, Iohanni, Dei gratia Pictavorum episcopo, frater Ysaac, dictus abbas Stellae, salutem, obsequium, oboedientiam.

1. Ecce quod diu multumque postulando impetrare non potuit vestra humilitas, imperando cito extorsit auctoritas. Cogit enim nos et ex occasione collationis, quam utique paenitet nos sic leviter effudisse, stilo alligare quomodo in
5 sacrum canonem, dum sacrosancta celebramus, intendimus.

EJ (= α) *VGW* (= β) *PQS* (= γ) *TK* (= δ)

Tit. **epistola — missae** *V*: epistola domni ysaac abbatis stellensis de officio missae ad dominum iohanem archiepiscopum lugdunensem *E* epistola abbatis stellensis ysaac de officio missae ad iohanem episcopum pictavensem *J* epistola ysaac abbatis stellensis ad iohannem pictavensem episcopum de eodem *G* meditatio donni ysaac abbatis stellae de sacro canone missae *W* ysaac abbas iohanni pictaviensi episcopo *P* abbas ysaac de sacramento altaris *Q* ysaac abbas iohanni pictavensi episcopo *S* intentio magistri ysaac in canone missae *T* libellus ysaac abbatis in canone *K*

1 **semper** *om. K* || 2 **iohanni :** i. γ || 2-3 **frater — stellae :** abbas isaac *Q om. PS* || 3 **salutem :** et *add. Q T* || **obsequium :** et *add. QS T*

LETTRE D'ISAAC ABBÉ DE L'ÉTOILE À JEAN ÉVÊQUE DE POITIERS SUR LE CANON DE LA MESSE

À mon seigneur et père en Christ, Jean[1], toujours vénérable et digne de respect, évêque de Poitiers par la grâce de Dieu, de la part de son frère Isaac, dit abbé de l'Étoile : salut, déférence, obéissance.

Prologue

1. Et voici : ce que votre humilité n'a pu obtenir par des demandes depuis longtemps réitérées, votre autorité l'a aussitôt arraché par un ordre. Elle nous contraint en effet à mettre par écrit ce que nous avons dit lors d'une conversation[2] – où nous regrettons vraiment d'avoir parlé avec si peu de retenue – concernant la façon dont nous tendons nos pensées vers le saint canon tandis que nous célébrons les mystères sacrés.

1. **2 vestra humilitas** *tr. W* || **extorsit :** vestra *add. Q* || **3 et** *om. PQ* || **4 sic :** tam *K* || allegare *G TK*

1. Sur le destinataire de la lettre, voir Introduction (*supra*, p. 81).

2. Sur le terme *collatio*, voir Introduction (*supra*, p. 36, n. 1 et p. 81, n. 3) et *An.* 1 (*supra*, p. 150, l. 8).

Rem quidem difficilem et fortasse inexplicabilem. Nihil humano corde fugacius, nihil curiosius. Vnde et id tam morose in uno tenere nimis arduum, et in unum uniformiter saepe intendere minus devotum. « Identitas enim mater est
10 satietatis », sed hoc ex vitio curiositatis.

2. Vnde consulens infirmitati nostrae[a], divina gratia
1889C antiqua capitula tota sensuum novitate saepe perfundit. Qui cum subito effulserint supra omnem humanum modum miramur, ubi nuncusque latitarint, unde tam inopinate et
5 absque studio emerserint. Ex ipsa vero admiratione *dilatatur cor*, sicut scriptum est, *mirabitur et dilatabitur cor tuum*[b], et ob ipsam dilatationem adimpletur devotione, dilectione, delectatione, iuxta psalmistam, *dilata os tuum et implebo illud*[c].

3. Nonnumquam vero luce clarius visa et *super mel et favum*[a] dulcius gustata, dum per eadem transimus, absconduntur, iuxta illud : *Quam magna multitudo dulcedinis tuae, Domine, quam abscondisti timentibus te*[b], id est, *ut timeant*
5 *te*[c]. Ipsa enim absconsio timorem gignit horribilem, horror dolorem, dolor gemitus, suspiria, et internos animi conques-
1889D tus inenarrabiles, ita ut nihil minus lugeamus amisisse nos

6 **nihil** : enim *add.* *W* || 7 **unde** : quare α || 8 **nimis** : minus *Q* || **arduum** : est *add.* *W* || **in** *om.* *VG* || **uniformiter** *om.* δ || 9 **saepe** : super *T* semper *K* || **mater** *om.* *Q* || 10 **hoc** : nimirum *W*

2. 1 **divina gratia** *tr.* α γ δ || 2 **saepe** : semper *PQ* || 4 latuerint *E* latitaverint *J* || 5 **vero** *om.* *T* || ammirationem *W P* || 9 **implebo illud** : cetera *G*

3. 1 **vero** : veritas *T* || 2 eandem E^{ac} γ *T* || 2-3 **absconduntur** : abscondit α γ absconditur *T* || 3 **iuxta** : iusta *G* || 4 **domine** *om.* α || **id est** *om.* γ *T* || **ut timeant te** *om.* *Q T* || 4-5 **domine — te** *om.* *K* || 5 **gignit** *om.* *K* || **horror** : timor δ || 6 **gemitus** : et *add.* *K* || 7 **ita ut** *tr.* *W* || **nos** *om.* γ δ

2. a. Cf. Rm 8, 26 b. Is 60, 5 c. Ps 80, 11
3. a. Ps 18, 11 ; Si 24, 27 b. Ps 30, 20 c. 1 R 8, 40 ; 2 Ch 6, 31.33

C'est chose assurément difficile et peut-être inexprimable. Rien n'est plus versatile que le cœur humain, rien n'est plus vainement curieux, en sorte que le tenir si scrupuleusement fixé sur un seul objet est trop ardu, et le tendre souvent, toujours de la même façon, vers un seul objet, affaiblit son recueillement. « Car la monotonie est mère de l'ennui[1] », mais cela vient du vice de la curiosité.

2. Aussi, prenant en considération notre faiblesse[a], la grâce divine emplit-elle souvent les textes anciens de sens tout nouveaux. Et lorsque ceux-ci sont brusquement apparus en pleine lumière au-delà de tout entendement humain, nous nous demandons où ils étaient cachés jusque-là, d'où ils ont émergé si subitement et sans effort de notre part. Cette admiration *dilate le cœur*, comme il est écrit : *Ton cœur sera dans l'admiration et se dilatera*[b] et, du fait de cette dilatation, il se remplit de dévotion, d'amour et de joie, selon ce que dit le psalmiste : *Ouvre ta bouche et je la remplirai*[c].

3. Parfois cependant, après avoir vu ces passages plus clairement à la lumière, et les avoir goûtés plus doux *que le miel et le rayon*[a], ils nous échappent tandis que nous les parcourons, selon ce qui est écrit : *Combien grande, Seigneur, est l'abondance de ta douceur, que tu as cachée à ceux qui te craignent*[b], c'est-à-dire *afin qu'ils te craignent*[c]. Le fait même qu'elle soit cachée engendre une crainte terrible, la terreur engendre la douleur, la douleur des gémissements, des soupirs et d'indicibles plaintes intérieures de l'âme, en sorte que nous ne nous lamentons pas moins d'avoir perdu des sens

1. Cf. Cicéron, *De l'invention* 1, 41, 76 (éd. G. Achard, *CUF*, 1994, p. 118) : *nam omnibus in rebus similitudo est satietatis mater,* « en effet, dans tous les domaines, l'uniformité engendre la satiété ».

vetera quam gaudeamus invenisse nova. Sicque, utraque vicissitudine acsi inter utramque molam confracti, com-
10 minuti, permoliti, in similaginem sacrificii[d] Dei transimus.
1890B Ipsamque utroque genere lacrimarum, id est, compunctionis et devotionis commiscentes, et in clibano[e] *cordis contriti et humiliati*[f] coquentes, nosmetipsos *panes propositionis*[g] efficimus, quos primo omnium offeramus.

4. Quoniam ergo, serenissime pater, nos nobis ipsis minime constamus, sed *Spiritus ubi vult* et quod vult et quando vult spirat, *et nescimus unde veniat aut quo vadat*[a], et *non potest homo* a semetipso *accipere quicquam*, nec per
5 voto ab alio, *nisi* sicut *datum fuerit* desuper[b], humilitati postulationis vestrae sapientius hucusque siluimus, quam imperio auctoritatis vestrae adhuc loqui possimus. Sed fortasse non quid nobis *rorent caeli desuper*, aut quomodo *nubes pluant* quaerimur, sed quomodo *aperiatur terra ut germinet*
1890C 10 *Salvatorem*[c] quaestio est ; non quomodo *prospiciat iustitia de caelo*, sed quomodo *oriatur veritas de terra*[d], non quomodo intendat in nos Deus, sed quomodo intendamus in ipsum.

8 gaudemus *K* || 9 **inter** *om. PQ* || utraque mola *P* || 11 **ipsamque :** ipsam quoque *W* || **genere lacrimarum** *tr. T* || 13 vosmetipsos *S* || 14 efficiamus *Q*

4. 1 **ergo** *om. VG canc. W* || **nobis ipsis :** nobismetipsis *Q* || 2 **sed :** et *K* || 2-3 **et**[1] **— quando :** spirat et quod vult et quomodo *E* ubi vult et quando vult et quomodo *J* et quo vult et quando *Q* et quando δ || 3 **aut :** et *VG PS T* || 4 **semetipso :** se ipso *Q* || **accipere quicquam** *tr. T* || 5 **ab :** aliquot *add. W* || **datum fuerit** *tr. VW* || humiliati *J*[ac] *P*[ac] *S T* || 7-8 fortassis β || 8 **non quid :** numquid *G* nunquid *W* || **nobis rorent caeli** *tr. T* || **desuper** *om. T* || **quomodo :** quid *T* || 9 **ut :** et δ || 11 **oriatur veritas de terra :** veritas oriatur de terra *Q* veritas de terra oriatur *T* || 12 **quomodo :** nos *add. VG* || **ipsum :** eum *VW*

d. Cf. 2 M 1, 8 e. Cf. Lv 2, 4 f. Ps 50, 19 g. Ex 25, 30, etc.

4. a. Jn 3, 8 b. Jn 3, 27 ≠ c. Is 45, 8 d. Ps 84, 12

anciens que nous ne nous réjouissons d'en avoir trouvé de nouveaux. Et ainsi, brisés, broyés, moulus par ces passages d'un état à l'autre, comme entre deux meules, nous nous transformons en fleur de farine du sacrifice[d] offert à Dieu. Et mêlant cette fleur de farine de deux espèces de larmes – de componction et de dévotion –, puis la cuisant dans le four[e] *d'un cœur*[1] *accablé et humilié*[f], nous devenons nous-mêmes *des pains de proposition*[g2], à offrir avant tous les autres.

4. Puis donc que, très révérend père, nous n'avons aucune assurance par nous-même – mais *l'Esprit souffle où il veut* et ce qu'il veut et quand il veut, *et nous ne savons ni d'où il vient ni où il va*[a] – et que *l'homme ne peut rien obtenir* de lui-même, ni en le demandant à un autre, *à moins que cela ne lui ait été* comme *donné* d'en haut[b], nous avons, en gardant jusqu'ici le silence quand vous nous sollicitiez humblement, manifesté plus de sagesse que nous ne pourrons jamais en montrer en parlant quand vous nous l'ordonnez avec autorité. Mais peut-être ne nous est-il pas demandé quelle *rosée les cieux répandent* pour nous *d'en haut* ni comment *les nuages donnent la pluie*, mais plutôt comment *la terre s'ouvre pour faire germer le Sauveur*[c] ; non pas comment *la justice regarde du ciel*, mais comment *la vérité naît de la terre*[d] ; non pas comment Dieu tend vers nous, mais comment nous tendons vers lui.

1. *Cf. *Can.* 8 (*infra*, p. 230, l. 1). Même image du four dans *Serm.* 44, 6 (*SC* 339, p. 84, l. 43).

2. *Sur les pains de proposition, mentionnés 18 fois dans la Bible, placés sur une table devant l'arche d'alliance pour y demeurer sans cesse en présence de Dieu, faits de fleur de farine et renouvelés chaque jour de sabbat, voir A. Pelletier, art. « pains de proposition », dans F. Vigouroux (dir.), *Dictionnaire de la Bible*, Supplément, t. VI, Paris 1960, col. 965-976.

Nos itaque, ut simpliciter fateamur, singulis capitellis singillatim prout gratia nobis datur intendimus, et dum ea
15 quasi « ubera de caelo plena » per labia sumimus, intente lactemus, *ex ore infantis et lactentis proficientes laudes*[e] quas valemus.

5. Verumtamen licet ibi plurima et diverso modo dicantur et fiant, nos tamen sub trina actione fere universa concludimus. Tres etenim distinguuntur in sacro canone principales actiones, quibus quasi tria deserviunt altaria, quibus quasi
5 trinus assistit sacrifex, cum quodammodo tribus sacrificiis.
1890D Et est fortasse hoc *exemplar quod ostensum est Moysi in monte*[a], iuxta quod *umbram* conderet *futurorum*[b], id est, tabernaculum in deserto. Vidit in alto quod faceret in imo ; in monte didicit quod faceret in plano. Sursum tandem
1891A 10 didicit quod doceret deorsum ; didicit a Deo quod doceret

13 capitulis *W* γ δ || **14 gratia nobis** *tr. T* || **dum :** ut *G*[ac] || **14-15 quasi ubera** *tr. K* || **15 intente :** in mente *VW* || **16 lactemus :** et *add. Q*

5. 1 plurima : plura *G* || **diverso :** in diverso γ || **2 nos :** vos *S* || **3 etenim :** enim β || **distinguuntur — actiones :** in sacro canone principales actiones distinguuntur *T* || **3-4 principales actiones** *tr. K* || **4 deserviunt altaria** *tr. T* || **5 quodammodo tribus** *tr. T* || **7 umbram conderet** *tr. K* || **9 in monte didicit :** didicit in monte *T* || **faceret in plano :** in plano faceret *G* || **tandem** *om. K* || **10 doceret deorsum** *tr. K*

e. Ps 8, 3

5. a. He 8, 5 b. He 10, 1

1. *Antiph. in oct. Nativ. Domini, Nesciens mater virgo* : C. Waddell (éd.), *The Primitive Cistercian Breviary (Staatsbibliothek zu Berlin, Preussischer Kulturbesitz, Ms. Lat. Oct. 402) with Variants from the*

Méthode

C'est pourquoi, nous l'avouons avec simplicité, nous avons l'intention de procéder court passage par court passage, l'un après l'autre, selon que la grâce nous en est donnée. Et tandis que nous les prenons avec nos lèvres « comme des seins généreux qui nous viennent du ciel[1] », nous tétons intensément, *rendant grâces* autant que nous le pouvons, [comme] *de la bouche du tout-petit et du nourrisson*[e].

Première partie : les dispositions du prêtre

5. Aussi, bien que l'on dise et fasse ici beaucoup de choses et de diverses manières, cependant, quant à nous, nous incluons presque tout dans une triple action. On peut, en effet, distinguer trois actions principales dans le saint canon, auxquelles sont pour ainsi dire consacrés trois autels ; en quelque sorte, elles sont accomplies par un triple sacrificateur[2], avec trois sacrifices. Et c'est peut-être ce *modèle qui a été montré à Moïse sur la montagne*[a], selon lequel il établit *l'ombre de ce qui est à venir*[b], à savoir la tente dans le désert. Il a vu sur la hauteur ce qu'il ferait en bas ; il a appris sur la montagne ce qu'il ferait dans la plaine. Il a appris en haut ce qu'il enseignerait en bas, il a appris de

---

'Bernardine' Cistercian Breviary, *Spicilegium Friburgense* 44, Fribourg 2007, p. 148, n° 209 ; R.-J. HESBERT, *Corpus Antiphonalium Officii*, vol. III, Rome 1968, n° 3877 ; *Resp. die VI in oct. Nativ. Domini*, *Nesciens mater virgo* (WADDELL, p. 149, n° 217 ; HESBERT, vol. IV, 1970, n° 7212).

2. Le terme *sacrifex* est relativement rare. Isaac le tire probablement de HILDEBERT, qui l'utilise dans plusieurs de ses œuvres, spécialement dans les *Versus de mysterio missae* (*PL* 171, 1177-1196) ou de PIERRE LE PEINTRE, qui l'utilise dans les *Carmina cur panis et vinum*, v. 30 et le *Liber de sacramentis*, v. 123, 488, 625 (éd. L. VAN ACKER, *CCCM* 25, Turnhout 1972, p. 4 et 21, 39, 45). Une autre source possible, dans le cas où Isaac serait entré en religion à Pontigny, est HUGUES DE MÂCON (ou de Vitry), qui fut abbé de Pontigny de 1114 à 1136 et qui emploie *sacrifex* deux fois dans ses sermons inédits (voir Zwettl, ms. 119, f. 6[r], l. 13 et f. 93[v], l. 22).

homines. Iuxta hanc formam et Apostolus loquitur : *Ego*, inquit, *quod accepi tradidi vobis*[c].

6. O bone pater, *attende tibi*[a] ipsi. Quanti hodie tradunt quod nec a Deo nec ab Apostolo acceperunt ! Traditiones hodierne fere omnes *turpi lucro*[b] deserviunt. Poena quae pro commisso irrogatur fere omnis pecuniaria est. Beneficium
5 quod quasi gratis impenditur fere omne, etsi pretium ante non taxat, obsequium postea sperat. Gravidae sunt hodie gratiae nostrae. Sub pretextu virginis pregnantem nuptui tradimus. Hanc simulationem nec didicit Moyses, nec docuit Paulus ; non est haec figura de monte.

7. Tabernaculum igitur de monte, id est, *tabernaculum Dei cum hominibus*[a], sic compositum est ut in atrio exterius
1891B altare habeat aeneum, ubi animalia sacrificantur. Intus autem in tabernaculo aliud aureum, quod dicitur altare incensi,
5 ubi timiama ponitur et thus et cetera quae concremata odoriferum fumum redoleant. Post quod quasi in intimo et

11 **et** *om. E* || **loquitur** *om. W* || 12 **inquit** : et *add. α om. δ* || **accepi** : a deo *add. T* a domino *add. K*

6. 1 **bone pater** *tr. G* || **hodie** *om. G* || 2 **traditiones** : vero *add. γ δ* || 3 **pro** *om. Q* || 5 **quasi** *om. δ* || **ante** *om. K* || 6 **obsequium postea** *tr. T* || **gravidae** : grande *E P*[ac] || **hodie** : hodierne *K* || 7 **nostrae** : vestrae *E* || 8 **nec**[1] : non *E γ T* || **docuit** : didicit *K* || 9 **est** *om. PQ* igitur *add. γ δ* || **haec** *om. β*

7. 2 **sic** : sicut *E* ita *Q* || **in atrio** *om. Q* || 3 habebat *E* || 6 **redoleant** : reddunt *VW*

---

c. 1 Co 11, 23 ; 15, 3

6. a. 1 Tm 4, 16 b. 1 Tm 3, 8 ; Ti 1, 7 ; 1 P 5, 2

7. a. Ap 21, 3

Dieu ce qu'il enseignerait aux hommes[1]. L'Apôtre aussi s'exprime ainsi, selon le même schéma : *Ce que moi-même j'ai reçu, je vous l'ai transmis*[c].

6. Ô bon père, *prête attention à toi*-même[a]. Combien sont ceux qui aujourd'hui transmettent ce qu'ils n'ont reçu ni de Dieu ni de l'Apôtre ! Presque tous les enseignements sont aujourd'hui dispensés *pour un gain indigne*[b2]. Presque toute peine requise pour un délit est pécuniaire. Presque tout bienfait dispensé quasi gratuitement, même s'il n'y a pas eu de prix fixé à l'avance, attend une compensation en retour. Nos faveurs sont aujourd'hui grosses d'attentes. Nous donnons en mariage la femme enceinte comme si elle était vierge. Ce faux-semblant, ce n'est pas ce que Moïse a enseigné, ce que Paul a enseigné. Ce n'est pas la figure donnée sur la montagne.

Trois autels

7. La tente inspirée à Moïse sur la montagne, c'est-à-dire *la tente de Dieu parmi les hommes*[a], a été ainsi composée : sur le parvis à l'extérieur, un autel en bronze où les animaux sont sacrifiés ; à l'intérieur, dans la tente, un autre autel, en or, dit l'autel de l'encens, où sont placés parfums et autres encens qui, une fois réduits en cendres, exhalent une fumée odoriférante ; enfin, placé pour ainsi dire en son cœur, tout au fond, le

1. *Cf. *Serm.* 11, 1 (*SC* 130, p. 236, l. 2-3) : « La montagne, c'est le ciel, et la vallée la terre. Dieu est la montagne, l'homme la vallée. »

2. *Isaac vise peut-être ici les enseignants des grandes écoles qui ont précédé la fondation des universités, par exemple celles de Chartres ou de Paris, où de son temps ont enseigné Pierre Abélard ou Gilbert de la Porrée. De façon plus large, Isaac souligne, en *Serm.* 43, 13 (*SC* 339, p. 70, l. 139-140), le risque « qu'en un domaine spirituel et céleste l'on ne se propose quelque intérêt terrestre ou charnel ».

supremo positum propitiatorium, quod non solum sanctum sed *sancta sanctorum*[b] dicitur. Inter propitiatorium ergo et altare aureum, velum oppanditur[c], quod in Passione Christi
10 scissum est[d] ut pateret propitiatorium, id est, corpus Christi, quod etiam sub hoc mysterio nudum cruci affixum est. Inter altare aureum et aeneum, paries quidem tabernaculi in heremo et murus dividit in templo, de quo peccator per
1891C paenitentiam tendens ad iustitiam sic loquitur : *Et in Deo*
15 *meo transgrediar murum*[e].

8. Primum etenim altare *cor contritum et humiliatum*[a] significat, in quo, dum quod iumentum viximus et irrationabiles actus per paenitentiam mactamus, quid nisi animalia diversorum generum Deo sacrificamur[b] ? Talia etenim Deo
5 animalia in conversione peccatoris – qui pro peccatum quidem foris est, et nisi per condignam paenitentiam non intrat ad iustitiam – mactat cordis compunctio, excoriat oris confessio, in frusta concidit diudicatio, comburit autem condigna afflictio. Aeneum quidem est, obscurum videlicet
10 et sonorum[c], quia *collocatur* paenitens in semetipso *in obs-*

6-7 **in intimo et supremo :** inter imum et supremum *P* internum et supremum *Q* interino et supremo *SK* interno et supremo *T* || 7 **positum :** est *add. W*δ || 8 **sed :** et *add. G Q T* || **ergo** *om.* γδ || 9 **aureum :** quoddam *add.* γ *K* || **velum :** quoddam *add. T* || **oppanditur :** vel appenditur *add. W* opponitur *Q* || 11 **etiam :** et *T* || 12-13 **tabernaculi in heremo :** in heremo tabernaculi *W* || 13 **peccator per ... sic loquitur :** per ... peccator sic loquitur *K* || 14 **loquitur :** dicens *add. W*

8. 1 **etenim :** enim *Q* || 3 **per paenitentiam** *om. G* || 4 **deo**[1] *om. K* || **etenim :** enim δ || **deo**[2] *om.* α *G K* || 8 **confessio :** et *add. T* || 9 **condigna :** satisfactio vel *add. E* || **aeneum :** es δ || **videlicet :** scilicet *E*

b. 1 R 6, 16 ; 7, 50 c. Cf. Ex 35, 12 ; 39, 4 ; Lv 16, 12, etc. d. Cf. Mt 27, 51
e. Ps 17, 30

8. a. Ps 50, 19 b. Cf. Lv 5 c. Cf. Jr 46, 22 ; 1 Co 13, 1

propitiatoire[1], que l'on appelle non seulement saint, mais *Saint des saints*[b]. Donc entre le propitiatoire et l'autel en or est déployé un voile[c] : lors de la Passion du Christ, il s'est déchiré[d] afin qu'apparaisse le propitiatoire, c'est-à-dire le corps du Christ qui, déjà sous ce mystère, a été attaché, nu, à la croix. L'autel en or et l'autel en bronze sont séparés par une paroi de la tente dans le désert, un mur dans le temple, mur dont le pécheur, qui tend vers la justice par sa pénitence, parle ainsi : *Et en mon Dieu je franchirai le mur*[e].

8. En effet, le premier autel représente *le cœur broyé et humilié*[a] : sur cet autel, lorsque nous immolons, par la pénitence, ce que nous avons vécu en bête de somme et nos actes dépourvus de raison, qu'offrons-nous en sacrifice à Dieu, sinon des animaux de diverses espèces[b] ? Car dans la conversion du pécheur – il est à l'extérieur du fait de son péché et ne peut entrer vers la justice que par une pénitence appropriée –, ce sont de tels animaux que la componction du cœur immole à Dieu, que la confession de la bouche écorche, que le jugement tranchant taille en morceaux et que l'affliction appropriée consume. Cet autel est en bronze, c'est-à-dire sombre et retentissant[c], parce que le pénitent, à l'intérieur de lui-même, *est placé dans les ténèbres*, lorsqu'*en*

1. *Le propitiatoire est le couvercle d'or pur de l'arche d'alliance. Cf. H. Lesètre, art. « propitiatoire » dans F. Vigouroux (éd.), *Dictionnaire de la Bible*, t. V, Paris 1912, col. 747-748. La description de la Tente de Moïse est l'objet de nombreux commentaires au dernier tiers du xiie siècle : Adam Scot, *De tripartito tabernaculo* (*PL* 198, 609B-792C) ; Pierre de Celle, *Tractatus de tabernaculo* (éd. G. de Martel, *CCCM* 54, 1983, p. 171-243 ; Pierre de Poitiers, *Allegoriae super tabernaculum Moysi* (éd. P. S. Moore, J. A Corbett, Notre-Dame [IN] 1938) : voir M.-D. Chenu, *La théologie au douzième siècle*, Paris 1957, p. 192-196.

curis, dum *anxiatur in ipso spiritus eius et cor conturbatur*[d]
1891D et *de profundis* fortiter *clamet* opus est[e], ut *audiatur* vox eius *in excelsis*[f]. Sic etenim *in Deo* suo *transgredi poterit murum*[g], qui inter culpam et iustitiam dividit, quoniam sacrificium
15 acceptum Deo spiritus contribulatus, qui *cor contritum et humiliatum non despicit*[h].

9. Secundum vero altare, quod intus et aureum est, cor significat per paenitentiam purgatum, *testimonio* bonae *conscientiae*[a] rutilans et clarum, super quod devotio offert *sacrificium iustitiae, oblationes et holocausta*[b], dum non
5 adhuc sua commissa deplorat, sed iam in divinis exultat[c], non iam de commissione criminum gemit, sed de collatione virtutum gratias agit.

10. Tertium vero, quod melius propitiatorium quam altare dicitur, ubi non angeli quandoque et quibusdam et
1892A quicumque apparent, sed semper, alis expansis et ipsum *propitiatorium obumbrantibus*, ipsa etiam *cherubim* manent[a],
5 cor significat super nubila phantasmatum altum[b], sicut dicitur, *accedet homo et cor altum*[c], cuius *conversatio in caelis est*[d], non solum desiderio et spe, sed iugi quantum homini

11 **cor** *om.* *T* || 12 **et**: sed *G* || **fortiter clamet** *tr.* *V* || 12-13 **audiatur — excelsis**: vox eius audiatur in excelsis *PS* δ vox eius audiatur in excelso *Q* || 13 **etenim**: enim *T om.* *K* || **transgredi poterit murum**: poterit murum transgredi *T* || 14 **sacrificium**: est *add.* *W* || 15 **acceptum deo** *tr.* *W* γ δ || 16 **humiliatum**: deus *add. et canc.* *P*

9. 2 **per paenitentiam purgatum**: purgatum per paenitentiam *K* || 3 **et clarum** *om.* *T* || 6 **commissione criminum** *tr.* *K* || 6-7 **collatione virtutum** *tr.* *K* || 7 **agit** *G*[mg]

10. 2 **vero**: altare *add.* *W* || **non** *om.* *T* || **quibusdam**: quibuscumque δ || 3 **semper**: super *T* || 4 **obumbrantibus**: et soli pontifici semel in anno *add.* *T* || **manent**: et soli pontifici semel in anno *add.* *K om.* α || 6 **dicitur**: scriptum est *W* || **et**: ad *GPQ* δ *corr.* *S* || **cor**: vel et *add.* *W*[sl] || **conversatio**: conversio *T* || 7 **homini** *om.* *W*

lui son esprit se tourmente et que son cœur est troublé[d] ; et *des profondeurs,* il doit *crier* avec force[e], pour que sa voix *soit entendue dans les cieux*[f]. Ainsi donc *en* son *Dieu il pourra franchir le mur*[g] qui sépare la faute de la justice, parce qu'un esprit brisé est un sacrifice que Dieu accepte, lui qui *ne méprise pas un cœur broyé et humilié*[h].

9. Le second autel, qui est en or, à l'intérieur, représente le cœur purifié par la pénitence, que *le témoignage d'une conscience* bonne[a] rend brillant et éclatant. Sur lui, la dévotion offre *un sacrifice de justice, des offrandes et des holocaustes*[b], tandis que le cœur ne déplore plus ce qu'il a fait mais déjà exulte dans les réalités divines[c], ne gémit plus d'avoir commis des fautes, mais rend grâce pour toutes les vertus qu'il a reçues.

10. Sur le troisième autel – qu'il vaut mieux appeler propitiatoire qu'autel –, il n'y a pas certains anges qui apparaissent à certaines personnes à certains moments ; mais *les chérubins* y demeurent toujours et leurs ailes déployées *couvrent de leur ombre le propitiatoire*[a]. Cet autel représente le cœur exalté[b] au-dessus des nuées des représentations imaginaires, comme il est dit : *L'homme parviendra à un cœur exalté*[c], dont le *séjour est dans les cieux*[d]. Exalté non seulement par le désir et l'espérance, mais par une contemplation perpétuelle, autant

d. Ps 142, 3-4 ≠ e. Ps 129, 1 ≠ f. Is 58, 4 ≠ g. Ps 17, 30 ≠ h. Ps 50, 19

9. a. 2 Co 1, 12 ≠ b. Ps 50, 21 c. Cf. Ps 34, 9 ; Is 41, 16 ou 61, 10 ; Ha 3, 8 ; Za 10, 7 ; Lc 1, 47

10. a. He 9, 5 ≠ b. 1 M 1, 4 ; 16, 13 c. Ps 63, 7 d. Ph 3, 20

fas est contemplatione, ubi, *quae retro sunt* sive bona sive mala *oblitum, in anteriora se* semper *extendit, sequens ad*
10 *bravium supernae vocationis*[d], in quod desiderat et delectatur cum angelis prospicere[e].

11. Primum igitur sacrificium paenitentiae, quam super cor contritum *spiritus rectus*[a] offert, id est, compunctio; secundum iustitiae, quam super cor mundum offert *spiritus sanctus*[b], id est, devotio; tertium vero intelligentiae, quam
1892B 5 super cor altum offert *spiritus principalis*[c], id est, contemplatio. Compunctio etenim perversos corrigit, devotio correctos dirigit, contemplatio autem directos erigit, et cum angelis conversari facit. Cor contritum in praeteritis malis cruciatur, cor mundum in praesentibus bonis delectatur,
10 cor autem altum praemia aeterna contemplatur. Paenitentia separat a diabolo, iustitia coniungit Deo, intelligentia vero delectatur in ipso.

12. Haec est compositio *tabernaculi Dei*, non tam *cum hominibus*[a] quam in hominibus. Cuius imago quomodo in sacro canone fulgeat in promptu est, ubi distincte prius sacrificium offertur servitutis, postmodum libertatis, tertio
5 unitatis. Ad hoc enim per divina sacramenta a servitute

8-9 sive[1] — mala : sive mala sive bona γ || 9 oblitus *W* || **in anteriora se semper :** semper in anteriora se *Q* || **semper** *om. VW* || **sequens** *om.* γ δ || **10 vocationis :** invocationis *P*[ac]*S*

11. **1 sacrificium :** est *add. T* || **sacrificium paenitentiae** *tr. K*[ac] || **quam :** quod *K* || **2 spiritus rectus offert :** offert spiritus rectus *K*[ac] || **3 mundum :** purum *Q* || **offert spiritus** *tr. T* || **6 etenim :** enim *E* || **8 praeteritis malis** *tr. VW* || **9 praesentibus bonis :** donis praesentibus *E* || **bonis :** donis *J* || **10 autem** *om. E W* δ || **autem altum** *tr. G* || **praemia aeterna** *tr. W* || **12 ipso :** christo δ

12. **3 in — fulgeat :** fulgeat in sacro canone *K* || promptum *G* || **4 sacrificium offertur** *tr. T* || **offertur :** offert *Q* offerri solet *K* || **postmodum :** vero *add.* γ δ

qu'il est possible à l'homme quand le cœur, *ayant oublié ce qui est en arrière*, bon ou mauvais, *se projette* toujours *plus avant et recherche le prix qu'il est appelé à recevoir d'en haut*[d], objet de son désir qu'il se réjouira de regarder avec les anges[e].

Trois sacrifices, un seul corps

11. Le premier sacrifice est donc celui de la pénitence, qu'*un esprit droit*[a] offre sur l'autel du cœur broyé : c'est la componction ; le deuxième est celui de la justice, qu'*un esprit saint*[b] offre sur un cœur pur : c'est la dévotion ; le troisième est celui de l'intelligence, qu'*un esprit souverain*[c] offre sur un cœur exalté : c'est la contemplation. En effet, la componction corrige ceux qui font fausse route ; quand ils ont été corrigés, la dévotion les dirige ; quand ils ont été dirigés, la contemplation les élève et les fait séjourner avec les anges. Le cœur broyé est torturé par ses fautes passées, le cœur pur se réjouit des biens présents, le cœur exalté contemple les récompenses éternelles. La pénitence sépare du diable, la justice unit à Dieu ; quant à l'intelligence, elle se réjouit en lui.

12. Ainsi s'organise *la tente de Dieu*, qui n'est pas tant *parmi les hommes*[a] qu'en eux. On voit clairement comment son image brille dans le saint canon : on y offre, successivement, d'abord le sacrifice de la servitude, puis celui de la liberté, en troisième lieu celui de l'unité. En effet, si le Fils nous libère de la servitude du démon par les divins sacrements,

d. Ph 3, 13-14 ≠ e. Cf. 1 P 1, 12

11. a. Ps 50, 12 b. Ps 50, 13 c. Ps 50, 14

12. a. Ap 21, 3 ≠

1892C diaboli per Filium liberamur, ut ipsi Patri simul cum Filio uniamur. Sic nempe pro servis Filius loquitur Patri : *Volo, Pater, ut sicut ego et tu unum sumus, ita et isti sint unum nobiscum*[b]. Omnis ergo actio sacramentorum caelestium huic
10 fini deservire dinoscitur, ut sine fine uni Deo per Christum uniti in ipso delectemur. Ideo *unus panis, unum corpus multi sumus*[c], sed non multa capita habemus, sed unum, et *cuius caput Deus*[d] ; quatinus multi per unum et in uno uni uniti, *unus* cum eo *spiritus* efficiamur[e], cum sapientia de sapientia
15 sapientes, cum vita de vita viventes, cum virtute de virtute potentes, cum caritate de caritate ferventes, cum iustitia de iustitia recti, et cum laetitia semper de laetitia laeti. Sed
1892D praepropere de extrema actione haec gestiens praelibavit nimium avida devotio.

13. Cunctis igitur ritae dispositis quae ad primam actionem pertinent, praemissis quibusdam orationibus seu postulationibus *cum incenso arietum*[a], id est, suffragiis apostolorum ac martyrum, accedit visibilis sacerdos – et
5 adhuc quasi qui *natus est de carne caro*[b] – ad offerendas visibiles hostias et de terra terrenas, et hoc super altare visibile et materiale materiali oleo visibiliter consecratum ;

6 **per filium liberamur :** liberamur per filium γ δ || 7 **nempe :** namque *VW* enim δ || 8 **sint unum** *tr. K* || 9 **nobiscum :** in nobis *G* || **sacramentorum caelestium** *tr.* β *Q* || 10 **dinoscitur :** cognoscitur *T*ac || 11 **ipso :** christo α || 13 **quatinus :** quamvis *G*ac || **et** *om. Q* || **uni :** multi *Q om.* δ || 15 **viventes :** et *add. T* || 15-16 **de virtute potentes :** potentes de virtute *E*ac || 16-17 **cum² — recti** *om.* δ || 17 **et** *om. E W* || **semper — laeti :** de laetitia semper laeti α *Q* || 19 **nimium :** nimis *E*

13. 1 **igitur :** ergo γ *T om. K* || 2 **actionem pertinent** *tr. K* || 4 **ac :** et *K* || 5 **quasi** *om.* δ || **de carne caro :** caro de carne *K* || 6 **et¹** *om. T* || **terra :** terrena *W*ac

c'est pour que nous soyons unis au Père lui-même, en même temps que le Fils. C'est ainsi que le Fils parle au Père en faveur de ses serviteurs : *Je veux, Père, que, comme toi et moi nous sommes un, eux aussi soient un avec nous*[b]. On se rend donc compte que toute l'action des sacrements célestes sert à cette fin : que, unis éternellement par le Christ au Dieu un, nous nous réjouissions en lui. C'est pourquoi *nous qui sommes nombreux, nous sommes un seul pain, un seul corps*[c], cependant nous n'avons pas plusieurs têtes mais une seule, *dont la tête est Dieu*[d]. Puisque, nombreux, nous sommes unis par un seul, en un seul, pour un seul, nous avons été faits *un seul esprit*[e] avec lui : sages d'une sagesse issue de la Sagesse, vivants d'une vie issue de la Vie, puissants d'une force issue de la Force, brûlants d'une charité issue de la Charité, droits par une justice issue de la Justice, joyeux de la joie issue de la Joie. Mais transportés par une trop vive dévotion, dans la joie de ce qui précède, nous avons fait goûter par anticipation ces aspects de la dernière action.

Deuxième partie : la première action, offrande de servitude

13. Une fois prises toutes les dispositions du rite pour la première action, et une fois prononcées certaines prières et demandes *avec la fumée des béliers sacrifiés*[a], c'est-à-dire l'intercession des apôtres et des martyrs, le prêtre visible s'avance alors – à ce moment encore en qualité d'*homme de chair, né de la chair*[b] –, pour offrir des victimes visibles, terrestres, nées de la terre, et ce sur un autel visible et matériel, consacré de façon visible par de l'huile matérielle. Et

b. Jn 17, 24.21-22 ≠ c. 1 Co 10, 17 d. 1 Co 11, 3 ≠ e. 1 Co 6, 17 ≠
13. a. Ps 65, 15 b. Jn 3, 6 ≠

et haec omnia quasi adhuc foris aguntur, dum quae fiunt et quomodo fiunt foris conspiciuntur. Vnde et ad *servum*
10 qui *non manet in domo in aeternum*[c] pertinere noscuntur, quamobrem et « servitutis oblatio » dicuntur, sicut dicitur, « Hanc oblationem servitutis nostrae », et cetera.

1893A **14.** « Oblationem servitutis » panem et vinum recte nominat ; nam cum homo, de terra sumptus per naturam, super terram dominus constitueretur per gratiam, ab auctore naturae et datore gratiae recedens per culpam, infra terram
5 damnatus est per iustitiam. Vnde cui terra famularetur gratis fertilis ad suavitatem, nunc multis et miris obsequiis delinita laboribus et sudoribus plurimum miseris ac miserandis exculta, vix largitur ad necessitatem, sicut scriptum est, *in sudore vultus tui vesceris pane tuo*[a].

15. Quoniam ergo in victualibus, sine quibus vita animalis non transigitur, principalia sunt panis et vinum, apte per ea omnis victus vitae animalis dum offeruntur offertur. Praecipua quippe illius portio sunt et totum figurant. Itaque
1893B 5 quid amplius potest servus qui reconciliari appetit Domino suo[a], quam *de penuria sua totum victum suum*[b] offerre, et sic totam vitam suam mactare ? Sic igitur, in prima actione,

8 **adhuc** *om.* δ || 12 **hanc** : igitur *add.* *W K* || **servitutis nostrae** *om.* *K*

14. 1-2 **recte nominat** *tr.* *P* || 3 **auctore** : actore *W* autore *S* || 4 **naturae** : nostro δ || 5 **cui** : cum γ δ ei prius *add.* *T* ei *add.* *K* || **terra** : prius *add.* *K* || 6 **gratis** *om.* γ δ || **nunc** : et *add.* γ δ || 7 **et sudoribus** *om.* *T* || **ac** : et *K* || 9 **tuo** : cum operatus fueris terram non dabit fructus suos et cetera *add.* *W*

15. 2 **principalia** : principia *T* || **apte** : aperte *V* || 3 **ea** : eam *P*[ac] eam *S* || **vitae** *om.* *G* || **vitae animalis** *tr.* *Q* || 4 praecipia *E* || **quippe illius** *tr.* *Q* || **figurant** : significat *T* significant *K* || 5 **potest** : potuit *T* || **appetit** : vult *Q* || 7 **sic** *om.* *Q* || mactat *T* || **igitur** : ergo *W* γ δ

jusque-là tout se passe pour ainsi dire extérieurement, cependant qu'on voit extérieurement ce qui se fait et comment cela se fait. On reconnaît donc que ces actes relèvent d'un *serviteur* qui *ne demeure pas dans la maison pour l'éternité*[c]. C'est pourquoi on parle d'« offrande de servitude », comme il est dit [au canon de la messe] : « Cette offrande de notre servitude », etc.

14. Le prêtre nomme à juste titre le pain et le vin « offrande de servitude ». En effet, bien que l'homme, tiré de la terre par nature, eût été constitué par grâce maître sur la terre, il s'éloigna par sa faute de l'auteur de la nature et du dispensateur de la grâce et fut condamné par justice [à retourner] sous la terre. Ainsi, la terre aurait dû mettre gratuitement sa fertilité au service de l'homme, pour son agrément ; mais maintenant, alors qu'il lui prodigue sans cesse des soins extraordinaires, la cultive par les travaux, les sueurs et les peines les plus pénibles et pitoyables, c'est à peine si elle fournit le nécessaire, selon ce qu'il est écrit : *À la sueur de ton front tu mangeras ton pain*[a].

15. Puisque donc, parmi les vivres indispensables pour préserver la vie de l'être animé, le pain et le vin sont essentiels, il est pertinent qu'en les offrant, on offre l'ensemble de ce qui assure sa subsistance. En tant qu'aliments primordiaux, ils sont une partie de l'ensemble et le représentent tout entier. Aussi, que peut faire de plus le serviteur désireux de se réconcilier avec son Seigneur[a] que d'offrir, *à partir de son indigence, toute sa subsistance*[b], et ainsi d'immoler toute sa vie ? Ainsi donc, dans la première action, tandis qu'il offre

c. Jn 8, 35
14. a. Gn 3, 19
15. a. Cf. 2 M 8, 29 b. Mc 12, 44

dum in pane et vino *totum victum suum* offert, totum quod animaliter vivit occidit. Vitam enim occidit, qui victum ei
10 subtrahit. Hinc est quod a sapiente dicitur : *Ad mensam magnam sedisti ; diligenter attende quae apponuntur tibi. Fige cultrum in gutture tuo, sciens quoniam talia oportet te preparare*[c].

16. *Mensa magna*[a] est altare Domini. Ille ibi nobis *apponitur* ad refectionem, qui corpus et animam suam posuit pro nobis ad redemptionem[b]. *Attendendum est* quod *talia oportet* etiam illi *praeparare*[a], id est, pro illo nostrum simul
1893C 5 et similiter corpus et animam ponere. Sic enim per *spiritum consilii*[c] ipsi sibi respondit propheta, *Quid retribuam Domino pro omnibus quae retribuit mihi ? Calicem salutaris accipiam, et nomen Domini invocabo*[d]. Formam vero attende quam subtiliter et eleganter expressit dicens, *Fige cultrum*
10 *in gutture tuo*[e]. Cultrum quippe abstinentiae et inediae quasi in gutture figimus, dum qui *totum victum* nostrum[f] Deo obtulimus, de eo postmodum parce et timide quasi de altario Dei ad necessitatem sumimus. Nam qui *altari deserviunt* ordinavit Dominus *de* altario *vivere*[g]. Alioquin
15 si post oblationem talem iterum deliciose et luxuriose quasi

10-11 **ad — sedisti :** ad mensam meam sedistis vel ad mensam magnam *G* || 12 **oportet te :** *tr.* γ *K* te opporteat *T*

16. 1-2 **ibi nobis apponitur :** nobis apponitur ibi α nobis ibi apponitur γ *K* || 2-3 **posuit pro nobis :** pro nobis posuit *E* || 3 **attendendum est :** attende δ || **quod :** quia *Q* || 4 **oportet etiam :** oportet nos etiam *W T* etiam oporteat nos *K* oportet *Q* || **simul** *om.* δ || 4-5 **simul — corpus :** simul corpus *W* similiter corpus simul γ || 5-6 **spiritum :** sanctum *add. G* || 6 **consilii :** considerans *K* || **ipsi sibi** *tr. E* γ δ || respondet *T* || **respondit propheta :** dicens *add. W tr. K* || 7 **calicem :** inquit *add. W* || 9 **subtiliter :** sullimiter *Q* || **et :** quam *T* || 11 **dum :** ut *W* || **qui** *om.* δ || 12 **obtulimus :** ut *add. W* offerimus et δ || 13 **altari :** altario *T* || 15 **quasi :** tanquam *W*

dans le pain et le vin *toute sa subsistance*, il anéantit tout ce qui vit en lui de façon animale ; car il anéantit la vie, celui qui lui retire la subsistance. D'où ce que dit le sage : *Tu t'es assis à une grande table ; prête soigneusement attention à ce qui est placé devant toi ; enfonce-toi un couteau dans la gorge, sachant qu'il te faut préparer de telles offrandes*[c][1].

16. *La grande table*[a], c'est l'autel du Seigneur, C'est lui qui *est placé* là *devant* nous pour nous restaurer, lui qui a offert pour nous son corps et son âme, pour nous sauver[b]. *Il faut prêter attention à la nécessité de* lui *préparer de tels sacrifices*[a], c'est-à-dire à offrir pour lui, de la même manière, à la fois notre corps et notre âme. Ainsi en effet, par *esprit de conseil*[c], le prophète se répond à lui-même : *Que rendrai-je au Seigneur pour tout ce dont il m'a gratifié ? [Je prendrai] la coupe du salut et j'invoquerai le nom du Seigneur*[d]. Mais prête attention à la forme subtile et recherchée qu'il a donnée à ses paroles : *Enfonce-toi un couteau dans la gorge*[e]. Car nous enfonçons pour ainsi dire dans notre gorge le couteau de l'abstinence et du jeûne, lorsque, après avoir offert à Dieu *toute* notre *subsistance*[f], nous en reprenons un peu par nécessité, avec retenue et crainte, comme si elle venait de l'autel de Dieu. Car à ceux qui *servent l'autel*, le Seigneur a ordonné de *vivre de* l'autel[g]. Mais si par ailleurs, après une telle offrande, nous recommençons à tout prendre, avec délices et sans retenue,

c. Si 31, 12 ; Pr 23, 1-2 (Patr.)

16. a. Si 31, 12 ; Pr 23, 1 (Patr.) b. Cf. Mc 10, 45 c. Is 11, 2 d. Ps 115, 12-13 e. Si 31, 12 ; Pr 23, 2 (Patr.) f. Mc 12, 44 ≠ g. 1 Co 9, 13-14 ≠

1. Pour ce texte de la *Vieille Latine* fréquent depuis Cassien jusqu'au Moyen Âge, notamment chez Bernard de Clairvaux, en passant par de nombreux relais carolingiens, voir par exemple AUGUSTIN, *Serm.* 329, 1 (*PL* 38, 1455). En particulier, la Vulgate a le verbe *statue*, « pose », et non *fige*.

de nostro absumimus, totum quod offerimus auferimus, et de rapina iam peius vivimus. Nam sic iam non *Domino* sed nobis *vivimus* et *morimur*, et *sive* sic *vivimus sive* sic
1893D *morimur*, iam non *Domini* sed nostri[h], immo nec nostri
20 sed diaboli *sumus*[h].

17. Ideo, vir bone et prudens, *diligenter attende*[a] nostrum esse altare, de quo non licet edere qui tabernaculo deserviunt corporis sui, sed sicut corpus polluitur voluptate, ita anima vanitate et spiritus ambitione foedatur. Ista nimirum
5 sunt *capita draconis*, quem *dedit* Dominus *escam populis Aethiopum*[b]. Iste *calix daemoniorum* quem simul bibere cum *calice Domini* non convenit[c]. Nulla enim *conventio Christi ad Belial*[d]. Numquid si mundus es corpore, statim mundus ? Immo mundus corpore, mundior sit anima, et
10 spiritu mundissimus, quatinus castitate, puritate, humilitate, totus mundus, *non indigeat nisi ut pedes lavet*[e]. Ecce
1894A in quid intendimus dum primam oblationem offerimus. Ecce quid esse contendimus dum in ista intendimus. Ista

18-19 sive[1] — morimur : sive sic vivimus sive morimur *P* sive sic morimur sive vivimus *Q* || **19 nec :** non γ δ

17. 1 vir *om. T* || **et** *om.* β || **prudens :** pudens *E om.* β || **2 edere :** eis *add. W* || **2-3 deserviunt corporis sui :** corporis sui deserviunt α *T* || **3-4 ita — foedatur :** et spiritus ambitione foedatur ita et anima vanitate *Q* ita et anima vanitate et spiritus ambitione foedatur *T* || **5 quem :** quam E^{ac} || **8 es :** est *VW* || **9 immo :** ideo *VW* || **mundus :** sit *add.* β || **et** *om.* β || **10 spiritu mundissimus** *tr. G* || **11 totus mundus** *tr. E* || **12 in** *om. G T* || **intendimus :** tendimus γ *K* || **oblationem :** facimus vel *add. G* || **offerimus :** et *add. K* || **13 in** *om. W*

h. Rm 14, 7-8 ≠

17. a. Pr 23, 1 b. Ps 73, 14 ≠ c. 1 Co 10, 20 ≠ d. 2 Co 6, 15 e. Jn 13, 10

comme si nous nous servions à notre table, nous remportons tout ce que nous apportons[1] et nous vivons de rapine, plus mal encore qu'auparavant. Car ainsi *nous* ne *vivons* et ne *mourons* plus *pour le Seigneur,* mais pour nous, et *que nous vivions ou mourions* ainsi, *nous ne sommes* plus *au Seigneur*[h], mais à nous, et en vérité nous ne sommes même plus à nous, mais au diable.

17. C'est pourquoi, homme bon et réfléchi, *prête soigneusement attention*[a] au fait qu'il s'agit de notre autel, sur lequel ceux qui servent la tente de leur corps n'ont pas le droit de manger : comme le corps est souillé par la volupté, ainsi l'âme est corrompue par la vanité et l'esprit par l'ambition. Ce sont assurément ces *têtes de dragon* que le Seigneur *a données en nourriture aux peuples d'Éthiopie*[b2] ; c'est *le calice des démons* qu'il ne convient pas de boire en même temps que *le calice du Seigneur*[c], car il n'y a aucun *accord entre le Christ et Bélial*[d]. Si tu es pur de corps, est-ce qu'il s'ensuit aussitôt que tu es pur ? Bien plutôt, que celui qui est pur de corps soit plus pur en son âme et plus encore en son esprit, jusqu'à ce que, rendu pur tout entier par la chasteté, l'intégrité, l'humilité, *il n'ait plus besoin que de se laver les pieds*[e3]. Voilà ce vers quoi nous tendons nos pensées tandis que nous offrons le premier sacrifice. Voilà ce à quoi nous aspirons tandis que nous tendons nos pensées vers ce but. Ce à quoi nous pensons

1. *Jeu de mots intraduisible : *quod offerimus, auferimus.*

2. *D'après Bruno, évêque de Segni († 1123), dont Isaac a pu connaître l'*Expositio in Psalmos,* le dragon est le serpent qui a trompé la femme au paradis, la tête du serpent est le péché originel, les Éthiopiens sont « les noirs, les pécheurs qui, régénérés par le baptême, sont devenus plus blancs que neige » (*PL* 164, 981-982).

3. Ce texte de la *Vieille Latine* est courant depuis AMBROISE (*Explanatio psalmorum XII,* Ps 40, 24, 2, éd. M. PETSCHENIG, *CSEL* 64, 1919, p. 245, l. 15) ou AUGUSTIN (*Io. ev. tr.* 80, 3, *BAug* 74B, p. 76, l. 5-6).

cogitamus dum ista tractamus, foris *verbo et lingua*, intus
15 quantum possumus *opere et veritate*[f].

18. Verumtamen altioris opus est consilii. Totum quod potest in hac actione servus facit, sed in toto non satisfacit. Non potest amplius aliquid, sed hoc totum non sufficit. Occidere se potest ; vivificare non potest. Itaque oratione
5 se erigit[a] et ad eum qui omnia potest se convertit dicens, « Quam oblationem tu, Deus », et cetera, usque « corpus et sanguis nobis fiat ». Acsi dicat : « Domine feci quod potui, supple quod non potui. » Et *in fide, nihil hesitans*[b], accedit ad
1894B actionem secundam, dicens « Qui pridie quam pateretur »,
10 et cetera, usque ad verba illa potentia et efficientia – sicut scriptum est, *Ecce dabit voci suae vocem virtutis*[c] – dicit enim et facit, verbum et virtus : « Hoc est corpus meum[d]. »

19. Fit igitur super omnem rationem humanam, divina virtute[a], humana sollicitudine, de vetere cibo *veteris hominis*[b], novus cibus *homini novo*[c]. Habens ergo novus sacerdos – non iam vetus Melchisedech[d], neque *natus caro*
5 *de carne*, non de sudore suo, neque de terra, cui misere et multipliciter servitur, sed novus Iesus *natus de Spiritu spiritus*[e] – « de donis ac datis » divinis, de caelo caelestem hostiam, invisibilis iam effectus, super invisibile altare fidei

14 **foris :** et *add. W*

18. 2 servus facit *tr. K* || **3 potest :** sed *add. J G γ T* || **4 vivificare :** se *add. E G* || **6 usque :** ut *add. α G PS T* || **7 nobis** *om.* δ || **acsi :** aperte *add. K* || **domine :** quod *add. E* || **8 potui :** possum *T* || **9 actionem secundam** *tr. E Q* || **10 usque :** et α γ δ || **verba illa** *tr. E* || **illa :** accedit *add. K*

19. 1 igitur : ergo *E* enim *K* || **rationem humanam** *tr. K* || **2 vetere :** veteri *G* || **3 novus cibus** *tr. K* || **ergo :** igitur *E* || **4 iam** *om.* γ δ || **5 sudore :** furore *K* || **6 servitur :** servit α || **spiritu :** spirito *Q* || **7 ac :** et *W*

tandis que nous agissons, extérieurement *en paroles et de langue*, intérieurement, autant que nous le pouvons, *en actes et en vérité*[f].

La deuxième action, offrande de liberté

18. Cependant il est besoin d'un dessein plus élevé. En cette [première] action, le serviteur fait tout ce qu'il peut, mais il ne satisfait pas totalement [à Dieu]. Il ne peut rien faire de plus, mais ce tout ne suffit pas. Il peut se tuer ; il ne peut se donner la vie. C'est pourquoi il se redresse pour la prière[a] et se tourne vers celui qui peut tout, disant : « Ô Dieu, [daigne rendre] cette offrande, etc. », jusqu'à « qu'elle devienne pour nous le Corps et le Sang ». Comme s'il disait : « Seigneur, j'ai fait ce que j'ai pu, supplée à ce que je n'ai pas pu. » Et *avec foi, sans la moindre hésitation*[b], il s'engage dans la deuxième action, en disant : « Qui la veille de sa Passion », etc., jusqu'à ces paroles puissantes et efficaces – selon ce qui est écrit : *Voici qu'il donnera à sa voix la voix de la puissance*[c] – car il dit et il fait, parole et puissance : « Ceci est mon corps[d]. »

19. Ainsi, au-delà de toute raison humaine, par la puissance divine[a] et l'application humaine, la vieille nourriture *du vieil homme*[b] devient nourriture nouvelle *pour l'homme nouveau*[c]. Le nouveau prêtre n'est donc plus le vieux Melchisédech[d], il n'est plus *chair née de la chair*, il n'est plus issu de la sueur et de la terre qu'il sert misérablement et de multiples façons, mais il est nouveau Jésus, *né esprit de l'Esprit*[e]. Ayant donc une victime céleste, venue du ciel, venue « des biens donnés par Dieu », désormais rendu invisible, il offre sur l'autel

f. 1 Jn 3, 18

18. a. Cf. 2 Ch 7, 15 b. Jc 1, 6 c. Ps 67, 34 d. Cf. Mt 26, 26 ; Mc 14, 22 ; Lc 22, 19 ; 1 Co 11, 24

19. a. Cf. 2 M 3, 29 b. Rm 6, 6 ≠ c. Ep 4, 24 ≠ d. Cf. Gn 14, 18 ; Ps 109, 4 ; He 5-7 e. Jn 3, 6 ≠

invisibilem hostiam carnis et sanguinis offert, dicens, non 1894C ut prius timide, « tibi », neque « hostiam servitutis », sed cum exultatione et laetitia, « praeclarae maiestati tuae », « hostiam puram » et purificantem, « sanctam » et sanctificantem, « immaculatam » et immaculatos efficientem, id est, « panem sanctum vitae » non temporalis nec animalis, sed spiritualis et « aeternae », et « calicem » qui in perpetuum salvare et sanare potest, et ideo « salutis perpetuae ».

20. Amplius autem, quia etiam *caro* Christi et sanguis *non prodest quicquam* sine *verbis quae spiritus et vita sunt*[a], altius aliquid adhuc expetit, cui donec per corpus Christi in caelis Deo uniatur et per humanitatem divinitati coniungatur, nihil sufficit. Quippe qui scalam sibi erexit, ascendere utique satagit. Vnde et post hanc oblationem accingit se adhuc ad orationem, dicens, « supra quae propitio », et 1894D cetera, et quasi per gradus ipsius scalae ascendens, commemorat munus « Abel » pueri[b], sacrificium « Abrahae » patriarchae[c], oblationem « Melchisedech » sacerdotis[d], qui eleganter speciem expressit in pane et vino, sicut Abraham veritatem in filio et Abel innocentiae munus in agno.

10 **tibi** *om.* α || 12-13 **et sanctificantem** *om. T* || 13 **efficientem :** facientem *W* || 16 **salvare — potest :** saciare et salvare potest α salvare et saciare potest G^{ac} sanare potest *W* salvare et sanctificare potest *Q* et salvare potest et sanare *T* salvare et satiare potest *corr. K*

20. 1 **autem :** etiam γ δ || **etiam :** et α *om.* γ δ || 2 **quae** *om. V* W^{sl} || 3 **aliquid adhuc** *tr. T* || **adhuc expetit** *tr. E* || 4 **deo** *om. E W* || **humanitatem :** humilitatem *T* || 4-5 **coniungatur :** iungatur *E T* || 5 **erexit :** erigit δ || **ascendere :** ascensione *Q* || 6 **et** *om.* γ δ || **post :** corpus *Q* || 7 **propitio :** ac sereno vultu *add. W* || 10 **patriarchae** *om.* α *Q* || 11 **speciem expressit** *tr. Q* || 12 **innocentiae munus** *tr. E T*

invisible de la foi une victime invisible de chair et de sang ; il ne dit plus comme auparavant, avec crainte, « pour toi », « une victime de servitude », mais il dit, avec transport et joie, « pour ta majesté éclatante », « une victime pure » et purifiante, « sainte » et sanctifiante, « sans tache » et qui rend les hommes sans tache, c'est-à-dire le « pain sacré de la vie », d'une vie non plus temporelle ou animale, mais spirituelle et « éternelle », et le « calice » qui peut « guérir et sauver » pour toujours, et donc [calice] « du salut perpétuel ».

20. Bien plus, parce que même *la chair* du Christ et son sang *ne servent de rien*, sans *les paroles qui sont esprit et vie*[a], le prêtre cherche à atteindre quelque chose d'encore plus élevé : tant qu'il n'est pas uni à Dieu dans les cieux par le corps du Christ et conjoint à la divinité par son humanité, rien ne lui suffit. Assurément, celui qui a dressé pour lui-même une échelle s'efforce de la gravir à tout prix. Aussi, après cette offrande, il se prépare encore à l'oraison, en disant « [Daigne porter] sur ces dons un regard favorable », etc., et, comme s'il montait les degrés de cette échelle, il rappelle le présent du serviteur « Abel[b] », le sacrifice du patriarche « Abraham[c] », l'offrande du prêtre « Melchisédech[d] », qui a figuré subtilement les espèces [du sacrement] dans le pain et le vin, comme Abraham a figuré la vérité en son fils et Abel, en l'agneau, le don de l'innocence[1].

20. a. Jn 6, 64 b. Cf. Gn 4, 4 c. Cf. Gn 22 d. Cf. Gn 14, 18-20

1. En d'autres termes, ces trois épisodes de l'Ancien Testament sont des types des réalités néotestamentaires : l'offrande de Melchisédech préfigure l'eucharistie, le sacrifice d'Abraham préfigure la Passion, et l'offrande d'Abel annonce la mort de l'innocent.

21. Hac itaque oratione fretus, cum fiducia accedit ad actionem tertiam. Sed quoniam ad illud summum et « sublime altare in conspectu divinae maiestatis », ubi summus et perpetuus sacerdos assistit vultui Patris, nondum ut
5 vult valet ascendere (nam et hoc visibilis sacerdos dum se infra visibile altare inclinat et surgens osculatur significat), rogat « per manus angeli », invisibilis videlicet sui ministri,
1895A eo sacrificium suum « perferri » et corpori Christi in caelo uniri ; quatinus sic per ipsum quod hic in specie panis et vini
10 de primo altari sumimus, et in veritate carnis et sanguinis de secundo, ultra velum in caelo « benedictione » olim semini Abrahae[a] promissa et gratia Mariae allata[b], virtuti sacramenti ipsius communicet, id est, summo capiti per Christum uniatur. *Caput enim Christi Deus*[c].

22. Ecce, pater serenissime, quomodo sicut in praefatione commonemur : « sursum corda », sursum verba, sursum opera. Prima namque oblatio separat a mundo, secunda coniungit Christo, tertia unit Deo. Prima mortificat,
5 secunda vivificat, tertia deificat. In prima actione passio, in secunda resurrectio, in tertia glorificatio. « Vnde et », dicitur, « memores beatae passionis, necnon et ab inferis

21. 1-2 **hac — tertiam** *om.* δ || 3 **conspectu :** divinitatis *add.* *K* || 5 **visibilis — se :** dum se visibilis sacerdos α γ dum visibilis sacerdos se δ || 7 **manus :** sancti *add.* *E* || **angeli invisibilis** *tr.* *T* || **videlicet :** scilicet *E* || **sui ministri** *tr.* *Q* || 8 **eo sacrificium suum :** suum ei sacrificium γ δ || 9 **sic :** sicut α *W S* *om.* *PQ* δ || 10 **de :** in *K* || 11 **de :** in *K* || 12 gratiae *G PS K* || **allata :** illata *T* || 13 **sacramenti ipsius** *tr.* *Q T* || **ipsius :** illius *E* || 14 **christum :** spiritum *EJ*[ac]

22. 1 **pater serenissime** *tr.* *K* || 2 **commonemur :** monemur γ δ habere *add.* *G*[mg] || 3 **oblatio :** actio γ δ || 4 **christo :** deo *W*[ac] || 7 **inferis :** inferno *W*

La troisième action, offrande d'union

21. Donc, fortifié par cette oraison, il aborde avec confiance la troisième action. Mais il n'est pas encore capable de monter comme il le veut « à cet autel sublime » et suprême « en présence de la divine majesté », là où le Grand Prêtre éternel se tient devant la face du Père – cela, le prêtre visible le signifie lorsqu'il s'incline plus bas que l'autel visible et le baise en se relevant. Aussi demande-t-il que son sacrifice y « soit porté par la main de l'ange », c'est-à-dire son ministre invisible, et soit uni dans le ciel au corps du Christ. Afin qu'ainsi, par ce que nous prenons ici-bas du premier autel, dans les espèces du pain et du vin, et du deuxième dans la vérité de la chair et du sang, il communie, au-delà du voile, dans le ciel, par « la bénédiction » jadis promise à la descendance d'Abraham[a1] et accordée par grâce à Marie[b], à la force du sacrement lui-même, c'est-à-dire qu'il soit uni par le Christ à la Tête suprême. Car *la tête du Christ, c'est Dieu*[c2].

Récapitulation

22. Vois, très révérend père, comment nous sommes exhortés par la préface : « élevons nos cœurs », élevons nos paroles, élevons nos œuvres. Car la première offrande sépare du monde, la deuxième conjoint au Christ, la troisième unit à Dieu. La première mortifie, la deuxième vivifie, la troisième déifie. Dans la première action, c'est la passion, dans la deuxième la résurrection, dans la troisième la glorification. « Ainsi, est-il dit, faisant mémoire de sa bienheureuse passion, de sa

21. a. Cf. Gn 17, 4-8 b. Cf. Lc 1, 55 c. 1 Co 11, 3 ≠

1. Cf. *Offertorium 'Domine Iesu Christe rex gloriae', Missa pro fidelibus defunctis, e.g.*, éd. C. WADDELL, *Two Early Cistercian Libelli Missarum*, Gethsemani Abbey (KY) 1991, p. 80.
2. *Cf. *Serm.* 42, 12 (*SC* 339, p. 44-46).

resurrectionis, sed et in caelos gloriosae ascensionis, offe-
1895B rimus praeclarae maiestati tuae », et cetera. Primus igitur
10 sacerdos mactat et quasi foris in atrio vitam animalem, secundus intus et in templo sensum rationalem, tertius ultra velum et in caelo iam ipsam fidem. Sicut enim super animalem sensum ratio, et super rationem fides, ita super
1896A fidem visio. *Quod* enim *videt quis, quid sperat*[a] ? « Vbi », ait
15 quis, « vides, non est fides. » Sic, sic carnalis fit spiritualis, et spiritualis caelestis aut divinus ; servus fit liber et regnat cum patre filius, inimicus amicus et heres. O sacerdos Christi, istis insiste dum assistis. Ista dum facis, fias nostri servi tui pie memor, qui vestrae paternitatis in omni oratione et
20 sacrificio fideliter et ferventer reminiscimur.

23. Sequi nos oportet victuale nostrum, *ne ieiuni deficiamus in via*[a]. Quid confert cibum nostrum de animali facere spiritualem, si sine cibo remaneamus animales. Angelorum manibus cibus noster in caelum defertur, et nos in terra
5 quid facimus ? Talis esca nos non solum commendat sed unit Deo, nisi eam fastiditi ex ira Dei mereamur *volatilia* male *pennata* quae in sublime volare non possunt, immo *in medio castrorum* et *circa tabernacula cadunt*[b]. Quod a vobis

8 **et** *om.* *E* γ || **in** : ad *PS* || 9 **tuae** : de tuis donis ac datis hostiam *add.* *T* de tuis donis ac datis hostiam puram *add.* *K* || **igitur** : ergo *E G* || 11 **sensum** : vitam δ || 13 **et ... ita** : ita ... et *K* || 14 **ubi** : unde *VW* || 15 **ait** : quidam *add.* *W* autem *T* *om.* G^{ac} || **quis** : quicquid *V* quid G^{ac} quod G^{sl} quicquid G^{mg} quisquid *W* || **vides** : videt γ δ || **est** : spes vel *add.* *G* || **sic sic** : sic *T* || 16 **et spiritualis** *om.* γ δ || **caelestis** : scelestus *T* || **aut** : autem γ δ || **divinus** : divinis *W* || **fit** *om.* δ || 16-17 **et**[2] — **amicus** : inimicus amicus et regnat cum patre filius *T* || 17 **et heres** *om.* δ || **o** *om.* *W* || 18 **christi** : dei *G* || **istis** : his *VW* *om.* *K* || **insiste** : assiste *E* || **nostri** : vestri *E* || 19 **tui** *canc.* *E* || 20 reminiscitur *E*

VGW (= β) *PQS* (= γ) *TK* (= δ)

23. 1 **ne** : inopes et *add.* *K* || 3 remanemus *PS* δ || 5 **nos non solum** : non solum nos *G Q* || 6 **eam** *om.* *T* || **dei** : fieri *add.* δ || 7 **quae** : in altum et *add.* *K*

résurrection des enfers, mais aussi de sa glorieuse ascension dans les cieux, nous offrons à ta majesté éclatante », etc. Donc le premier prêtre immole, pour ainsi dire à l'extérieur, sur le parvis, la vie animale ; le deuxième, à l'intérieur, dans le temple, immole la connaissance rationnelle ; le troisième, au-delà du voile et dans le ciel, déjà, la foi elle-même. De même, en effet, que la raison surpasse le sens animal et la foi la raison, de même la vision surpasse-t-elle la foi. Car *ce qu'on voit, pourquoi l'espérer*[a] *?* « Quand tu vois, dit quelqu'un, il n'y a plus de foi[1] ». Ainsi, de même que le charnel devient spirituel, le spirituel céleste et divin, l'esclave devient libre et règne, fils, avec le père ; l'ennemi devient ami et héritier. Ô prêtre du Christ, fixe tes pensées sur cela lorsque tu te tiens à l'autel. Et tandis que tu le fais, souviens-toi pieusement de nous, ton serviteur, nous qui, en toute prière et sacrifice, nous souvenons de vous comme d'un père avec ferveur et fidélité.

Épilogue

23. Il nous faut poursuivre avec empressement notre subsistance, *de peur qu'ayant jeûné nous ne défaillions en chemin*[a]. À quoi bon faire de notre nourriture animale une nourriture spirituelle si, sans la prendre, nous demeurons animaux ? Notre nourriture est portée au ciel par les mains des anges et nous, sur terre, que faisons-nous ? Un tel aliment non seulement nous réconforte, mais nous unit à Dieu, sauf si nous le dédaignons et encourons la colère de Dieu, ne recevant plus que des *volatiles* mal *ailés* qui ne peuvent pas voler dans les hauteurs, et même *tombent au milieu du camp et autour des tentes*[b].

22. a. Rm 8, 24
23. a. Mt 15, 32 ≠ b. Ps 77, 27-28 ≠

1. Cf. AUGUSTIN, *Io. ev. tr.* 68, 3 (*BAug* 74A, p. 238, l. 3) : *nam si uides, non est fides.*

avertat et nobis, ad quem conversi sumus, Iesus Christus,
10 qui cum Patre et Spiritu Sancto vivit et regnat, Deus, per omnia saecula saeculorum. Amen.

23bis. Sed ecce dum delectabat nos ista vobis scribere tum pro materia tum pro persona, ne epistolarem modum excederemus, procuravit vester Hugo de Calviniaco, qui subito impetu in nostros irruens, de conversis aliquos propria manu di***dure
5 verberavit; de familia quosdam fe***it; in nostram personam absentem con***as et minas multas et inhonestas ev***vit; de
1896B bobus octo rapuit et, ut putamus, iam vendidit. *Et adhuc manus eius extenta*[a]. *Super tecta*[b] iam loquitur quod in me de omnibus Anglis ulciscetur. Vtinam aut Anglus non fuissem aut ubi exulo
10 Anglos nunquam vidissem.

8-9 quod — nobis : quod a vobis et nobis avertat *W T* quod a nobis avertat et vobis γ *K* || **9 ad — christus** *om. T* || **christus :** dominus noster *add. W* || **10 deus** *om. T* || **10-11 per omnia :** in *K* || **11 amen :** explicit epistola domni ysaac abbatis de officio misse *add. E* explicit epistola abbatis ysaac de canone misse *add. V*

J **23bis.**

23bis. a. Is 5, 25 b. Mt 10, 27

1. Sur cette double finale, voir Introduction (*supra*, p. 111).

2. Isaac appelle Hugues, le seigneur local, *vester Hugo*, de façon tout à fait ironique. Hugues réclamait des terres et des forêts que son père avait cédées à l'abbaye une décennie plus tôt. Ces affaires étaient arbitrées par l'évêque de Poitiers. Plus largement, le problème était le degré de tension élevé dans la région, qui culmina avec la révolte des barons de 1168. En d'autres termes, Isaac et Jean ont tous deux fait l'expérience du ressentiment du seigneur local à l'égard des Anglais. On retrouve la même ironie dans la dernière phrase de la lettre.

3. Cela vaut la peine de relever le vocabulaire utilisé pour décrire cet épisode : d'abord l'attaque *in nostros*, en général, puis les coups contre un petit nombre *de conversis*, et finalement les mauvais traitements à l'encontre

Que nous en préserve, vous et nous, celui vers lequel nous nous sommes tournés, Jésus Christ, lui qui vit et règne avec le Père et le Saint-Esprit, pour les siècles des siècles. Amen.

23bis[1]. Mais voici que, pendant que nous prenions plaisir à vous écrire ces lignes, tant en raison de leur sujet que de leur destinataire, votre cher Hugues de Chauvigny a fait en sorte que nous ne dépassions pas le cadre d'une lettre[2], car il a, d'un élan soudain, fait irruption contre les nôtres, frappé durement quelques-uns de nos convers de sa propre main et <molesté> plusieurs de nos familiers[3] ; en notre absence, il a <proféré> à notre encontre beaucoup <d'insultes> et de menaces honteuses. Il a enlevé huit de nos bœufs et, à notre avis, il les a déjà vendus[4]. *Et sa main est encore menaçante*[a]. Il crie *sur les toits*[b] qu'à travers moi il se vengera de tous les Anglais. Plût au ciel que je ne fusse anglais, ou que, là où je suis exilé, je n'eusse jamais vu d'Anglais[5] !

---

d'autres *de familia*. Voir WILLIAMS, *The Cistercians in the Early Middle Ages*, p. 88-89. Comme le passage ne fait nulle mention de moines ou de monastère, il est possible que cette attaque se soit produite dans une grange ou dans les champs, auquel cas le fait qu'Isaac n'ait pas été là n'implique pas nécessairement qu'il ait été absent de l'Étoile.

4. Les mots entre crochets indiquent des lectures conjecturales pour remplir les lacunes du manuscrit, qui est très taché à cet endroit. Ils s'appuient en partie sur la reconstruction conjecturale des phrases concernées par G. Raciti : *de conversis aliquos propria manu di<re et> dure verberavit; de familia quosdam fe<de lacerav>it; in nostram personam absentem con<tumeli>as et minas multas et inhonestas ev<om>uit.* Le texte de G. Raciti est publié (sans crochets) en appendice à JOLY, *Catena aurea*, p. 112.

5. *Ce billet final situe la lettre en 1167 ou un peu avant, puisqu'en 1167 un accord est conclu, grâce à l'évêque, entre Isaac, abbé de l'Étoile et Hugues, seigneur de Chauvigny, qui contestait à l'abbaye la jouissance des biens que lui avait donnés son père Hélye. Cf. GARDA, « Du nouveau sur Isaac », p. 14-15.

NOTE COMPLÉMENTAIRE

La hiérarchie des cinq facultés : *sensus*, *imaginatio*, *ratio*, *intellectus* et *intelligentia*

La plus grande partie de la *Lettre sur l'âme* d'Isaac se structure autour de la hiérarchie établie entre sens, imagination, raison, intellect et intelligence. Selon toute probabilité, cette liste ordonnée s'inspire d'une liste de quatre facultés *(sensus, imaginatio, ratio, intelligentia)* qu'on lit dans la *Consolation* de Boèce[1] :

> L'homme lui-même est perçu différemment par les sens, l'imagination, la raison et l'intelligence. Car les sens jugent la figure imposée à une matière sous-jacente, et l'imagination la seule figure, sans la matière. La raison transcende aussi celle-ci, et évalue avec une considération universelle l'espèce qui se trouve dans les individus. Mais l'œil de l'intelligence voit les choses de plus haut ; car elle dépasse l'universel et contemple avec la pure vision de l'esprit la simple forme elle-même[2].

Même si la dépendance à l'égard de Boèce est nette, il y a dans la liste d'Isaac au moins trois différences remarquables par

1. V, 4, 27-30 (éd. MORESCHINI, p. 149).

2. *Ipsum quoque hominem aliter sensus, aliter imaginatio, aliter ratio, aliter intelligentia contuetur. Sensus enim figuram in subiecta materia constitutam, imaginatio vera solam sine materia iudicat figuram ; ratio vero hanc quoque transcendit speciemque ipsam quae singularibus inest universali consideratione perpendit. Intelligentiae vero celsior oculus*

rapport à la liste de la *Consolatio*. Tout d'abord, l'intelligence, dans ce passage de Boèce, est une faculté non pas humaine, mais divine. Ensuite, dans le *De anima* d'Isaac, chaque faculté a son propre objet de connaissance, distinct des autres[1] ; le passage boécien, au contraire, est ambigu à ce propos. Il suggère à la fois que les quatre facultés connaissent toutes la même chose – l'objet à l'accusatif, *hominem* – de façon différente – *aliter* –, et que chaque faculté a son propre objet : suivant une hiérarchie néoplatonicienne, Boèce mentionne la « figure dans une matière sous-jacente *(figura in subiecta materia)* » comme objet propre pour le sens, la « figure sans la matière *(figura sine materia)* » pour l'imagination, l'« espèce *(species)* » pour la raison, et la « forme simple *(simplex forma)* » pour l'intelligence[2]. Enfin, Isaac ajoute la faculté de l'intellect entre la raison et l'intelligence ; ce point mérite ici quelques considérations supplémentaires.

L'ajout de l'intellect entre la raison et l'intelligence se trouve déjà dans une sentence de Hugues de Saint-Victor, qui décrit cinq « étapes de la connaissance ». Il s'agit de *Miscellanea* I, 15[3] :

> Les étapes de la connaissance. Il y a cinq étapes de la connaissance : la première a lieu dans la sensation, la deuxième dans l'imagination, la troisième dans la raison, la quatrième dans

---

exsistit ; supergressa namque universitatis ambitum ipsam illam simplicem formam pura mentis acie contuetur (trad. J.-Y. Guillaumin, publiée dans Boèce, *La Consolation de Philosophie*, Paris 2020, p 135-136, modifiée) ; cf. aussi la traduction de J.-Y. Tilliette dans Boèce, *La Consolation de Philosophie*, Paris 2008, p. 297.

1. Cf. *supra*, tableau, p. 52-53.

2. Cf. J. Marenbon, *Boethius*, Oxford 2003, p. 130-135 ; et G. Catapano, « La 'forma semplice' di Boezio tra platonismo e aristotelismo. Una nota su *Consolatio*, libro V, prosa 4 », *Documenti e studi sulla tradizione filosofia medievale* 32, 2021, p. 1-16.

3. Texte dans D. Poirel, « La raison chez Hugues de Saint-Victor : du feuilleté des acceptions à la cohérence d'un sens, d'une pensée, d'un programme éducatif », *Vivarium* 59, 2021, p. 143-185, ici p. 151, qui corrige *PL* 177, 485B à l'aide de deux manuscrits.

l'intellect, la cinquième dans l'intelligence. Par la sensation la connaissance a lieu dans ces choses-ci, et selon elles ; par l'imagination, non dans ces choses-ci, mais selon elles ; par la raison, ni dans ces choses-ci ni selon elles, mais dans ces choses-là qui sont selon ces choses-ci, et à leur sujet ; par l'intellect, non dans ces choses-là, mais à leur sujet ; par l'intelligence, ni dans ces choses-là ni à leur sujet[1].

Comme le souligne Dominique Poirel, la sentence présente un « jeu énigmatique et subtil sur les prépositions *(in, secundum, de)* et les pronoms *(ista, illa)*, qui ne définit pas conceptuellement le rôle de chaque faculté, mais l'esquisse da façon souple et suggestive[2] ». *Animi progressio* est, par ailleurs, une expression augustinienne, mais Augustin l'utilise pour caractériser le seul désir en le différenciant des autres affections de l'âme (joie, tristesse et peur)[3]. Hugues utilise aussi ce lexique ailleurs dans ses écrits. Il parle notamment de la *progressio* qui procède des corps vers l'esprit incorporel dans son *De unione spiritus et corporis*[4]. Et en *Didascalicon* II, 4[5], Hugues discute quatre *progressiones* de l'âme : pour les trois premières étapes, *progressio* indique une dispersion progressive et croissante dans la multiplicité des puissances de l'âme, du corps, du monde externe (ces étapes correspondant aux opérations 1×3=3, 3×3=9, 9×3=27) ; mais cette dispersion est suivie par la quatrième *progressio*, qui est alors *regressio*, retour à

1. *De progressionibus cognitionis. Quinque sunt progressiones cognitionis : prima est in sensu, secunda in imaginatione, tertia in ratione, quarta in intellectu, quinta in intelligentia. Per sensum est in istis et secundum ista. Per imaginationem non est in istis sed secundum ista. Per rationem neque in istis est neque secundum ista, sed est in illis et de illis quae sunt secundum ista. Per intellectum non est in illis sed de illis. Per intelligentiam, nec in illis, nec de illis* (trad. D. Poirel, p. 151).

2. *Ibid.*, p. 151.

3. Augustin, *In Ev. Ioh.* 46, 8 (éd. M.-F. Berrouard, *BAug* 73B, Paris 1989, p. 112, l. 3).

4. Éd. A.M. Piazzoni, l. 151.

5. Éd. C.H. Buttimer, p. 27-29.

l'unité, car on y voit réapparaître le chiffre 1 (27×3=81[1]). Hugues est probablement la source directe d'Isaac, qui utilise à la fois le terme *progressio* et le synonyme *progressus*[2].

L'ajout d'*intellectus* dans la liste de Hugues et d'Isaac semble dériver d'une tentative de concilier la liste de *Cons.* V, pr. 4 avec d'autres passages boéciens qui mentionnent l'*intellectus* (ou des termes de la même racine, comme l'adverbe *intellectualiter* ou l'adjectif substantivé *intellectibilia*) dans un contexte au moins en partie superposable à celui de la *Consolatio*. Au moins trois passages peuvent être signalés à ce propos.

[1] Dans son deuxième commentaire au *De interpretatione* d'Aristote[3], Boèce – inspiré par Porphyre – indique, avec des termes latins au pluriel, différents candidats pour ce qui est signifié par les noms et les verbes. Il s'agit de : choses *(res)* ; natures incorporelles *(naturae incorporeae)* ; perceptions sensorielles (*sensus* – qui, nous dit Boèce, correspond au grec αἰσθήματα) ; images mentales (*imaginationes*, correspondant au grec φαντασίαι et φαντάσματα) ; ou bien pensées (*intellectus*, correspondant au grec νοήματα). Dans ce qui suit, *sensus*, *imaginatio* et *intellectus* indiquent – comme l'a souligné John Magee – soit une *faculté*, soit un *acte* exercé par cette faculté, soit finalement le *contenu* de cet acte[4]. Le terme *intelligentia* apparaît aussi comme synonyme d'*intellectus* en tant que faculté qui dépasse les sensations et les imaginations[5].

1. Cf. A. Boureau, *De vagues individus. La condition humaine dans la pensée scolastique*, Paris 2008, p. 29-35.

2. Voir *An.* 14 (*supra,* p. 172-174, l. 5.7.9.17) et 24 (p. 190, l. 14).

3. Éd. K. Meiser, Leipzig 1880, p. 26-29.

4. Voir J. Magee, *Boethius on Signification and Mind*, Leyde 1989, p. 98-116.

5. Voir p. 29, l. 2 : « l'intelligence qui survient (*superveniens intelligentia)* » et, quelques lignes plus bas, p. 29, l. 9 : « l'intellect survient *(superveniat intellectus)* ».

Les deux autres passages à signaler concernent tous deux la division de la philosophie théorétique[1].

[2] Dans son premier commentaire de l'*Isagogè*[2], Boèce mentionne trois espèces de la philosophie théorétique, distinguées à partir des objets dont elles s'occupent : une espèce *(theologia)* s'occupe des *intellectibilia* ; une autre, dont le nom n'est pas indiqué expressément, des *intellegibilia* ; et la troisième *(physiologia)*, des *naturalia*[3]. Boèce précise qu'*intellectibilia* est sa propre traduction du grec νοητά : il s'agit d'objets divins qui ne peuvent pas être perçus par les sens, mais uniquement « par l'esprit et l'intellect » *(mente intellectuque)*. Au deuxième niveau, les *intellegibilia* incluent, nous dit Boèce, les « âmes humaines *(humanarum animarum)* » ainsi que « toutes les œuvres célestes de la divinité d'en haut *(omnium caelestium supernae divinitatis operum)* » et « tout être qui, dans le monde sublunaire, jouit d'un esprit plus heureux et d'une substance plus pure *(quicquid sub lunari globo beatiore animo atque puriore substantia valet)* » – des expressions qui semblent indiquer les étoiles et les anges. D'autres remarques suggèrent que ces *intellegibilia* ne sont pas entièrement distincts des *intellectibilia*. En fait, Boèce dit qu'à ce deuxième niveau aussi on connaît le premier objet intellectible, mais d'une façon différente, c'est-à-dire non par l'intellect, mais « par la pensée et l'intelligence » *(cogitatione atque intelligentia)*. Il précise également que les *intellegibilia* sont faits de la même substance que les *intellectibilia*, mais qu'« au contact avec les

1. Voir G. d'Onofrio, « La scala ricamata. La *philosophiae divisio* di Severino Boezio, tra essere e conoscere », dans G. d'Onofrio [éd.], *La divisione della filosofia e le sue ragioni. Lettura di testi medievali (VI-XIII secolo)*, Cava dei Tirreni 2001, p. 11-63.

2. Éd. S. Brandt, Vienne – Leipzig 1906, p. 8, l. 8 - p. 9, l. 12.

3. Voir A. Donato, *Boezio. Un pensatore tardoantico e il suo mondo*, Rome 2021, p. 105-134, et surtout p. 133, qui soutient avec des arguments convaincants que la deuxième discipline serait les mathématiques, entendues selon une conception néo-pythagoricienne.

corps, ils ont dégénéré des intellectibles aux intelligibles *(corporum tactu ab intellectibilibus ad intellegibilia degenerarunt)* ».

[3] Enfin, dans son *De Trinitate*, Boèce revient sur la division de la philosophie spéculative, en des termes à la fois semblables et différents par rapport à ceux du premier commentaire de l'*Isagogè* et de la liste de la *Consolatio*[1]. La philosophie naturelle est « en mouvement et non abstraite *(in motu inabstracta)* », c'est-à-dire qu'« elle considère les formes avec la matière *(considerat enim corporum formas cum materia)* ». Les mathématiques sont « sans mouvement mais non abstraites *(sine motu inabstracta)* », c'est-à-dire qu'« elles contemplent des formes sans la matière *(formas corporum speculatur sine materia)* ». La partie théologique enfin est « sans mouvement, abstraite et séparable *(sine motu abstracta atque separabilis)* ». Par trois adverbes, Boèce précise aussi la façon dont il faut procéder dans chaque domaine : « dans le domaine des choses naturelles, il faut procéder de façon rationnelle, dans celui des objets mathématiques, avec la méthode des disciplines ; dans le domaine des objets divins, de façon intellectuelle *(in naturalibus igitur rationabiliter, in mathematicis disciplinaliter, in divinis intellectualiter versari oportebit)* ». Ces adverbes suggèrent des facultés : *rationabiliter* la raison, *intellectibiliter* l'*intellectus* ou l'*intelligentia* (pour certains auteurs du XIIe siècle, nous allons le voir, cet adverbe suggère une nouvelle faculté, appelée *intellectibilitas* ou bien *intellectualitas*).

Ces passages comportent le terme *intellectus* dans des contextes où *sensus*, *imaginatio*, *ratio* et *intelligentia* sont aussi mentionnés. *Intellectus* et d'autre termes apparentés, comme *intellectibilia* et *intellectualiter*, sont souvent liés au niveau le plus élevé de la connaissance (et de l'être), niveau parfois partagé avec l'*intelligentia*, parfois plus élevé que celui indiqué par les mots *intelligentia* et *intellegibilia*.

1. Cf. aussi ARISTOTE, *Métaphysique*, VI, 1025b-1026a, trad. J. TRICOT, Paris 1991, p. 223-228.

Les auteurs du XIIe siècle ont souvent commenté ces passages boéciens et essayé de les rendre cohérents entre eux[1]. Dans la variété des reprises, il est intéressant de noter qu'une distinction entre *intelligentia*, plus haut, et *intellectus*, plus bas, commence à affleurer, notamment chez Hugues de Saint-Victor et Thierry de Chartres.

Dans le *Didascalicon*, II, 1-3[2], Hugues de Saint-Victor reprend la division de la philosophie spéculative en *physica*, *mathematica* et *theologia*, ainsi que les trois adjectifs boéciens *naturalis*, *intellegibilis* et *intellectibilis*, en les attribuant non seulement à l'objet connu, mais à la science elle même (II, 1). En citant le passage boécien du premier commentaire à l'*Isagogè* que nous avons présenté plus haut, Hugues affirme que l'intellectible est connu « seulement par l'esprit et l'intellect *(sola tantum mente intellectuque)* » (II, 2) ; que l'intelligible est connu « par la pensée et l'intelligence *(cogitatione atque intelligentia)* » (II, 3) ; et que les intelligibles – parmi lesquels figurent les âmes humaines – ont dégénéré des intellectibles aux intelligibles par le contact avec les corps (II, 3). Il en tire la conclusion suivante :

> Une même chose est à la fois intellectible et intelligible, cela dépend du point de vue : « intellectible » parce qu'elle est de nature incorporelle, et ne peut être saisie par aucun sens ;

1. Voir à ce propos L. Valente, « *In divinis intellectualiter versari oportebit* : la critica dell'uso dell'immaginazione in teologia fra Severino Boezio e il XII secolo », dans M. Rainini (éd.), *Ordine e disordini in Gioacchino da Fiore. Atti del 9° Congresso internazionale di studi gioachimini San Giovanni in Fiore – 19-21 settembre 2019*, Rome 2021, p. 111-151 et C. Tarlazzi, « *Sensus imaginatio ratio intellectus intelligentia* : une liste 'boécienne' de facultés de l'âme au XIIe siècle », dans P. Marin – L. Mellerin (éd.), *Penser l'âme au temps de son éclipse. Les ressources de l'anthropologie chrétienne*, à paraître.

2. Éd. C. H. Buttimer, *Hugonis de Sancto Victore Didascalicon de Studio Legendi. A Critical Text*, Washington 1939, p. 23-27.

« intelligible » d'autre part, parce qu'elle est une ressemblance avec le sensible sans être sensible pour autant[1].

Dans la suite du passage cependant, c'est l'intellect qui est mentionné pour la connaissance des intelligibles, alors que pour la connaissance des intellectibles on mentionne l'intelligence :

> Est intellectible, en effet, ce qui n'est ni sensible ni ressemblance avec le sensible. Est intelligible ce qui est perçu seulement par l'intellect, mais ne perçoit pas seulement par lui, puisqu'il possède l'imagination et aussi la sensation par laquelle il saisit ce qui est soumis aux sens. En touchant les corps, il dégénère, puisqu'en courant après les formes invisibles des corps grâce aux perceptions sensorielles et en les attirant en lui après les avoir touchées, il est coupé de sa simplicité aussi souvent qu'il reçoit la forme des qualités d'une perception contraire. Mais quand, renonçant à cette séparation pour monter vers la pure intelligence, il se rassemble en un, il devient plus heureux par sa participation à la substance intellectible[2].

On trouve donc ici la distinction entre *intelligentia*, plus haut, et *intellectus*, plus bas, qu'on lit aussi dans la sentence de *Miscellanea* I, 15, même si demeure une certaine fluidité. Dans le *Didascalicon* II, 5, c'est encore l'*intelligentia* qui est liée à

1. *Eadem igitur res diversis respectibus intellectibilis simul et intelligibilis est. Intellectibilis eo quod incorporea sit natura, et nullo sensu comprehendi possit. Intellegibilis vero ideo, quod similitudo quidem est sensibilium, nec tamen sensibilis* (II, 3, éd. C. H. Buttimer, p. 27 ; tr. M. Lemoine, p. 95-96).

2. *Intellectibile est enim, quod nec sensibile est, nec similitudo sensibilis. Intelligibile autem quod ipsum quidem solo percipitur intellectu, sed non solo intellectu percipit, quia imaginationem vel sensum habet, quo ea quae sensibus subiacent comprehendit. Tangendo ergo corpora degenerat, quia, dum invisibiles corporum formas per sensuum passiones procurrit easque attractas per imaginationem in se trahit, toties a sua simplicitate scinditur, quoties aliquibus contrariae passionis qualitatibus informatur. Cum vero ab hac distractione ad puram intelligentiam conscendens in unum se colligit, fit beatior intellectibilis substantiae participatione* (II, 3, éd. C. H. Buttimer, p. 27 ; tr. M. Lemoine, p. 96).

l'intellectible, mais pour les intelligibles c'est l'*imaginatio* qui est mentionnée :

> On voit maintenant assez clairement, me semble-t-il, comment les âmes dégénèrent de l'intellectible à l'intelligible, lorsqu'elles descendent de la pureté de l'intelligence simple, qui n'est obscurcie par aucune image corporelle, à la représentation imagée du visible, et comment derechef elles deviennent plus heureuses, quand, renonçant à cette séparation pour se rassembler à la source simple de leur nature, elles se composent selon la marque de la meilleure image qui puisse leur être imprimée. Pour parler plus clairement, l'intellectible est en nous ce qu'est l'intelligence, et l'intelligible, ce qu'est l'imagination. L'intelligence est la connaissance pure et certaine des seuls principes des choses, c'est-à-dire Dieu, les idées, la matière, les substances incorporelles. L'imagination est la mémoire des sens à partir des vestiges corporels attachés à l'esprit, principe de connaissance n'ayant en lui rien de certain[1].

À la même époque, on trouve la distinction entre *intelligentia* au niveau le plus élevé des puissances humaines et *intellectus* au niveau immédiatement inférieur dans les *Lectiones in Boethii librum De trinitate* liées à l'enseignement de Thierry de Chartres[2], toujours dans le contexte de la division des sciences spéculatives

1. *Vides nunc satis aperte, ut puto, quomodo animae de intellectibilibus ad intelligibilia degenerant, quando a puritate simplicis intelligentiae, quae nulla corporum fuscatur imagine, ad visibilium imaginationem descendunt rursumque beatiores fiunt, quando se ab hac distractione ad simplicem naturae suae fontem colligentes quasi quodam optimae figurae signo impressae, componuntur. Est igitur, ut apertius dicam, intellectibile in nobis id quod est intelligentia, intelligibile vero id quod est imaginatio. Intelligentia vero est de solis rerum principiis, id est Deo, ideis, et hyle, et de incorporeis substantiis, pura certaque cognitio. Imaginatio est memoria sensuum ex corporum reliquiis inhaerentibus animo, principium cognitionis per se nihil certum habes* (II, 5, éd. C. H. Buttimer, p. 29 ; tr. M. Lemoine, p. 99).

2. Éd. N. M. Häring, *Commentaries on Boethius by Thierry of Chartres and His School*, Toronto 1971.

évoquée plus haut. Dans ce passage, l'*intellectus* est présenté comme la faculté utilisée en mathématiques et synonyme de *disciplina* (cf. l'adverbe boécien *disciplinaliter*) ; pour indiquer la faculté utilisée en théologie, on présente le nouveau mot d'*intellectibilitas* comme synonyme d'*intelligentia* (cf. l'adverbe boécien *intellectualiter*) :

> Il faut savoir que différentes forces de l'âme et compréhensions sont à utiliser en physique, mathématique et théologie pour comprendre l'universalité en tant que sujet des trois parties de la [philosophie] spéculative : en théologie, il faut utiliser l'intellectibilité, ou intelligence ; en mathématique, au contraire, l'intellect, qui est [identique à] la discipline ; et en physique la raison, le sens et l'imagination, qui comprennent comme lié à la matière tout ce qu'ils comprennent[1].

Ailleurs cependant, la terminologie de Thierry est plus fluide : par exemple, *intellectus* est synonyme d'*intelligentia* pour indiquer la faculté de la connaissance de Dieu dans les *Lectiones*[2] ; et dans la *Glosa super Boethii librum De Trinitate*, la liste ordonnée des forces de l'âme est plutôt *sensus*, *imaginatio*, *ratio*, *intelligentia* ou bien *disciplina*, et *intelligibilitas*[3].

Comme on peut le constater, ces listes présentent souvent des variations et essayent de coordonner plusieurs éléments, notamment : une liste ordonnée de puissances de l'âme humaine ; une

1. *Et sciendum quod diversis animae viribus et comprehensionibus in phisica, mathematica, theologia utendum est ad comprehendendum universitatem ut subiecta est tribus speculativae partibus. Nam in theologia utendum est intellectibilitate sive intelligentia ; in mathematica vero intellectu qui est disciplina ; in phisica ratione sensu et imaginatione quae circa materiam comprehendunt quicquid comprehendunt* (éd. N. M. Häring, p. 164, § 30).

2. Éd. N.M. Häring, p. 158, § 12.

3. Éd. N.M. Häring, p. 268-271, § 1-11 ; cf. N. Germann, « Thierry von Chartres », dans L. Cesalli, R. Imbach, A. de Libera, T. Ricklin (éd.), *Grundriss der Geschichte der Philosophie. Die Philosophie des Mittelalters.* Bd 3/1. *12. Jahrhundert*, Bâle 2021, p. 485-508, notamment p. 492-497.

ontologie hiérarchique à plusieurs niveaux qui monte des réalités corporelles aux incorporelles ; la division des sciences spéculatives. Il s'agit d'éléments qu'on trouve tous aussi dans l'*Epistola* d'Isaac[1]. L'ajout de l'*intellectus* comme niveau distinct placé entre *ratio* et *intelligentia* (ou *intellectibilitas*) n'est pas très diffusé au XIIe siècle. Par exemple, dans son influent commentaire sur la *Consolatio*, en commentant précisément V, pr. 4, Guillaume de Conches discute, comme des modes de la connaissance humaine, la liste *sensus*, *imaginatio*, *ratio* et *intelligentia*[2]. *Intellectus* y est mentionné comme synonyme d'intelligence dans le sens, qui l'oppose à *opinio*, de « connaissance certaine[3] ».

Les listes de Hugues et de Thierry ont influencé plusieurs textes plus tardifs. Par exemple, en suivant Thierry de Chartres, Clarembaud d'Arras présente une série de quatre facultés *(sensus-imaginatio-ratio-intellectibilitas)*, inspirée par la *Consolation* de Boèce, mais dans laquelle c'est l'*intellectibilitas* qui est indiquée comme la faculté la plus élevée. Utilisée en théologie et appartenant seulement à un petit nombre d'hommes, elle ne se sert d'aucun instrument pour son exercice[4].

La postérité de *Miscellanea* I, 15, de son côté, est au moins double. En premier lieu, cette brève sentence hugonienne – avec la variante, plus négative, de « digressions de la pensée *(digressiones cogitationis)* » au lieu d'« étapes de la connaissance *(progressiones cognitionis)*[5] » – se trouve dans certains manuscrits avec un commentaire influencé par la terminologie de Gilbert

1. Voir *An.* 15 (*supra*, p.174-176) ; 26 (p. 194) ; 28-29 (p. 198-200) et 33 (p. 206).

2. Voir Guillelmus de Conchis, *Glosae super Boetium*, éd. L. Nauta, Turnhout 1999, p. 323-327.

3. Voir éd. L. Nauta, p. 323, l. 229 et p. 324, l. 252-255.

4. Voir Clarembaud d'Arras, *Tractatus super librum Boetii 'De trinitate'*, éd. dans N.M. Häring, *Life and Works of Clarembald of Arras. A Twelfth-Century Master of the School of Chartres*, Toronto 1965, p. 63-186, notamment p. 82 et 109.

5. Voir Valente, « In divinis », p. 146-143 ; cf. aussi p. 136-143.

de Poitiers et proche du style d'Alain de Lille[1]. Dans au moins un témoin, Bibliothèque Mazarine 657, le titre de *Periesichen Augustini* accompagne la sentence et son commentaire (mais, comme Csaba Németh nous le signale justement, il se réfère en toute probabilité seulement à la *sententia*, plutôt qu'au commentaire). C'est avec ce titre de *Peri Psichen* et l'attribution à Augustin qu'Alain de Lille cite la sentence dans ses *Distinctiones*[2]. Une telle terminologie se retrouve ailleurs aussi dans les œuvres d'Alain de Lille. Dans le *De fide catholica* I, 28, *sensus, imaginatio, ratio, intellectus, intelligentia* est la liste des cinq puissances de l'esprit incorporel[3]. Dans la *Summa 'Quoniam homines'* I, 2, on distingue deux espèces de l'« extase supérieure » : l'une, appelée *intellectus*, grâce à laquelle l'homme considère les anges et les âmes ; l'autre, appelée *intelligentia*, par laquelle l'homme voit la Trinité[4]. Dans les *Regulae caelestis iuris* 99[5] et le *Sermo de sphera intelligibili*[6] l'intellect est distinct d'une faculté plus élevée appelée cette fois *intellectualitas*, une terminologie peut-être à rapprocher de l'*intellectibilitas* de Thierry et Clarembaud, ou inspirée des mêmes

1. Sentence et commentaire sont édités avec le titre unique de *Traité des cinq puissances de l'âme* dans ALAIN DE LILLE, *Textes inédits*, avec une introduction sur sa vie et ses œuvres par M.-T. D'ALVERNY, Paris 1965, p. 313-317 à partir de deux témoins manuscrits ; un troisième a été identifié par C. TARLAZZI, « Alan of Lille and the *Periesichen Augustini* », *Bulletin de Philosophie Médiévale* 51, 2009, p. 45-54.

2. *PL* 210, 819C-D au mot *intellectus* ; voir aussi *PL* 210, 922A-B, au mot *ratio* ; dans les deux cas, Alain cite le texte avec la variante de *digressiones animae* ; voir TARLAZZI, « Alan of Lille » ; *supra*, p. 63-64, n. 4 et les recherches à paraître de Csaba Németh, qui prépare une nouvelle édition du commentaire.

3. *PL* 210, 330C.

4. Éd. dans P. GLORIEUX, « La somme *'Quoniam homines'* d'Alain de Lille », *Archives d'histoire doctrinale et littéraire du Moyen Âge* 20, 1953, p. 113-364, notamment p. 121.

5. *PL* 210, 673D-674A.

6. Éd. M.-T. D'ALVERNY dans ALAIN DE LILLE, *Textes inédits*, p. 297-306, notamment p. 302-303 ; cf. aussi p. 163-180.

sources boéciennes. Cette postérité de *Miscellanea* I, 15 s'étend aussi à Raoul de Longchamp (fin XIIe-début du XIIIe siècle[1]) et Denys le Chartreux (XVe siècle)[2].

En second lieu, la liste hugonienne de *Miscellanea* I, 15 est relayée par la médiation de l'*Epistola de anima* d'Isaac et, à travers cette dernière, par le *De spiritu et anima*. Dans cette tradition, qui nous semble à distinguer de la première ligne d'influence, la liste à cinq éléments se développe davantage. Déjà au chapitre 13 du *De spiritu et anima*[1] la partition d'Isaac se lit avec l'ajout de *memoria* entre *ratio* et *intellectus*[2]. Mais surtout, dans la tradition liée au *De spiritu et anima*, on repère au XIIIe siècle l'ajout d'un sixième niveau encore plus élevé : celui de la syndérèse, entendue comme faculté de distinguer le bien du mal et de connaître les principes moraux[3]. Cette nouvelle liste à six étapes, qui développe donc la série boécienne à quatre éléments à travers la liste à cinq éléments de Hugues et Isaac, se trouve, par exemple, dans l'*Itinerarium* de Bonaventure[6].

1. Cf. Tarlazzi, « Alan of Lille », p. 54-53.

2. Cf. C. Trottmann, « Lectures chartreuses des victorins », dans D. Poirel (éd.), *L'école de Saint-Victor de Paris. Influence et rayonnement du Moyen Âge à l'Époque moderne*, Turnhout 2010, p. 547-582, notamment p. 575-576, et les recherches en cours de Csaba Németh.

1. *PL* 40, 789.

2. Sur la mémoire dans le *De spiritu et anima*, voir J. Coleman, *Ancient and Medieval Memories. Studies in the Reconstruction of the Past*, Cambridge 1992 p. 220-226 ; et plus généralement M. Carruthers, *The Book of Memory. A Study of Memory in Medieval Culture*, Cambridge 2008² (1990¹).

3. Voir M. Leone, *Sinderesi. La conoscenza immediata dei principi morali tra Medioevo e prima età moderna*, Canterano 2020.

6. Voir Introduction (*supra*, p. 65).

INDEX

INDEX SCRIPTURAIRE

Les chiffres de droite renvoient aux chapitres et aux paragraphes de l'œuvre. Les lettres minuscules qui suivent renvoient aux appels de notes. Les références en caractères *italiques* indiquent les allusions.

ANCIEN TESTAMENT

NOUVEAU TESTAMENT

INDEX DES AUTEURS ANCIENS

Figurent ici les œuvres citées par Isaac ou considérés comme ses sources possibles. Les citations littérales figurent en caractères gras.

INDEX DES RÉFÉRENCES LITURGIQUES

INDEX DES PARALLÈLES DANS LES *SERMONS* D'ISAAC

Les numéros des sermons et de leurs paragraphes sont indiqués dans la colonne de gauche. Les reprises littérales figurent en caractères gras.

TABLE DES MATIÈRES

SOURCES CHRÉTIENNES

Dans la liste qui suit, dite « liste alphabétique », tous les ouvrages sont rangés par noms d'auteurs anciens et titres d'ouvrages anonymes, les numéros précisant pour chacun l'ordre de parution depuis le début de la collection.

Pour une information plus complète, une « liste numérique » est téléchargeable sur le site Internet, à l'adresse suivante : *https://sourceschretiennes.org*. Elle présente les volumes et leurs auteurs actuels d'après les dates de publication ; elle indique également les réimpressions et les ouvrages momentanément épuisés ou dont la réédition est préparée.

On peut se la procurer aussi au secrétariat des « Sources chrétiennes », 22 rue Sala, F-69002 Lyon (Tél. : 04 72 77 73 50 et Courriel : *sources.chretiennes@mom.fr*).

LISTE ALPHABÉTIQUE (1-632)

PROCHAINES PUBLICATIONS

Guillaume de Saint-Thierry, Arnaud de Bonneval, Geoffroy d'Auxerre, **Vie de saint Bernard, abbé de Clairvaux. Vita prima. Tomes I-II.** R. Fassetta.

Dadisho' Qatraya, **Commentaire sur le Paradis des Pères. Tomes II-III.** D. Phillips.

Gertrude d'Helfta, **Œuvres spirituelles, t. VI.** M.-H. Deloffre, E. Tealdi.

Grégoire de Tours, **Les miracles de saint Martin.** L. Pietri.

Épiphane de Salamine, **Panarion, t. I.** A. Pourkier.

Césaire d'Arles, **Commentaire de l'Apocalypse.** R. Gryson.

Clément d'Alexandrie, **Stromate I (nouvelle édition).** B. Pouderon.

Également aux Éditions du Cerf

LES ŒUVRES DE PHILON D'ALEXANDRIE
publiées sous la direction de
R. ARNALDEZ, C. MONDÉSERT, J. POUILLOUX.
Texte original et traduction française

1. **Introduction générale, De opificio mundi.** R. Arnaldez.
2. **Legum allegoriae.** C. Mondésert.
3. **De cherubim.** J. Gorez.
4. **De sacrificiis Abelis et Caini.** A. Méasson.
5. **Quod deterius potiori insidiari soleat.** I. Feuer.
6. **De posteritate Caini.** R. Arnaldez.

7-8. **De gigantibus. Quod Deus sit immutabilis.** A. Mosès.

9. **De agricultura.** J. Pouilloux.
10. **De plantatione.** J. Pouilloux.

11-12. **De ebrietate. De sobrietate.** J. Gorez.

13. **De confusione linguarum.** J.-G. Kahn.
14. **De migratione Abrahami.** J. Cazeaux.
15. **Quis rerum divinarum heres sit.** M. Harl.
16. **De congressu eruditionis gratia.** M. Alexandre.
17. **De fuga et inventione.** E. Starobinski-Safran.
18. **De mutatione nominum.** R. Arnaldez.
19. **De somniis.** P. Savinel.
20. **De Abrahamo.** J. Gorez.
21. **De Iosepho.** J. Laporte.
22. **De vita Mosis.** R. Arnaldez, C. Mondésert, J. Pouilloux, P. Savinel.
23. **De Decalogo.** V. Nikiprowetzky.
24. **De specialibus legibus.** Livres I-II. S. Daniel.
25. **De specialibus legibus.** Livres III-IV. A. Mosès.
26. **De virtutibus.** R. Arnaldez, A.-M. Vérilhac, M.-R. Servel, P. Delobre.
27. **De praemiis et poenis. De exsecrationibus.** A. Beckaert.
28. **Quod omnis probus liber sit.** M. Petit.
29. **De vita contemplativa.** F. Daumas et P. Miquel.
30. **De aeternitate mundi.** R. Arnaldez et J. Pouilloux.
31. **In Flaccum.** A. Pelletier.
32. **Legatio ad Caium.** A. Pelletier.
33. **Quaestiones in Genesim et in Exodum. Fragmenta Graeca.** F. Petit.

34 A. **Quaestiones in Genesim,** I-II (e vers. armen.). C. Mercier.

34 B. **Quaestiones in Genesim,** III-IV (e vers. armen.). C. Mercier et F. Petit.

34 C. **Quaestiones in Exodum,** I-II (e vers. armen.). A. Terian.

35. **De Providentia,** I-II. M. Hadas-Lebel.
36. **Alexander** *vel* **De animalibus** (e vers. armen.). A. Terian.

ACHEVÉ D'IMPRIMER
EN FRANCE
EN OCTOBRE 2022
SUR LES PRESSES
DE
L'IMPRIMERIE F. PAILLART
À ABBEVILLE (80)

DÉPÔT LÉGAL : 4e TRIMESTRE 2022
N°. IMP. 17106